SI TU SAVAIS

UNE ÉDITION DU CLUB QUÉBEC LOISIRS INC.
© Avec l'autorisation des Éditions Arion Enr.
© 1999, Les Éditions Arion Enr.
Dépôt légal — Bibliothèque nationale du Québec, 1999
ISBN 2-89430-386-6
(publié précédemment sous ISBN 2-921493-36-5)

Imprimé au Canada

Cécile Fortier Keays

SI TU SAVAIS

Chaque jour, le souvenir
d'un événement passé
nous rappelle des instants
de bonheur oubliés.

Chapitre 1

18 janvier.

– Mamzelle, homme dans...

Indique d'une main, un jeune homme debout devant le poêle, tenant un morceau de bois dans l'autre. Il ouvre la bouche en fonte et donne à manger au feu, puis referme la porte, secoue ses mains et se dirige devant une grande et belle jeune femme assise derrière un immense pupitre encombré de cahiers et de livres.

Adéline, plongée dans son travail scolaire, ne prête aucune attention à Firmin, l'idiot, ce grand garçon au profil de son père, maigre et imberbe qui range les cahiers sur la table. Distraite, soudain elle relève la tête; le souvenir de la voix de son élève se presse à travers le silence. Les cheveux hirsutes sur la tête de ce pauvre démuni retiennent un moment son attention. Souvent, elle pense à le peigner discrètement mais il porte un couche-chef du matin au soir presque douze mois par année. Quand il parle, il l'enlève nerveux, le tourne entre ses doigts comme un jeu, en se dandinant sans cesse, incapable d'immobilité. Alors Adéline, indulgente, feint l'indifférence et prête l'oreille, amusée. Le mystère de son regard bleuté l'intrigue. Est-il aussi fou qu'on l'affirme ou le laisse entendre?

– Qu'est-ce que tu as dit, Firmin?

Firmin, ne sait déjà plus de quoi il parle, il a vu des
bottes... des grosses bottes dans la chiotte voisine de la sienne
tout à l'heure, et a trouvé ces pieds très étranges. Il s'est
penché pour en savoir davantage, mais l'homme ne bougeait
pas et attendait. L'idiot les examinait et cherchait qui pouvait
remplir ces chaussures inconnues. Puis, nerveux, il s'est
enculotté et est revenu dans la classe. Il a insisté auprès de la
maîtresse d'école, mais elle ne lui a prêté aucune attention,
occupée qu'elle était à ranger le brouhaha des marmots qui
s'habillaient chaudement. Découragé, Firmin a laissé tomber
sa découverte. Il est allé dans la rallonge adjacente à l'école
tenant lieu de hangar à bois, a poussé la porte de la toilette
rudimentaire pour voir si l'inconnu s'y trouvait encore; il avait
disparu. Il s'est rendu à celle du hangar qui battait au vent, a
regardé la neige se gonfler par les bourrasques, a vu les pistes
fraîches qui se couvraient à vue d'oeil et se perdaient dans la
plaine; sans se poser de questions. La porte refermée à la
hâte, il est retourné dans la chiotte de l'inconnu, a découvert
une vieille mitaine de cuir jaune oubliée sur la plancher de
bois, l'a ramassée, a regardé l'intérieur, a examiné une
étiquette verte et bleue au poignet gauche, puis l'a remise à
l'endroit.

– Firmin, t'en viens-tu? insiste Julien, pour la troisième
fois.

Firmin surpris par sa découverte essaie la mitaine. Trop
petite, il la tire à bout de bras sur la corde de bois, sans
regarder où elle tombe et entre dans la classe.

– Firmin, tu t'en viens avec moi? reprend encore Julien,
son voisin, prêt à partir.

– Firmin, avec Mamzelle. Pas encore fini.

– Bon. Comme tu voudras.

Julien, l'élève modèle, met son foulard sur sa bouche et les quitte.

La jeune femme regarde par la fenêtre ourdie de neige blanche et s'inquiète. La petite école de campagne qui l'abrite tremble sous la rigueur de l'hiver à son apogée. Elle lui rappelle les bateaux courant au large ballottés par les caprices des flots.

– Firmin, tu peux t'en aller, si tu veux. Nous terminerons le travail lundi avant de commencer l'école.

Firmin refuse cette éventualité. Il ne vit que pour faire ce travail le vendredi après-midi. Puis la neige ne lui fait pas peur. Heureux, il exécute scrupuleusement les ordres d'Adéline Lussier, la frêle maîtresse d'école du *Plateau Doré,* en poste depuis septembre. Bon an, mal an, il en a vu passer des maîtresses dans cette école, depuis le temps. Ses parents lui permettent de la fréquenter par temps perdus et dans les temps morts, quand il n'y a pas de travail dans la bergerie de son père. Depuis sept ans, il a franchi les quatre premiers échelons de l'école. Chaque enfant se fait un devoir de renseigner la nouvelle maîtresse sur son cas.

– Mademoiselle, ne faites pas attention à Firmin, c'est un fou! a dit maman.

– Taisez-vous, rétorque alors Adéline. Vous n'avez pas le droit de parler de votre ami de la sorte. Je découvrirai moi-même la condition de cet élève, mes enfants. Maintenant, au travail! Nous avons beaucoup de choses à apprendre.

Mais les langues continuent à saliver dans la campagne automnale. Adéline s'émeut. Pauvres enfants! Devant tant de moqueries, qui ne verrait pas fondre sa confiance en soi. Je devrai remettre leurs idées à l'endroit. Tant d'esprits tordus! Trop d'énergies déployées à détruire. D'où vient cette mentalité? Je devrai le découvrir.

L'ombre opaque de ses inquiétudes s'envole sur la pensée de voir surgir son père, venant la quérir pour la fin de semaine.

Le bruit de la brosse à tableau qui tombe sur le plancher ramène la frêle Adéline à la réalité. La belle brunette aux yeux verts entend les pas de Firmin dans la classe et sourit. La porte se referme sur le dernier marmot emmitouflé, parti à l'assaut de la tempête de neige qui s'annonce. L'horloge claironne et reprend possession du lieu. Adéline souriante, le visage penché à la fenêtre, secoue une main, sur l'envol de sa dernière fillette à la démarche inconfortable dans ses bottes neuves. Pensive, elle examine le poêle rempli par Firmin, qui ronronne et disperse sa chaleur. Elle revient à son grand pupitre et s'attarde à approfondir sa réflexion, son crayon au plomb jaune tournant inlassablement entre ses doigts.

Papa aura-t-il le temps de me ramasser avant la tempête? J'ai dit à Mme Montpellier que, s'il ne vient pas, j'irai passer la fin de semaine chez elle. Adéline tourne le dos au mur, gère ses tracas. Quatre heures trente, lui répond la grosse aiguille dorée de l'horloge piquée au centre du mur derrière elle. Que le temps passe lentement.

Un bruit se fait entendre dans la rallonge tenant lieu de hangar ou de remise à bois.

– Qu'est-ce que c'est?

Adéline se dirige vers le bruit, découvre la porte ouverte qui bat au vent, la referme.

Firmin n'a pas l'habitude de la laisser ainsi.

Elle ne voit pas les traces fraîches qui se perdent dans l'entrée d'une chiotte et Adéline rentre tranquillement dans l'unique pièce tenant lieu de classe. Un autre bruit se fait entendre. Elle tend l'oreille, referme les pans de son gilet de laine sur sa poitrine. Le vent, sans doute, s'amuse à taquiner sa confiance. L'horloge veille et lui indique maintenant cinq heures. La nuit s'est installée brusquement depuis une heure. Un doute au coeur grandit. Deviendrait-elle peureuse?

Voyons Adéline, du cran, du sang-froid! Tu en as vu bien d'autres et des pires. Alors.

Si elle savait. Si elle savait qu'un homme a pénétré dans le hangar, sans s'annoncer, a fait ses besoins dans la toilette et est reparti en douce. Qui était ce fanfaron?
Si elle savait, sa peur lui aurait peut-être sonné une cloche. Mais Adéline l'étouffe sitôt apparue. Donner de la crédibilité à son imaginaire? Jamais! Souvent elle s'efforce de la combattre, sans toujours y parvenir.

Le crayon se remet en marche sur les textes à corriger. Mais sa tête n'arrive pas à s'échapper du bruit entendu quelques minutes plus tôt. Elle prête l'oreille à nouveau.

Si elle savait qu'un homme se secoue, et attend le moment propice assis sur le trou d'une toilette rudimentaire au bout de la dépendance. Si elle pouvait deviner qu'il l'attend... depuis si longtemps. Il a tout prévu. Ce soir de tempête est inespéré. Son père ne viendra pas; il a donc le loisir de prendre son temps, de l'étirer à sa convenance, comme il l'a tant désiré. Le coeur battant, il se ressaisit un moment avant

14

d'entrer en scène. Le brûlant désir de posséder cette jeune fille lui tord les boyaux. Il savoure ce moment d'extase qui frôle la jouissance corporelle. Un délice en perspective, insoupçonné. Des larmes de sueurs perlent déjà sur son front pourtant froid. Vivre de telles transes ne lui est jamais arrivé. Il vibre à la pensée d'assouvir ce désir machiavélique, si longtemps mijoté, qui assaille ses entrailles. Il l'entend qui ressasse les braises du poêle et alimente le feu. Il repasse dans sa tête, le plan qu'il a étudié pendant si longtemps. L'heure approche. Cette femme sera sienne à jamais pour la vie. Aucune ne lui a insufflé une telle passion. Il écoute l'horloge sonner la demi-heure, à travers une conversation amicale décousue. Dehors la tempête gesticule de plus belle. Le moment est arrivé. Si cet idiot pouvait s'enfuir. Il niaise et parle trop à son goût.

À l'intérieur le jeune homme se frotte les mains, salies par la craie des brosses secouées sur une corde de bois.

– Firmin, fini, Mamzelle.

– Retourne à la maison. Tout est propre maintenant.

Le jeune homme sourit, se dirige vers son manteau.

À travers les coups de crayon, Adéline l'entend mettre ses bottes, le devine qui met sa tuque grise et rouge puis ses mitaines de cuir jaune.

– Bonsoir Mamzelle.

Adéline relève la tête et le materne de mots doux et chatoyants. Firmin obéit et remonte son col davantage, puis tourne la poignée. Le vent ronfle dans l'ouverture de la porte, vivement refermée sur le garçon parti à l'assaut de la fureur blanche. La tempête colérique s'amplifie.

Tapi dans son repaire accroché au hangar, pourquoi l'inconnu a-t-il quitté, soudainement, la chiotte, sans refermer la porte du hangar? Nul ne sait.

Adéline range ses piles de cahiers, ses crayons dans un tiroir du pupitre, se prépare un léger goûter en attendant l'arrivée de son père. Elle se refuse à l'idée qu'il ne vienne pas. Malgré leur entente tacite de ne jamais se mettre dans le péril, il est toujours au rendez-vous. Dans quinze minutes, elle en aura le coeur net. Au coin d'une fenêtre enneigée, elle s'attarde et ses pensées vagabondent. Quatre mois se sont déjà écoulés. Elle se revoit à son arrivée dans cet étrange et grandiose coin de pays.

Chapitre 2

Septembre.

Une jeune fille brune aux longs cheveux reluisants, au visage buriné par un été brûlant, à la démarche vive, foule le chemin et les abords qui la mènent à cette minuscule demeure en promontoire, sur le faîte d'un grand plateau surplombant le littoral du fleuve à sa droite, et la minuscule vallée fertile devant elle. Son père l'a devancée et explore les bâtisses. Adéline, envahie par un étrange sentiment d'angoisse, inconnu jusqu'alors, déambule les bras ballants, balaie du regard la vallée longiligne bordée au loin – comme un long bras chaleureux entourant les épaules –, d'une forêt aux riches coloris se perdant dans le fleuve, admire ce paysage dont elle a si souvent rêvé et monte la pente, le coeur gorgé d'incertitude. Que lui réserve cette autre année? Pourtant rien ne laisse présager un malheur, au contraire. La splendeur du décor l'envahit tout entière et la noie. Elle ferme les yeux et goûte la caresse du vent chaud sur son visage offert. Il effiloche sa longue chevelure et enrobe sa tête. Oui, elle sera heureuse, ici; elle le désire si ardemment. À sa droite, le verdoyant rideau d'arbres, sous peu, flamboiera de mille feux; elle le sait, le devine. Elle se promet de longues randonnées sur le sol jonché de feuilles mortes et anticipe le délice d'entendre le crissement de ses pas sur le sentier de ses multiples découvertes. L'heure est à la réflexion et à la contemplation, la passion d'Adéline. Alfred Lussier, lui, scrute les coins et recoins de la petite école, dans l'espoir de ne rien trouver de répréhensible au bien-être de sa fille chérie. D'un grand sourire, il revient vers Adéline. Tout est parfait! Adéline sera heureuse ici.

* * * * *

L'inspecteur d'école arrive au village et rend visite au curé; coutume oblige. Le chef spirituel de la paroisse aime cet égard. Ainsi averti, il dirige ses ouailles dans le bon sens et fait accepter les préceptes de l'Église dictés par l'évêque, en toute connaissance de cause.

— Nous sommes à un tournant de notre histoire scolaire Monsieur le Curé. Le ministère de l'Instruction publique songe à de grands chambardements dans le monde de l'éducation.

— Oui! Parlez en toute confiance mon bon ami.

— Des penseurs du gouvernement jonglent à des idées farfelues, selon moi. Ils affirment qu'un jour, l'ère des petites écoles de campagne sera révolue.

Le curé reste un moment sans voix. Puis il reprend:

— Par quoi les remplaceront-ils, je vous le demande. Il faut se prémunir contre ces trouble-fête. Le diable s'infiltre partout, vous savez.

— Ils pensent qu'une seule personne n'est plus apte à enseigner sept divisions. La charge est inhumaine.

— Vous trouvez? Je connais d'excellentes maîtresses d'école qui sont très heureuses dans ce milieu et enseignent de façon magnifique.

– Les programmes changent et sont augmentés. Des matières nouvelles apparaissent et la tâche s'alourdit.

– Je m'inquiète à ce sujet, Monsieur l'inspecteur. Qui sont ces gens? Des fonctionnaires derrière leur bureau qui n'ont jamais enseigné! Je me méfie d'eux. Ils devront attendre la position de l'Église à ce sujet. L'évêché n'a pas dit son dernier mot. Et les curés non plus!

L'homme acquiesce de la tête sans mot dire.

– Comment se porte votre monde scolaire, Monsieur le Curé?

– Nous avons une seule nouvelle maîtresse cette année. Adéline Lussier du village d'en haut. Une perle! Adéline se nourrit d'espaces et de nature, souligne le curé pensif.

– Ah, Monsieur le Curé. Quoi de mieux pour assainir la race. Quoi de mieux!

– Vous la connaissez?

– Pas vraiment. On m'en a dit que du bien. Je la garde pour mon dessert.

– Le dessert est souvent le péché mignon de bien des gens.

– Hélas! Mais un plaisir inventé par Dieu si on sait le gérer, n'est-ce pas!

Le curé s'esclaffe joyeux. Cet homme lui est très sympathique.

* * * * *

Adéline, le bras en visière, surveille une volée d'oiseaux plonger en tourbillons et remonter. Elle sourit. En bas de la pente d'un demi-kilomètre, une grosse maison; celle des Montpellier, l'accueillera. Un moment immobile, elle songe à cette idée saugrenue de venir passer dix mois ici, lorsque dans son village, elle était si bien.

Tu ne pouvais résister à ce décor, tu le sais. Tu en parlais chaque jour à ta mère. Elle te répondait que chaque endroit recèle son lot de mystères.

– Je veux changer d'air, maman. Comprenez-vous?

Elle entend les commentaires maternels qui se poursuivaient tard dans la soirée. La voie chaleureuse lui prodiguait tant de bons conseils qu'elle se sentait noyée.

– Tu verras. Les Montpellier sont du monde exécrable. On dit qu'un de leurs enfants est un fou. Pauvre petite fille. Dans quoi tu t'embarques! Repenses-y encore. Tu as toujours le temps de changer d'idée.

– Maman! Les fous ne sont pas dangereux, voyons!

– Certains le sont!

– Maman, je veux aller là-bas depuis longtemps. J'ai envie de voir de nouveaux visages. Puis, ce qu'on a inventé cette année à mon sujet. Qu'est-ce que vous en faites?

– Les balivernes sorties de la bouche de Mérentienne, personne ne les croit. Le monde sait que tu es une fille irréprochable.

– Mérentienne a semé le doute, c'est suffisant.

– Adéline! Ne te laisse pas abattre par des racontars insignifiants. Je vais lui parler à celle-là. Tu vas voir de quoi je suis capable. Elle va se rétracter, elle va cracher son venin plein de malice, et elle va rétablir la vérité, prends-en ma parole.

– Maman! Laissez tomber. À quoi bon. Elle n'en vaut pas la peine. Puis, j'ai besoin de changement. Trois ans au même endroit c'est long.

En ce jour de septembre, Adéline sérieuse laisse monter le souvenir. Les yeux humides de celle qui l'aimait tant, lui plisse le coeur. Maintenant qu'elle a quitté le foyer paternel, un immense besoin de tendresse monte en elle.

Si maman ne s'était pas trompée... Que me réservent ces gens?

Dans le pré pas loin, un troupeau de moutons se restaure de leur journée à brouter.

Les moutons des Montpellier. Quelle idée de garder des moutons quand tout le monde vit autrement.

Adéline frappe un caillou et le projette loin en surveillant sa trajectoire. Il tombe au bas de la falaise, sur le dos d'un mouton des Montpellier. La bête sursaute et se lève.

Vous voyez, maman! Je gagnerai sur eux tous. Je les ferai obéir au doigt et à l'oeil, comme ce mouton. Vous verrez! Cessez de vous chagriner pour moi. La vie, je la veux devant et non derrière.

– Adéline! Viens voir.

La petite maîtresse d'école envoie la main à ce père adoré, penché vers elle, en signe d'affection. Adéline obéit à la voix paternelle et va satisfaire sa curiosité.

Sur le perron gris, elle tourne la clé que lui a donnée le commissaire d'école au village, et pénètre dans la petite école blanche aux fenêtres rouges et au toit noir, proprette et accueillante. Dorénavant, Adéline possède une demeure bien à elle pour prodiguer son savoir et assouvir son besoin de liberté. Un immense bien-être l'envahit en ouvrant la porte à son père.

Le tour du propriétaire complété, deux êtres silencieux descendent la route au son des pas du cheval débonnaire. Alfred Lussier et sa fille communient en pensée.

– C'est pas mal loin de l'école.

– Papa! Vous avez toujours affirmé que le grand air donnait de la santé.

Une maison jaune au toit noir et aux yeux bleus grossit à vue d'oeil et livre ses secrets aux deux visiteurs curieux. Alfred Lussier examine, à souhait, cette fameuse demeure dont tant de gens lui ont parlé au détour de conversations grivoises et mal intentionnées. Un portrait de ses occupants se dessine du souvenir qu'il s'en est fait, il sourit.

– J'espère que tu vas être bien, là, ma Prunelle.

Ma Prunelle. Adéline sourit. Depuis combien de temps, son père l'a-t-il appelée ainsi? Elle ne saurait l'affirmer. Il utilisait ce surnom dans des moments de grande tendresse ou lorsqu'il ne pouvait combler sa tristesse de mots adéquats. Prunelle. Elle savoure en silence ce moment de bonheur, le temps de se sentir un peu, un tout petit peu, la fillette qu'elle n'est plus. Émue, elle relève la tête et examine cet homme empêtré à lutter contre les larmes de son coeur gonflé à bloc. La grande maison jaune ornée de bleu s'approche d'eux.

– Papa, les Montpellier sont des bonnes personnes. Ils hébergent les maîtresses d'école depuis toujours.

– Espérons-le, Adéline. Wooo!

Le cheval immobilise la voiture et Adéline en descend. Derrière le rideau de cuisine une dame nerveuse se prépare à accueillir une inconnue. Une inconnue qui chiffonne dans ses bagages son lot de mystères et d'impondérables.

Alfred salue la grande dame rondelette au corps allongé et courte sur ses jambes. En déposant la valise de sa fille, il scrute la logeuse sous tous ses angles; sa femme déferlera son flot de questions sur l'événement. Il doit rapporter le plus de certitudes possibles, son bonheur et sa tranquillité en sont le gage. Il offre une main hésitante à la femme, désolée d'avoir à partager avec une étrangère, un être si précieux à ses yeux.

– Bonjour madame. Voici ma fille Adéline. Votre future maîtresse d'école.

Ursule Montpellier sourit, serre leurs mains moites, invite le duo à s'asseoir. La femme aux cheveux noirs retenus à l'arrière par un chignon, aux pupilles sombres coincées dans des orbites creuses cachées par un large front, tout plein de ratures, et orné par deux maxillaires osseux proéminents, leur dessine un sourire furtif et attend que l'inconfort cesse. Elle déteste l'effort cordial et s'efforce de les accueillir dans un minimum de convenances.

– Je vous remercie madame, mais je dois retourner à la maison, ma femme m'attend.

– Au revoir papa. Je vous écrirai. Embrassez maman pour moi.

Alfred Lussier salue timidement sa fille de la main, les pieds cloués sur le tapis tressé multicolore de l'entrée. Il voudrait tant l'étreindre, mais la timidité le retient. Il saute dans la voiture et harangue le cheval. Prendre la fuite pour cacher son émoi est urgent. Une fois la maison disparue derrière lui, il remet la bête au pas pour mieux réfléchir au déchirement qui l'habite.

Adéline examine l'intérieur sombre en bois noirci par l'âge qui donne à la demeure, l'atmosphère lugubre des maisons anciennes. D'instinct, elle dresse un éventail d'éléments clairs aux couleurs vives qu'elle ajouterait au décor pour alléger l'ambiance. Les meubles d'époque amplifient cette lourdeur affublée d'un gros poêle en fonte noir.

La dame élancée, aux yeux noirs, fuyants sur les objets à toute minute, à la chevelure encre dont une partie tressée sur la tête en couronne est retenue à l'arrière de la nuque par des pinces à cheveux invisibles, aux épaules mouvantes qu'un tic amplifie, au corps démesuré, aux jambes lourdes, aux mains longues et veinées, ne cesse de tapoter celles d'Adéline qui se sent un brin rassurée devant sa logeuse. La dame lui indique sa chambre, une pièce au fond d'un couloir.

– Vous dormirez près de nous. Les garçons, eux, sont installés au deuxième étage.

Adéline pousse un soupir de soulagement. Son inquiétude sur cette question se dissout comme glace au soleil. Elle a souvent songé à cet inconvénient, en se demandant quelle sorte d'hommes étaient les fils Montpellier. Ursule remet la pendule à l'heure juste.

– Mes garçons sont habitués à avoir de la visite, ils sont bien élevés. Ils ne dérangent personne et vous êtes chez vous.

Adéline respire mieux. De mieux en mieux. N'empêche qu'elle a hâte de les rencontrer. Sa logeuse lit dans ses pensées et les devance.

– Ils sont aux champs avec leur père, vous les rencontrerez au souper. Vous savez que... Firmin va encore à l'école quand... il le peut. Il a mille misères à apprendre. Il vous rendra bien des services. Il aime chauffer le poêle, entrer le bois, nettoyer les tableaux.

Adéline devine l'inconfort de cette femme devant l'aveu des limites intellectuelles de son fils et les difficultés à les accepter. Une fois les mots dits, la mère se sent mieux et se met à tourner autour de ses chaudrons. Adéline, désolée, sent monter des parcelles de sympathie pour cette femme imprégnée d'une résignation apparente. Elle lui facilite la tâche.

— Madame, vous savez que les garçons débrouillards sont essentiels à l'école. Firmin me rendra de fiers services.

Ursule Montpellier soulagée espère voir naître une complicité entre elle et la maîtresse d'école. Cette nouvelle année sera différente; une fille exécrable qui regimbait sur tout, et jamais satisfaite de ses efforts pour la nourrir convenablement avait séjourné chez elle dix longs mois.

— Mademoiselle Adéline, si vous désirez vous reposer un brin avant le souper, ne vous gênez pas.

— D'accord madame. Je vais ranger mes choses.

Adéline accroche une grosse valise au passage et disparaît dans le corridor, heureuse de se retrouver seule un moment. Sa rencontre avec sa logeuse l'a rassurée. Sa décision de déménager dans ce coin de pays fut une bonne idée. Son père en sera ravi et sa mère heureuse. Elle devra leur écrire un mot, dès ce soir. L'odeur du ketchup rouge ou vert qui mijote dans l'immense chaudron de fonte noir, l'a suivie dans sa chambre. Elle hume profondément l'élixir, assise sur un côté de son grand lit fleuri de jaune, de vert tendre et de bleu pastel, comme les rideaux de sa fenêtre. Un bureau blanc, une table de coin, une lampe sur pied de même couleur, un fauteuil ocre complètent l'harmonie du papier peint des murs et du plafond blanc. Une sensation de chaleur et de bien-être se dégage du lieu et l'envahit. Elle sera bien dans cette maison aux gestes si semblables à la sienne. Elle pousse un coin du rideau et aperçoit les hommes qui reviennent des champs. À loisir, elle les étudiera, sans gêne, sous toutes leurs coutures. Trois grands coups résonnent sur la porte extérieure de la cuisine. Une voix de femme retient l'attention d'Adéline, tout en rangeant ses choses.

– Oui Bérénice, elle est arrivée. On va bien s'entendre, crois-moi. Elle m'a l'air très bien élevé. Quand viens-tu chercher tes tomates? J'en ai beaucoup trop. Elles ont poussé cette année, on ne sait plus quoi en faire.

L'autre femme, la voisine des Montpellier joue du dentier trop grand qui penche d'un bord, de l'autre, en faisant un bruit exécrable.

– Mais non, voyons! Je ne vais pas les donner à Marguerite Lanteigne, mais aux cochons! Tu me connais!

– Bon, ne te fâche pas!

– Je sais, je sais; tu me taquines. Tu n'es pas drôle Bérénice!

Des pas se font entendre dans la grande cuisine entourée de chaises berceuses.

– Les hommes arrivent... et ma table n'est pas mise.

– Je me sauve, Ursule. Pour les tomates... je repasserai.

– C'est bien! Sauve-toi avant que Berthier te jette dehors.

Les deux antagonistes se croisent, sans se saluer. Ursule trouve cette situation navrante, elle aime bien sa voisine.

Ursule agite ses pas. Adéline la rejoint.

– Je puis vous aider?

Cette fille est charmante, constate Ursule. Un souhait discret monte au coeur de la femme mûre. J'espère que mon grand aura plus de chance, cette fois.

    – Mademoiselle Adéline, voilà Harold, le premier de nos fils.

Le jeune homme gauche esquisse un mièvre sourire, accroche sa casquette derrière la porte d'entrée et se dirige dans la salle de bain. Court, et rondelet comme sa mère, affligé d'une extrême timidité, l'aîné perd déjà du toupet cervical. Adéline ressent un étrange malaise en présence de ce jeune homme silencieux qui la dévisage, en retrait sur une chaise près du poêle de cuisine, en se rongeant les ongles. L'inconfort de ce jeune homme la rejoint jusque dans ses entrailles, sans savoir pourquoi. L'autre, Firmin, l'idiot, se promène dans la pièce incapable de déposer son corps quelque part. Il rit béatement à chaque fois que la voix maternelle s'élève. Berthold, le père, ancien forgeron devenu cantonnier; un homme court et mince au faciès mélancolique et renfermé mais sans rides, à la chevelure grisonnante, salue Adéline et va se laver les mains à l'évier, comme si de rien n'était. La jeune fille continue sa tournée autour de la table, sa poignée d'ustensiles à distribuer.

La glace est cassée, pense-t-elle soulagée.

La simplicité toute de bonhomie de cette famille en apparence si simpliste, la réconforte; elle a fait un bon choix. L'année scolaire s'annonce prometteuse.

* * * * *

Très tôt, elle fait plus ample connaissance. Le jardin secret des Montpellier s'ouvre comme ses beaux livres de lecture neufs de ses deux petits marmots de première année.

Leurs carences et leurs obsessions resurgissent de leurs discussions familiales autour de la table à chaque repas. Étalées au grand jour et entretenues comme une marotte à cultiver pour survivre, elles coulent comme une rivière de fiel sur leur vie.

Les Montpellier sont peu nombreux. Ils ont eu trois enfants: Huguette, que tout le monde appelle la grande pimbêche d'Huguette, maintenant mariée depuis deux mois, vit dans le village voisin. Harold l'aîné, vingt-cinq ans, le bras droit du père dans la bergerie et Firmin, le retardé, âgé de quatorze ans forment le clan familial.

La famille Montpellier nourrit une haine viscérale semée par la génération précédente, contre les Lanteigne du rang *Croche*, qui, selon eux, ont volé une grande partie de leur terre quand on a arpenté le coin, en vue de construire une route nationale reliant les deux villages.

Les Lanteigne, eux, ont rivalisé d'astuces et de ruses tout au long de leur vie envers les Montpellier, en misant sur le succès de leurs enfants très doués. Dans cette arène, les Montpellier, étant les vaincus, se morfondent de déception, se laissent ronger par la rancoeur constamment ressassée, et le désir de vengeance implacable ou l'espoir entretenu de les vaincre un jour. Puis, de fil en aiguille, bon an mal an, on se déteste sans savoir pourquoi, comme une obligation, un héritage légué par les ancêtres, et maintenu par crainte de les trahir.

En ce jour de septembre, Adéline Lussier, la nouvelle maîtresse d'école, fait son entrée dans cette famille accueillante, malgré tout. Elle apprend vite à composer avec ces gens habitués à héberger la maîtresse du rang. Les premières semaines se passent sur le dos des maîtresses précédentes, et elle se dit que son tour viendra quand elle aura quitté ce patelin. Puis s'enchaînent les sempiternelles récriminations sur les Lanteigne.

– Les Lanteigne? Des sans dessein! Des sans génie! Des hypocrites! Des menteurs! Des voleurs! Ils n'auront pas notre peau! Ni notre bien! clame la mère un peu plus accariâtre chaque jour.

Adéline pense le contraire. Sa mère lui a dit que leurs enfants étaient passés par l'université.

– Des qualificatifs erronés de leur part, lui répondrait la grande Ursule Montpellier.

Eux veulent tant l'associer à leurs névroses obsessionnelles inconscientes, qu'ils s'évertuent à amplifier leur mésentente. Harassée, elle passe des nuits à se demander comment mettre fin à cette chanson monotone et indigeste. Un matin, sa décision est prise. Adéline Lussier exaspérée sent monter le vinaigre de ses sentiments, longtemps macérés et sulfureux. Debout près de la porte, son sac sous le bras, elle met fin à leurs manigances pour la ranger de «leur» bord.

– Je regrette, je ne joue plus à ce jeu. Si vous continuez à me parler de cette histoire, j'emménage chez les Dupuis, le père de Julien.

Le monde autour du déjeuner arrête de respirer un moment. La mère reprend et insiste.

– C'est parce que vous ne les connaissez pas. Vous verrez, vous changerez d'idée.

Adéline laisse courir ses pensées à travers eux, en silence. Elle reprend.

– Les enfants Lanteigne ont obtenu leur diplôme universitaire.

Ursule Montpellier rentre sa tête dans ses pantoufles. Damnée université! Elle le sait trop bien. Prise en défaut, comment répliquer. Le reste des Montpellier attend. Attend qu'elle les sorte du pétrin comme elle sait si bien le faire. Ursule concède.

– Vous avez peut-être raison, mademoiselle Adéline. C'est pas beau ce qu'on fait. En attendant, je vous dis que l'avenir me donnera raison. Ils sont cousus de dettes et sur la paille. Ils doivent de l'argent à tous les saints du ciel. Le procès les a ruinés. Puis les études aussi. Plus orgueilleux qu'eux, tu meurs! Des plans pour griller vivants!

Adéline ferme la porte brusquement. Cette femme incorrigible lui donnera du fil à retordre. Sur le sol foulé, ses idées ont souvent fourmillé au bout de ses souliers. Une conversation muette monte à travers les senteurs automnales.

Ursule Montpellier, vous direz ce que vous voudrez, je ne tomberai pas dans votre piège. Je m'appelle Adéline Lussier et les Lussier se chauffent avec du bois franc. Pas du bois piqué de vers.

La porte claquée gifle tout le monde au visage. Ursule Montpellier se fait rabrouer pour la première fois de sa vie. Sa colère et sa frustration grillent l'intérieur de son cuir chevelu. Elle médite tout l'avant-midi. Son imprévoyance lui démontre les ramifications de son geste et ses répercussions dans la voisinage. – Si elle mettait son idée à exécution – Ursule se gratte le cerveau, une nouvelle attitude familiale doit entrer en jeu. De retour, au souper, en s'essuyant les mains sur son tablier, Ursule Montpellier fait amende honorable à la maîtresse d'école silencieuse et déterminée, devant ses hommes muets d'étonnement, d'inconfort ou d'indifférence. Elle promet que, dorénavant, on ne reparlera plus des Lanteigne... en sa présence. Puis on bifurque subitement la conversation sur la forge du passé et les moutons, comme si de rien n'était. Ursule, le dos tourné, pousse un soupir de soulagement. Elle devait sauver la face.

Pensez donc! La maîtresse d'école a failli déménager chez les Dupuis? songe la femme déconfite. Jamais au grand jamais cela doit se produire! Que diraient les gens du village si une telle situation se produisait? Et les Lanteigne?

Aucune maîtresse d'école ne les avait quittés après être entrée sous leur toit. Cette année serait semblable.

Adéline, heureuse de cette tournure des événements, sent grandir son triomphe et sa maîtrise sur eux. Dorénavant, elle a le vent dans les voiles et une pleine liberté d'agir et de penser. Ce jour-là, au souper, assis en face d'elle, Harold lui sourit de toutes ses belles dents. Elle baisse les yeux, envahie par une étrange sensation d'inconfort. Étrange et inconnue. N'a-t-elle pas vingt-deux ans seulement?

Les rejetons des Montpellier semblent sortir de souches très diversifiées. Huguette la taciturne, une longue et mince brunette, la bouche démesurément grande en accent circonflexe constamment cadenassée, s'est mariée en juillet dernier à Auguste un petit homme presque chauve, bedonnant de gourmandise, toujours jovial et débonnaire.

La pluie et le beau temps, pense souvent Adéline en les examinant.

– Le portrait de ta mère, affirme Berthold Montpellier, en parlant de sa fille, à sa femme qui renie l'affirmation.

– Elle est plutôt celui de ta soeur, la grande Irma. Celle-là vit sur les pilules depuis bien des années. Quand t'as pas de nerfs, t'as pas grand-chose pour vivre, mon Berthold.

Berthold baisse la tête, encaisse le coup bas, sans broncher, en attendant d'avoir sa revanche.

La première fois qu'Adéline voit ce jeune couple chez les Montpellier, elle se met à rire en sourdine. Elle imagine le jovial Auguste dont le dessus de la tête frôle les seins de sa femme, et Huguette, la pince-sans-rire, baisant le crâne de son mari, faute de pouvoir atteindre sa bouche. Puis, honteuse de ces mauvaises pensées, elle se fait discrète et se retire dans sa chambre pour rire aux éclats.

Harold, le fils aîné rondelet, est affligé d'une timidité gênante. Il parle peu et solidifie un tic nerveux de l'oeil droit – c'est peut-être contagieux – dans son faciès aux formes mal foutues, en guise de conversation. Son nez long, ses petits yeux bruns, ses grandes oreilles, sa cavité naissante comme son père, font fuir les filles, à ce qu'on dit. Adéline apprend qu'Harold n'a jamais pu s'attirer aucune faveur de l'une d'elles. Souvent, elle l'examine en secret et découvre, lorsqu'il est seul, un tout autre jeune homme, aux traits durs et tendus. Comme s'il portait en lui une mer houleuse de déception inexprimée. Ce contraste la fait frissonner, sans savoir pourquoi. Travailleur infatigable, il besogne avec son père du matin au soir, en soumettant son corps au summum de l'effort; pour le déposer le soir sur sa couche, sans qu'il exige davantage. Il sort peu ou pas. Quand il sort, personne ne sait où il va, ni ne connaît les jeunes qu'il fréquente. L'arrivée de la maîtresse d'école en septembre est pour lui l'événement de l'année. Pendant des jours et des jours, surtout l'été, il rêve à celle qui occupera la chambre d'invités. Il espère, un jour, trouver la clé qui le mènerait à la porte du coeur de l'une d'elles. Lorsqu'Adéline remplit la cuisine familiale de son parfum, il se dit que, cette fois, celle-là sera la sienne. On a fini de rire de lui, tout partout.

Firmin, le dernier-né des Montpellier, s'avère pour le vieux couple, la guigne qui s'acharne sur eux. Nul doute, la vie leur joue un vilain tour. La naissance de ce retardé relègue aux oubliettes, leurs luttes intestines envers les Lanteigne. Ce joug semble un peu plus lourd à porter chaque jour, à mesure que la vie se glisse sous leurs pas. Résignés, ils se mettent à ignorer complètement les Lanteigne et leurs sarcasmes dominicaux. Ils prient le ciel d'obtenir justice de leur vivant et vivent dans l'attente de ce souhait. Firmin grand, et maigrelet comme son père, demande si peu de la vie. Trouver un moyen de se sentir utile à quelqu'un est son unique raison de vivre. D'une débordante générosité, d'un abord agréable, il se fait aimer de tout le monde. Son application scolaire lui attire les faveurs de ses maîtresses qui en ont pitié. Il devient vite le garçon à tout faire, et le fait de son mieux, même si le mieux est minable et limité.

* * * * *

Les Montpellier élèvent des moutons et leurs deux fils s'en occupent. Un choix étrange, car personne ne mange de cette viande dans le canton. Adéline le comprendra plus tard.

Aujourd'hui, Firmin est absent de l'école.

Le hasard fait bien les choses, se dit-elle en apercevant le jeune Lanteigne qui revient, une seconde fois, compléter les cordes de bois indispensables à son confort hivernal.

Jeune et beau, à la chevelure abondante Adéline se laisse emporter par l'enthousiasme de la rencontre avec ce charmant garçon. Ses immenses yeux clairs comme la voûte céleste illuminent leur rencontre et la captivent.

– Mademoiselle, les enfants doivent être contents d'apprendre en votre compagnie.

– Vous êtes gentil monsieur.

– Laurier, mademoiselle. Pas monsieur. Monsieur c'est bon seulement pour les vieux.

Adéline éclate de rire.

– Et vous n'êtes pas vieux?

Laurier continue à vider sa voiture en pavoisant. Il apporte chaque brassée de bois franc et la dépose sur la corde qui prend du volume.

– Vous trouvez?

– Mais non. Pas du tout. Grâce à vous je ne gèlerai pas cet hiver.

– On est habitué vous savez. On fournit le chauffage à cette école depuis quinze ans maintenant. C'est le meilleur bois des alentours. Papa le jure sur la tête de sa mère.

– Ah oui! Votre grand-mère est morte?

– Pas encore.

– Alors le serment ne compte pas.

– Et pourquoi donc?

– Seuls les morts sont les gardiens de nos serments.

– Moi, je le crois, mort ou pas.

Le jeune homme secoue ses gants rugueux, en enlève un pour s'essuyer le visage et remonter sa couette de cheveux sous sa casquette. Adéline remarque la main fine et blanche du jeune homme ne portant aucune trace de dur labeur.

– Bon, je dois revenir une autre fois. Vous voyez, le trou à combler? Que voulez-vous? Ma jument est malade de ce temps-ci.

Adéline s'étire le cou, remarque l'allure resplendissante de la bête, sourit complice et amusée.

– C'est bon, Monsieur Lanteigne. À bientôt.

Le fournisseur s'approche d'Adéline et plonge son regard aux prunelles bleutées dans celui de la belle et insiste.

– Pas monsieur. Laurier. Je m'appelle Laurier. Vous n'oublierez pas?

Adéline coquine réplique.

– C'est parfait Monsieur Laurier. Soignez bien votre bête.

Laurier ramasse les écorces et les dépose dans un coin, puis nettoie de ses pieds le reste du plancher.

– Quand ils sont secs, ces copeaux sont excellents pour allumer votre feu. Vous comprenez?

– Je comprends. Maman fait la même chose.

Laurier sourcille. Il sent de la fierté dans sa voix.

Elle vient de la même trempe, se nourrit de la même sève campagnarde, se dit-il. Cette fille a du panache. Il ne doit jamais l'oublier. Sa réplique le grise de plaisir. Elle le sort de sa rêverie.

– Au revoir Laurier.

Heureux, le garçon la salue de la main et harangue le cheval. Adéline rentre dans sa classe, des airs de fête en tête. Elle se campe derrière le rideau et le surveille disparaître au loin, des impressions de bonheur plein le coeur et des idées farfelues plein la caboche. Il reviendra ce jeune homme; il reviendra, soupçonne-t-elle.

Au souper, heureuse, elle décrit la visite du fils Lanteigne et provoque un tonnerre d'accusations à son sujet.

Berthold Montpellier s'aiguise les sentiments. Un geste qu'il exécute chaque jour à son insu.

– Pas ce grand fainéant de Lanteigne!

Désolée, Adéline regrette sa navrante démarche et se promet qu'on ne l'y reprendra plus. Elle avait oublié.

Ursule atténue l'envol de son mari. Les avertissements de la maîtresse d'école, au début de l'année, trottent dans son esprit.

– Berthold. Tu exagères un peu. Il n'est pas si fainéant. Je pense au contraire que c'est le plus vaillant de la famille.

Le ton de l'homme piquant sa fourchette dans le bouilli se rembrunit.

– Ah ben! C'est la fin des concessions! Te voilà qui prends pour lui maintenant. J'ai jamais entendu rien de pareil!

– Écoute, mon mari...

– Ouais. Papa a raison. Maman, vous changez de bord on dirait, reprend Harold boudeur.

– En quel honneur qu'il livre son bois si tard. Le hangar devrait être plein depuis la fin d'août, reprend Berthold en fouinant dans son assiette.

– Monsieur Montpellier. Nous sommes seulement à la fin de septembre. Je n'ai pas eu besoin de chauffer depuis mon arrivée. Ils ne sont pas en retard.

– Mademoiselle Adéline, apprenez que la parole donnée est sacrée. Si je promets une date, je la respecte. Vous voyez! Ce qu'on vous dit est pour vous mettre en garde. Les Lanteigne sont des vicieux et des sournois. Des croches et des hypocrites. Vous verrez. Vous verrez!

Ursule tente, sans succès, de les calmer. Le tumulte des calomnies ou des médisances la fait réfléchir.

– Oublie pas ma femme, il y a un mystère dans le haut de leur maison. Le monde qui entre chez eux, raconte qu'on entend du bruit au deuxième étage.

– Tu n'as jamais mis les pieds là, Berthold. Tu ne peux rien affirmer.

La tempête verbale s'intensifie, la présence d'Adéline et ses avertissements fondent sous la rafale. Navrée, elle se lève et se retire dans sa chambre, sans avoir mangé. Sous la surprise, le vent haineux se calme. Chacun retourne dans son univers, on entend plus que le bruit des ustensiles et des chaises qui craquent sous le poids de telles confidences.

Adéline pensive songe à ce qu'elle doit faire. Qu'y-a-t-il de vrai dans tous ces racontars? Vraiment, cette famille la dépassait. Une fois la cuisine vidée, Ursule, honteuse, vient la chercher pour souper.

– Faites pas attention à eux, ils sont fatigués de ce temps-ci.

Mais la dure physionomie d'Ursule lui prouve que la femme de Berthold Montpellier loge à la même enseigne: celle de la hargne incrustée dans leur veine. Adéline penche la tête, infiltre ses sombres pensées dans la nourriture de son assiette, porte ses lèvres à sa tasse de thé, et change de sujet. Pourtant, les odeurs des fleurs à leur apogée, les vents entremêlés de mille senteurs, le chant de l'hirondelle passant à la dérobée, et surtout, le ciel offrant son bouquet de coloris à leur dur labeur quotidien, les noient toutes deux d'une béatitude intense. Adéline s'en émeut et Ursule Montpellier, croupie dans son monde perturbé, passe à côté de cette splendeur. Pourtant la beauté transforme les êtres et suscite la méditation.

– Madame. Regardez comme c'est beau!

La logeuse relève la tête et glisse un regard furtif à la fenêtre. À l'horizon, la pointe du soir prend forme et le fleuve miroite de splendeur. Bientôt, il sèmera une légion d'étincelles sautillantes et éphémères sur la route menant à la lune. Adéline entrevoit déjà l'aube de ce spectacle et l'espère. Ursule s'est apaisée.

– Madame Montpellier, je vais prendre une marche. Julien Dupuis a oublié son cahier de dictée, je vais le lui apporter.

Au retour, Adéline se hâte de recouvrer ses quartiers empreints d'une profonde sérénité. Malgré la tornade verbale, un vent de changement s'était introduit dans cette maison. Une étincelle d'espoir perlait à travers les répliques entendues au souper, Adéline sourit. Ursule Montpellier montre des signes de bons sens et ses souhaits de les transformer prennent forme.

On ne m'y reprendra plus, renchérit-elle. Vous, les Montpellier, plierez l'échine ou je partirai.

Au retour, le chien noir vient à sa rencontre, elle le caresse et lui confie ses secrets jamais dévoilés. La bête lui répond en brassant la queue. Contente, elle fuit sous la galerie pour aller dormir. Adéline le regarde amusée, pique ses yeux un instant sur les champs de miel engrangés pendant la journée, son regard reste captif de belles rangées de gerbes dorées, liées entre elles par la tête comme des enfants se racontant des beaux secrets, et qui attendent au lendemain leur rentrée. Adéline laisse flotter son plaisir jusqu'à la rive, le noyant dans la mer brodée de magnificence, et gonfle son torse d'air frais. Son visage, caressé par le vent du large, examine la volée d'outardes en forme de «V», prendre leur envol pour des cieux plus hospitaliers. L'automne bat son plein.

Au *Plateau Doré*, Adéline, la magnifique, aspire les odeurs de la nouveauté et le bonheur de la découverte à pleins poumons.

Qu'il fait bon être jeune et enthousiaste.

Chapitre 3

– Simon Labrosse.

– Simon Labrosse?

Adéline ouvre grand les yeux et s'assied sur la chaise berceuse. Impossible! La coïncidence demande des éclaircissements.

– Simon Labrosse, Adéline. Tout le monde a bien ri à son arrivée. Un nom pareil ne s'oublie pas. On en a fait des niaiseries sur son dos, puis on en a inventé des histoires sur son nom, je t'en passe un papier. Des fois je trouvais que le monde dépassait les bornes, surtout les jeunes. Mais comment veux-tu arrêter le monde d'avoir du plaisir. Si j'avais eu un nom semblable, Adéline, j'aurais fait quelque chose.

Adéline laisse se déverser les confidences de sa logeuse qui referme une lettre de sa fille Huguette, reçue le matin. La jeune fille reprend ses esprits, camoufle sa surprise, feint l'indifférence. Personne ne sait et aucun ne doit savoir.

– Quand est-il arrivé ici?

– En plein coeur du mois de juillet l'année dernière. Il venait de Sainte-Euphémie.

Par son silence interrogatif, Adéline presse Ursule Montpellier de déverser tout le contenu de ses informations. Est-ce que Simon Labrosse est ce beau et grand jeune homme un peu grassouillet, aux yeux et cheveux chatains qu'elle a tant aimé?

– Décrivez-le-moi.

Le décrire? Ursule ne comprend pas vraiment bien ce mot. Le décrire...

– C'est un beau jeune homme avec de larges épaules, elle le démontre de ses mains, et très grand. Tout le monde l'aime.

Avide de nouvelles de lui, Adéline astique la mémoire de sa logeuse impatiemment. Entendre parler de Simon pendant des heures la comblerait.

– Il commencera bientôt la tournée des écoles.

Adéline curieuse écoute. Son coeur se meurt de tout savoir.

– Il viendra à notre école?

– Les commissaires lui ont demandé ce service l'an passé. Toute la paroisse l'a apprécié. Il recommence par le rang *du Coin* cette année. C'est dommage que je n'aie pas gardé le papier pour vous montrer son chemin.

– On s'informera Madame Montpellier.

– Je sais qu'on aura sa visite en octobre. Quand il vient, il prend toujours une pointe de tarte à la rhubarbe avant de continuer sa route.

En octobre..., répète Adéline silencieuse. Elle se lève et regarde les enfants Dupuis, les voisins d'à côté, ramasser les feuilles mortes ornant leur demeure avant de les brûler.

En octobre. Nous y sommes, se dit-elle pensive.

Ennuyée de faire revivre son souvenir, elle avait tourné la page courageusement. Tourner le fer dans la cicatrice l'exaspérait. Dépourvue d'idées, elle pousse un long soupir et se ressaisit. L'heure des folles espérances adolescentes enfouie sous d'épaisses couches rationnelles agonisait. Elle avait mûri et ne s'y laisserait plus prendre. L'élan du coeur monté en elle quelques instants auparavant s'éteignait sur le soir flamboyant à l'horizon. Elle attendra les événements appréhendés et les traversera sur les eaux calmes comme celles qui glissent devant elle dans l'infini du soir naissant. Elle l'espère ardemment.

Les trois dernières semaines de septembre se sont évaporées en fumée. Elle ne les a pas vu s'enfuir. L'automne se grise de couleurs et de parfums regorgeant d'abondance issus du sol généreux. L'été indien unique au monde étale sa palette de couleurs pour le plaisir des yeux et du ravissement. Heureuse, Adéline en hume les nuances subtiles agrémentées par la musique du vol d'oiseaux, à pleins poumons, matin et soir. Au loin, le fleuve berce ses rêves intimes et son monde intérieur. Seule, à l'ombre de sa petite école, elle contemple à souhait cet étrange et magnifique compagnon. Souvent elle se voit suivre la route frôlant sa demeure qui se perd aux confins de l'horizon où elle disparaît et y flâne pendant des heures, l'âme remplie de songes parfois farfelus et le coeur nourri d'espérance. Tant de fois elle a espéré lui parler de si près. Maintenant elle s'en gave. Un jour, elle partira. Elle se laissera caresser par ses flots et ira voir l'autre côté de l'horizon.

— Tu entres tard Adéline, lui dit souvent Berthold Montpellier, incapable d'accepter le temps qu'elle passe seule dans sa petite école.

— J'ai du pain sur la planche, puis je découvre, lui répond-elle mystérieuse.

Berthold hausse les épaules, laisse tomber ses craintes, il ne comprenait rien, de rien, à cette fille si solitaire. Si effacée qu'elle puisse être, cette jeune fille qu'il nomme maintenant Adéline, fait partie de la famille et l'a transformée. Un vent de sérénité évapore ses bienfaits dans une paix naissante, encore insaisissable aux Montpellier.

Adéline est satisfaite. Elle a mis tant d'ardeur à la réussite scolaire de ses dix-huit élèves et à son intégration à ce nouveau milieu, qu'elle en goûte la réussite. Sa quatrième année d'enseignement s'annonce excellente. Son école trône sur la côte, fière comme un phare sur les flots mouvementés. Au flanc, dans une grande demeure couleur soleil, elle descend dormir chaque nuit.

Hier, elle a reçu une lettre de sa mère. Une femme éternellement inquiète, lui parle de tout et rien. Sous les mots, se cachent l'ennui et la solitude. Pourtant Adéline vient de la quitter, elle a séjourné la fin de semaine avec ses parents. Au fond, elle aime ces appels maternels. Ils lui certifient que ses parents la considèrent, elle en a souvent douté. Assise au bout de la table de cuisine, elle relit la missive.

Ah! oui. Je devrais lui répondre. Quoi lui dire? J'en ai tant et si peu qui puisse l'intéresser. Peut-être lui annoncer que Simon Labrosse est maintenant au village. Puis non. Elle recommencera ses interminables élucubrations sur mon passé.

Des relents de sa mémoire lui montent en tête.

– Insensé, ma fille! T'accrocher à ce Simon quand Pierre Thétreau t'attend depuis si longtemps. On ne doit pas piétiner le bonheur mais le prendre au vol quand il se présente.

Sa mère n'avait émis qu'une opinion sur le sujet mais elle était si lourde de réflexions qu'Adéline en avait été secouée pendant des jours. Les silences de ses parents sur ses amours perturbés amplifiaient sa culpabilité. Elle se sentait une étrange fille incapable d'aimer et d'être aimée et impuissante à en saisir les raisons. Dans le regard parental, glanait une persistante désillusion à son égard; un autrefois rempli d'échecs amoureux, toujours selon les dires de sa mère.

Je veux tourner la page et éviter la question. Je me sens bien ici, c'est essentiel. Puis, je reverrai Simon; la vie l'a remis malgré moi sur ma route. Il viendra visiter mes élèves en octobre. Sait-il que je suis ici? Je l'éviterai. Je lui en ferai la surprise. Comment réagira-t-il? Je suis curieuse de savoir.

* * * * *

Harold Montpellier, de retour à la maison quelques instants plus tôt, surveille Adéline en silence et sourit. Ils sont seuls. Il s'approche de la jeune fille enfuie dans ses pensées. En l'apercevant assis près d'elle, elle sursaute.

– Ah! Bonjour Harold. Tu m'as fait peur.

Le jeune homme baisse les yeux. Il tourne le journal indéfiniment dans ses mains, cherche comment l'aborder.

– Tu as peur de moi, Adéline?

Elle se recule, inconfortable. Jamais il ne s'est permis une telle audace.

– Je n'ai peur de personne, voyons. Je te croyais parti avec tes parents au village.

– J'avais du travail à la bergerie. Les moutons, c'est la plus fine bête de la terre.

– Tu crois?

– Où est Firmin?

– Il joue avec son chien.

Harold s'approche davantage. Adéline sent l'inconfort envahir la pièce, devant l'assaut gênant du jeune homme faussement timide. Elle se lève.

– Si on allait voir tes moutons.

Harold heureux jubile.

– Tu verras comme ils sont beaux! Viens.

Le couple se rend à la bergerie, Firmin les rejoint.

Un concert de bêlements les accueille. Adéline ravie les examine à souhait. Harold devient volubile, il explique la docilité de ses bêtes, pendant que Firmin entre au milieu du troupeau et se couche à travers eux.

– Firmin! Que fais-tu là? Harold, dis-lui de se relever il va se faire blesser.

Harold saute à son tour dans l'enclos.

– Tiens. Touche la laine, vois comme elle est frisée.

Il enfonce les doigts à travers le poil touffu d'une brebis. Adéline consent. Elle sourit amusée.

– C'est vrai. Ces bêtes n'ont jamais froid, hein!

– Si on était à court d'électricité, je me coucherais auprès de mes moutons, sans crainte. Regarde Firmin.

– Je n'aurais pas imaginé que l'on puisse apprivoiser une brebis. Au contraire, papa disait qu'elles étaient dangereuses et pouvaient nous clouer au mur.

– Si un jour tu veux te réchauffer, c'est au milieu d'eux que tu dois le faire, crois-moi. On va bientôt les tondre. Tu vas voir la différence. Autant les moutons ont chaud, autant ils auront froid.

Adéline regarde la froideur du regard incisif d'Harold, insensible à l'éventuel inconfort des pauvres bêtes. Elle frissonne.

Lequel de nous trois est anormal? songe Adéline inquiète.

Elle interpelle son élève.

– Firmin, lève-toi de là et viens-t'en à la maison. Demain tu as de l'école.

Adéline abasourdie s'enfonce dans l'étonnement le plus total. Vraiment, les Montpellier la dépassait. Elle se sauve poliment, sans éveiller les inquiétudes qui l'habitent. Seule dans sa chambre, elle médite longtemps sur le comportement de ces curieux garçons. Tu n'as encore rien vu Adéline, non rien, lui dirait l'étrange Harold.

Soulagée, elle entend les Montpellier gravir le seuil de leur demeure. Adéline se demande si elle doit leur parler de son expérience dans la bergerie. La conversation animée du couple sur les Lanteigne lui donne la réponse; elle restera sagement entre ses quatre murs.

* * * * *

Le lendemain, Laurier Lanteigne apporte le dernier voyage de bois à l'école, l'hiver se pointe, implacable à l'horizon. Le jeune gaillard prend le temps d'étirer le plaisir d'être en compagnie de la belle Adéline Lussier. Depuis sa rencontre, il s'est précipité au village voisin pour tout connaître de cette magnifique jeune fille. Le désir de retourner à l'université s'est émoussé, à la pensée de ne plus la revoir. Il bénit le ciel d'être resté à la maison paternelle pour cette session. Il avait besoin de repos et de réflexion sur son avenir. L'accident dorsal de son père lui en avait donné l'occasion rêvée. Vidant sa voiture très lentement, il surveille Adéline à son gros pupitre, occupée à ses travaux scolaires.

– Vous allez bien mademoiselle Adéline?

La maîtresse d'école enjouée feint d'être soucieuse.

– Ah! si vous saviez.

Laurier agrandit ses grands yeux bleus.

– Quelque chose ne va pas? Vous avez des ennuis?

Adéline étire les minutes sonores de la salle de classe vide. Elle dépose son crayon.

Laurier tient un morceau de bois et attend la réponse, inquiet.

– Si j'ai des ennuis? J'en ai plein.

Elle se tourne vers lui. Il aperçoit les pieds fins sous la jupe d'étoffe noire. Il tressaille.

Les pieds de femmes ont toujours fait courir le monde, affirme sa tête.

– Je puis peut-être vous aider.

– Je me demande si je dois.

– Dites toujours. On ne sait jamais. Je ne suis pas bon en devinettes.

Adéline le regarde, hésite. Devant l'insistance du regard de Laurier elle ose.

– Je viens de recevoir une lettre de ma mère, elle me dit que papa ne pourra venir me chercher cette fin de semaine, il s'est fait mal à un pied. Elle me demande de rester ici.

– Et vous n'en avez pas envie.

– Exactement.

– Mademoiselle Adéline, tout est réglé. Je pourrais vous reconduire.

Adéline sourit.

– Vous feriez cela pour moi?

Pour vous j'irais au bout de la terre, songe l'éternel courtisan.

– Avec plaisir. Quand désirez-vous partir?

– Vendredi soir, quand le moment vous conviendra.

Laurier se sent léger, léger. Son coeur emballé lui donne des ailes. De cette petite école émane tant de chaleur humaine, qu'il tarde à la quitter.

– Vendredi après souper, vers six heures trente. Je vais vous prendre chez les Montpellier?

Adéline réfléchit.

– Non. Je vous attendrai ici.

Laurier accentue son travail qui prend soudain les allures d'une compétition. En moins de deux, sa voiture est vidée. À travers le bruit des brassées de bois rangées, un dialogue enjoué se tisse entre eux.

Adéline satisfaite remercie son chevalier servant et songe aux allégations des Montpellier sur cette famille. Elle arrivera peut-être à percer le mystère des bruits singuliers dans la demeure de ce charmant jeune homme.

À la tombée de la nuit, son parfum remplit encore l'espace solitaire d'Adéline quand elle réalise qu'elle sera en retard pour le souper. Un autre souvenir monte en elle. Un soir de septembre où elle s'était attardée plus que d'habitude, on avait frappé à la porte de l'école.

– Mademoiselle Adéline, papa m'a dit de venir vous chercher quand il fait trop noir, dit Harold gêné.

Adéline surprise s'était empressée de l'accompagner, elle n'avait pas vu passer le temps. Étrange, les Montpellier ne

semblaient pas l'attendre outre mesure. Elle prit soin de remettre les pendules à l'heure.

– Monsieur Montpellier, n'ayez crainte. Je n'ai pas
peur, et je suis parfaitement capable de revenir chez vous.
Harold a trop à faire pour prendre soin de moi. J'ai nullement
besoin d'aide, je suis assez grande pour me conduire toute
seule.

Berthold Montpellier regarde son fils, hésite et se tait.
Il n'a jamais demandé à son fils d'aller chercher la maîtresse
d'école. Il détourne la tête et fait un clin d'oeil complice à sa
femme.

Adéline croit les avoir impressionnés suffisamment, elle
se retire dans sa chambre, satisfaite. En elle, la crainte se fait
un nid. Elle se parle et se dit que c'est de la foutaise et qu'elle
ne doit pas céder à son chantage imaginaire.

Ce soir, après de départ de Laurier et sa charmante
proposition, Adéline espère ardemment que le jeune Harold
ne répète sa visite fortuite. Il ne serait pas le bienvenu.

Depuis cette visite impromptue du jeune homme aux
yeux d'azur, sous la porte verrouillée du coeur d'Adéline sommeillent des étincelles d'amour endormies qui espèrent jaillir
à l'improviste.

Chapitre 4

Octobre chantonne depuis un moment sous les feuilles mortes asséchées. Le bruit des pas solitaires foulant les forêts se répand comme la rosée du matin, s'introduit dans l'évasion recherchée, s'impose au silence nourricier et filtre à travers les trouées des arbres. Chacun s'amuse à inventorier son monde intérieur pour son plaisir. Le marcheur rentre en lui-même, dresse un bilan de sa minute de vérité et relève son col, dès que les vents s'émoustillent, mû par l'inconscient collectif qui s'apprête à hiverner.

Ses parents en visite chez un oncle malade, Adéline décide de passer la fin de semaine dans son coin de terre adoptive, malgré cette journée supplémentaire de congé accordée par l'inspecteur d'école. Elle se prépare à faire une randonnée pédestre, Harold s'offre à l'accompagner.

– Tu ne devais pas aller voir ton ami, le camionneur du village?

– J'ai changé d'idée. Aujourd'hui, je préfère prendre une marche avec toi.

Adéline exécute un mouvement de recul devant l'embarrassante décision d'Harold Montpellier, elle grimace d'inconfort.

– Comme tu voudras, Harold. Je marche vite, seras-tu capable de me suivre?

Ursule, qui les a entendus à la dérobée, pouffe de rire.

– Adéline, tu verras comme Harold est solide. Il va t'étourdir bien avant que tu t'en aperçoives.

Adéline achève de boutonner son chandail jaune et noir parsemé de fleurs multicolores. Elle rattache un de ses souliers, l'oreille attentive à la grande et grosse Ursule Montpellier.

– C'est ce que nous allons voir, Harold. Tu es prêt.

Ursule enjouée, les deux mains appuyées sur le dossier d'une chaise de cuisine, les regarde s'éloigner sur la route et les voit bifurquer vers le sentier les menant vers la forêt. La mère ambitieuse médite et répète une intense prière à Dieu.

Pourvu qu'il réussisse! Mon Dieu, donnez-lui un coup de pouce à mon Harold. Si vous avez envie de faire quelque chose pour nous, c'est le temps. Je ne vous demande pas grand-chose, mais aujourd'hui sortez de votre coquille. Harold mérite une fille comme Adéline. Il serait si heureux avec elle. Une maîtresse d'école dans la famille nous ferait tant de bien. Depuis le temps qu'on attend. Il sera quelqu'un mon Harold. Le monde a assez ri de nous. Un jour, la paroisse verra qui est le plus grand. Ce sera lui, mon Harold. Berthold se contente d'un rien mais moi, c'est différent. S'il le voulait, mon mari serait maire du village. Mais non. Il dit que je me tire du grand, sans raison. Il est trop mou, mon Berthold. Se contenter de l'entretien de la voirie mène à peu de chose dans la vie. C'est vrai que je ne crève pas de faim, que les garçons trouvent à s'occuper avec leur père à l'occasion; mais il y a des limites.

Sa supplication terminée, sa marotte reprend la route. Les Lanteigne tirent la couverture un peu trop de leur côté.

Les honneurs se partagent. Tout le monde a droit de les mériter. Mes enfants, on va continuer d'élever des moutons. Oui, monsieur!

Adéline et Harold sont disparus depuis longtemps quand sa longue méditation se meurt au coin de son cerveau.

Du bruit la sort de sa rêverie.

– Ah! te voilà, toi!

Ursule n'a pas entendu entrer Firmin, son fils, debout derrière elle, qui attend.

– Mamzelle partie?

– Ils sont allés faire un tour dans la forêt, Harold a apporté sa carabine.

– Firmin, forêt.

– Laisse-les tranquilles, Firmin.

Ursule, de dépit, regarde son fils: la honte de sa vie, et se demande qu'est-ce qu'elle a fait au bon Dieu pour mériter un tel châtiment. Où retrouver un brin de dignité, un souffle de réconfort. Elle détourne son regard, le coeur nourri d'une profonde déception. Le visage d'un homme lui vient à l'esprit. Elle se rend couper quelques tiges de rhubarbe, Simon Labrosse viendra demain, visiter les enfants à l'école. Elle sait qu'il emportera une tarte ou deux au presbytère. La femme, aigrie par ses injustices imaginaires entretenues, se soulage à la pensée qu'un étranger apprécie ce qu'elle fait et le perpétue dans la paroisse. Entretenir sa renommée de cordon-bleu est essentiel à l'honneur de sa famille et celui de son mari, il en a si peu. On dirait que l'orgueil lui coule comme sur le dos d'un canard et qu'il manque de fierté. Firmin est déjà loin, quand elle se rend compte que son crétin de fils lui a désobéi et a filé à l'anglaise retrouver son frère et la belle maîtresse d'école si gentille envers lui.

* * * * *

Dans la forêt, Adéline et Harold s'apprivoisent. Harold ouvre la marche. Il lui apprend de multiples secrets sans se retourner, et explique une foule de choses. Adéline, qui s'est fait dépasser, le suit docile et se laisse bercer par la voix de ce jeune homme coriace à ses heures.

– La forêt, c'est la plus belle chose qui soit.

– Tu y viens souvent.

– Souvent.

Un moment de silence les enrobe. Adéline compte le nombre de fois où il a disparu, sans dire où il allait. Une multitude. Elle soupçonne qu'il se réfugie ici pour cacher sa solitude. Quand sa mère l'interroge, il ne répond pas. Il se dit à quoi bon, les questions n'auraient plus de fin. Puis, il est assez grand, il sait se conduire tout seul. Son père, occupé par l'état de ses routes, trouve de l'enfantillage, les inquiétudes de sa femme. Tôt ou tard, il trouvera une femme et se mariera comme tout le monde. En attendant, il a d'autres chats à fouetter.

Adéline et son *chevalier-servant* se partagent mille et une découvertes. Les quelques cheveux rebelles d'Harold la font sourire. Elle fait la connaissance d'un nouveau jeune homme, à mesure que disparaît sa timidité.

– Tu vois cet écureuil. Surveille-le. Il se peut qu'il vienne changer de gland.

– Tu veux dire qu'il est assez intelligent pour savoir si c'est un bon choix.

– Il le sait. Regarde cet arbre, il va mourir.

– Au contraire, je le trouve resplendissant.

– Approche. Regarde sous l'écorce. Une mite le saigne à blanc.

– Pourtant vrai. On ne peut rien faire?

– Rien du tout.

Il l'entraîne à sa suite, l'emballement gorgeant soudain ses veines. La mélodie du sol froissé et la pureté de l'air aiguisant ses narines captent un instant l'attention d'Adéline. Elle court dans ses pensées.

– Tiens... tiens... tiens.

Harold, accaparé par une idée, juché sur une vieille souche duvetée par la vieillesse, fixe un point au loin dans une éclaircie et se parle.

– Ah non!

La jolie brunette s'interroge sur le manège de son compagnon.

– Qu'est-ce qu'il y a?

– Chuuuuut! ordonne le doigt sur la bouche d'Harold.

Adéline s'étire le cou et cherche où poser les pieds pour découvrir le mystère, à son tour, sans y parvenir. Le jeune homme absorbé par le guet, oublie Adéline.

– Harold, me diras-tu ce que tu vois?

– Viens avec moi, je vais te montrer quelque chose de très rare.

Ils cheminent en silence, nourris par l'espoir d'arriver à temps. La mélodie du ruisseau imaginaire pour Adéline, s'amplifie. Dans son ciboulot bouille le plaisir de la découverte. Enfin, une cascade au flan d'une montagne, camouflée par le pan d'arbres en bordure, dévoile sa splendeur. Adéline, muette de ravissement, boit la féerie du lieu à grandes gorgées de silence ou d'exclamation.

Harold arrive devant une clôture et s'arrête.

– Tiens, c'est ici que finit notre forêt.

– Qui demeure l'autre côté?

– Les Lanteigne.

Adéline voit la lumière au bout du tunnel. Leur discorde vient probablement de cette clôture ou d'un quelconque litige sur leur propriété. Harold devance ses interrogations.

– Tu vois cet arbre? Autrefois il nous appartenait.

Adéline saisit l'ampleur de la mésentente.

– Ils ont prétendu que la majorité des branches se trouvaient sur leur terrain et la moitié du tronc penchait de leur côté, ajoute Harold désolé.

Un prétexte à la bisbille parmi tant d'autres, songe Adéline désireuse de saisir le mystère de leur mésentente pour leur voisin, incarnée.

– Je vois. Pourquoi cette clairière? On dirait que l'on a bûché cet endroit intentionnellement, Adéline.

– Oui. C'est curieux. Regarde ce rectangle passant près de la clôture complètement coupé de ses arbres. À quoi sert-il?

– Je l'ignore. Cet endroit vient d'être nettoyé depuis peu de temps. Tu vois! Les branches ne sont pas encore sèches.

– À qui appartient-il?

– Aux Lanteigne!

— Leur comportement est pour le moins étrange. Très étrange.

Harold cède le pas aux pensées d'Adéline, il file vers un autre sentier.

— Viens ici.

Harold l'entraîne dans un autre coin où coule une minuscule cascade. Le chant d'un oiseau l'immobilise. Tout lui parle dans ce lieu. Une main appuyée à un arbre, son regard va de la cascade au faîte d'un arbre. Adéline se languit de mystères. L'ombrelle de la forêt étalée sur eux excite l'esprit d'Harold comblé de bonheur. Il prend un malin plaisir à en extraire les profondeurs et les leçons ourdies sous chaque arbre, dans chaque creux, entre chaque feuille. Tout lui est si familier et fécond qu'on le croirait né ici. Au loin, il entend le son répétitif d'un pic mineur picorant sur un arbre à la recherche d'insectes.

— C'est un pic-bois. Regarde! là. Il a passé l'hiver à nettoyer l'écorce de ce bouleau blanc de ses insectes.

— Tue-le Harold, il brise tout. Tu vois ces deux gros trous. L'arbre va mourir.

— Au contraire, il est le médecin de bien des arbres. Il se promène même dans notre verger. Ces deux trous indiquent un couple. Ils font souvent chambre à part, mais ils sont fidèles toute leur vie.

Adéline pendue au savoir de son compagnon, se laisse griser. Harold cherche d'où provient ce: *qui es-tu-tu-tu*. Il penche la tête.

— C'est une drôle de chanson, Harold. Tu m'épates vraiment.

58

– Si c'est ce que je pense, Adéline, c'est un oiseau rare ici. Quand ils sont ensemble, ils chantent: *chic-a-di-di-di*. En janvier, je vais les surveiller pour voir si la femelle a niché. Le matin, elle lève tout le monde par son: *fi-bi, fi-bi*. Je vais chercher son nid. Il est fait de duvet et de poils. C'est la maison la plus luxueuse que je connaisse. Mais ils ont un très mauvais caractère. Ils gouvernent les autres par la chicane. Plus tu es agressif, plus tu domines.

Adéline pensive réfléchit un moment. Elle refuse cette affirmation.

– Si tu examines les environs, tu vas découvrir des nids de merles. Ils sont partis ou sur le point de s'envoler. Ils font leur nid partout, souvent le nouveau dans un vieux. Le plus compliqué, c'est la boue. C'est une merveille de les voir agir. Ils font jusqu'à 180 transports de matériel par jour. Imagine des oiseaux en train de transporter de la boue avec leurs pattes. On oublie de se prendre pour le nombril du monde quand on sait ça.

Adéline s'émeut devant tant de découvertes. Harold sait se nourrir du quotidien et de la vie. Elle fait une pose.

– Harold. Tu sais tant de choses. Qui t'a appris?

Harold se retourne, lui sourit et change les pensées d'Adéline.

– Dis-moi. Quel animal à fourrure a très peur de l'eau?
Adéline hoche la tête.

– La martre. C'est une bête audacieuse, elle ne court jamais.

– Aaah?

– Que faisaient les Indiens avec les poils de porc-épic?
– Je l'ignore.

– Ils les teignaient pour décorer leurs mocassins et leurs jambières de peau de cerf.

– Tu parles d'une idée!

– Quel oiseau est le plus intelligent?

– L'hirondelle?

– Le geai gris.

– Pourquoi?

– Il est le seul à s'approcher de l'homme, sans avoir peur et sans se fâcher contre lui.

Adéline, les bras croisés, bat la marche et s'instruit des mille et une trouvailles de son compagnon de route. Elle le trouve soudain sympathique.

– Tu n'as jamais pensé à faire de grandes études.

Harold s'approche d'elle, la regarde intensément, elle frissonne. Ce mélange de timidité et d'audace contradictoires la rend perplexe.

– Non. Je préfère élever des moutons.

– Élever des moutons? Je ne comprends pas.

Adéline, le dos appuyé à un énorme érable argenté, la gorge donnée à la caresse du vent léger, envenime le désir d'Harold de la posséder. Il la rejoint. L'intensité de son regard emprisonne l'engouement presque naïf d'Adéline. Elle s'éloigne, il la rejoint de nouveau. Une branche d'arbre perd son écorce sous les doigts masculins.

– Que disais-tu?

– Les moutons. Explique-moi.

– Un jour, je serai célèbre grâce à eux. Je l'ai promis à maman. Elle m'a dit que je deviendrais le meilleur au monde.

Soudain il lui vole un baiser sur la joue. Adéline se recule.

– Harold! Tu n'es pas gêné!

– Je sais que tu te meures d'envie pour moi.

– Où es-tu allé pêcher cette histoire.

– Je le vois, tu me dévisages des yeux, chaque jour.

– Tu te trompes, Harold. Si je te regarde c'est pour mieux te connaître. Certains de tes comportements me semblent...

– Il lui prend le bras et le serre.

Adéline veut se soustraire de cet étau mais n'y parvient pas. L'assurance presque grossière d'Harold la déconcerte. Un vent de crainte monte en elle.

– Aie! Tu me fais mal, laisse-moi.

Il lui lâche le bras, et arrose l'endroit de son rire narquois.

– Je suis fort, hein!

– Fort en effet. Partons, je suis fatiguée.

Harold de nouveau timide, enfile le sentier à la recherche d'un petit gibier. Adéline, soucieuse, ne rit plus. Docile, silencieuse, elle le suit, sans perturber ses étranges pensées. Son entrain se dissout à mesure que l'heure avance, elle aurait voulu tout autre, cette randonnée par un après-midi d'octobre.

* * * * *

Un coup de fusil se fait entendre. Firmin sent son coeur faire deux tours en lui. Il n'aime pas les fusils. Son père lui a toujours dit qu'il ne doit jamais toucher à cet objet dangereux. Il accentue le pas. Des voix lui parviennent et il croit les reconnaître.

– Tu vois, les écureuils remplissent leur terrier ici.

– Tu connais la forêt beaucoup mieux que moi. Viens-tu souvent?

– Très souvent. Écoute. Une perdrix rôde dans le coin. Ne fais pas de bruit, nous l'aurons.

– Je n'ai rien entendu, Harold.

– Chut! tais-toi!

Oser lui ordonner de se taire de la sorte, la surprend. Elle recule et le regarde faire.

Harold se penche, pointe le centre d'un bosquet et tire. Le coup s'envole comme la volée de cloches de l'église le dimanche. La forêt tremble un instant. Puis, Harold, dans un geste irréfléchi, se tourne et pointe le fusil vers le visage d'Adéline. La jeune fille saisie de stupéfaction, se penche et crie.

– Harold, ne fais pas le fou! Baisse ton fusil.

Le jeune homme rit aux éclats, tenant toujours l'arme pointée vers la belle Adéline, à sa merci. Apeurée, elle court se cacher derrière un arbre. Il la cherche un moment mais songe à sa perdrix, un festin inespéré pour sa mère.

– Adéline. Arrête de courir, c'était pour rire.

Adéline, toujours inquiète, court, la carabine braquée sur elle en pensée. Essoufflée, elle s'arrête et attend de voir son étrange compagnon de route. Le suivre vaut mieux que le précéder. Il arrive soudainement devant elle en imbécile et s'écrie.

– Pouf!

Adéline reprend sa course, le coeur en chamade, il la suit.

– Adéline. Attends-moi.

Elle court éperdue, haletante, se demandant quand l'horizon apparaîtra. Soudain, elle trébuche sur une grosse pierre recouverte de mousse.

– Aie!

Elle tombe et se prend la cheville dans un trou près d'une souche. Elle aperçoit Harold qui l'agrippe par le bras et la sort du creux, en la serrant très fortement. Elle a mal. La grosse main de ce garçon la tenant toujours fermement, s'incruste dans sa mémoire. Un sentiment d'inconfort l'envahit, sans savoir pourquoi. Il la tient, la retient près de lui, lui impose son souffle et son regard, oubliant le mal qui tenaille son pied. Du geste, elle le repousse et secoue sa manche de chandail. Sa cheville insiste. Elle la frictionne.

– Ouille!

Harold se tient près d'elle, immobile, silencieux, le fusil le long de sa jambe. Il ouvre le cran d'arrêt, enlève le chargeur, lui montre qu'il est vide, pointe le ciel, pèse sur la détente et le coup fend l'air dans un bruit retentissant.

– Regarde, il n'est pas chargé.

Le jeune homme replace sa carabine dans son fourreau, se croise les bras, le regard insensible aux douleurs de la maîtresse d'école et attend qu'elle ait fini de regimber. Adéline assise sur une bûche, lève les yeux vers son compagnon et sent sa peur se transformer en colère.

Quel imbécile tu es, Harold!

De dépit, elle remet sa chaussure, reprend le sentier rustique, en boitant et se parlant. Taire son inconfort est primordial devant ce sans-coeur.

La voix d'Harold s'élève autoritaire.

– Bon. Ça va mieux! On retourne chez nous!

Adéline se tait. Oui, nous retournons, et nous ne reviendrons plus jamais! se promet-elle, outrée.

Harold reprend le fil de ses pensées et monologue.

– Tu vois, ici un écureuil a fait ses provisions l'an dernier. Tiens, regarde! Penche-toi. Des petites bêtes ont déjà logé dans le creux de cet arbre. Pourquoi la mousse pousse-t-elle toujours au nord? Cet arbre. Est-ce un érable ou une plaine? Tiens... tiens...

Autour d'eux la lumière danse avec les arbres sous la musique plaintive du vent. Au loin, elle entrevoit un rideau de lumière à la lisière de la forêt, la plaine spacieuse du *Plateau Doré* se restaure au soleil. Adéline, captivée par les connaissances d'Harold, oublie son pied et entre dans le jeu. Ce jeune homme n'en finit plus de la surprendre. D'où lui vient son savoir? L'image de ses parents effleure son esprit. Pas de sa mère... ni de son père... un ancien forgeron devenu journalier.

L'orée du bois s'agrandit, peu à peu, à mesure que le paysage se raréfie de conifères. Le soleil frisquet d'octobre les pénètre, Adéline referme son chandail. Soulagée, elle pousse une grande respiration, le coeur voilé par un mélange de crainte et d'éblouissement.

– Victoire! crie Adéline à la vue d'une volée de berna-ches sillonnant le ciel et fuyant vers l'ouest, sur un ton plaintif.

– Des outardes! C'est drôle, elles devraient être déjà parties.

– Elles sont les plus positives des volatiles, Harold. Tu vois, elles traînent la victoire avec elles.

Harold s'arrête, observant intensément le «V» mouvant écrit dans le ciel. Deux bûches leur servent un moment de repos, il dépose son fusil près de lui.

– Tu n'as jamais dit si vrai, Adéline. Savais-tu que cette formation en est une gagnante?

– Pourquoi?

– Par leur nombre. Un couple et sa couvée sont insépa-rables. Si un autre groupe se montre trop sympathique, la famille prend la formation en v et la femelle cède le pas au père. Installé en tête, le mâle défend son coin de ciel par ce stratège. La plus nombreuse famille sort toujours gagnante. Tout le monde a intérêt à faire beaucoup d'enfants dans leur cas.

– La survie de l'espèce plein ciel, à ce que je vois.

– En plein ça.

– Dis-moi, Harold. Qui t'a enseigné ces choses?

Harold rassemble ses idées un moment du bout de sa vieille branche qu'il s'amuse à piquer dans la terre.

– Quand j'étais petit, je soufflais sur le feu de mon père à la forge.

– Tu soufflais!

– Oui, avec un instrument à vent, j'ouvrais et je refer-mais les deux manches d'un soufflet et l'air faisait le reste.

– L'air ne renseigne pas sur grand-chose, à mon avis.

– Pendant que je bossais, j'écoutais le monde. Le monde, Adéline, en sait plus qu'un tout seul.

La jeune fille le suit des yeux et sourit. En effet, cela avait du bon sens.

– Puis, il y a eu *Picrousse*.

– *Picrousse*?

– Un vieux qui restait dans une vieille cabane au bout de notre forêt. J'allais le voir souvent, surtout le dimanche.

Adéline croit comprendre son étrange copain de promenade. Le dimanche, il se sauve on ne sait pas où, paraît-il.

– Tu le visites encore?

– J'aime autant ne pas en parler.

Adéline sent Harold se rembrunir. Le silence les enveloppe encore.

– Je peux voir ce vieux monsieur?

Harold se lève, accélère le pas, sans se soucier d'Adéline et de ses interrogations, sa perdrix morte se balançant au bout de son bras, le nez piqué droit sur la maison paternelle qui grossit à vue d'oeil. Adéline l'entend marmonner un discours intelligible qu'elle fait répéter, mais peine perdue.

Il s'est transformé en gazelle sous l'effet de ses étranges pensées, songe-t-elle perplexe.

Il est loin de son regard et de son monde lorsqu'elle franchit le seuil de la porte des Montpellier. Ursule souriante, semble l'attendre et le reçoit, les yeux pétillants de quelqu'un qui a trouvé la lune. Adéline, entrant derrière, se demande quel événement la rend fébrile à ce point.

– Puis, il est fin mon Harold, hein!

Adéline retient sa réplique. Les vapeurs imaginatives de cette femme fabriquaient trop de suspicions à son goût.

Cette mère devrait nettoyer ses lunettes affectives plus souvent. Elle verrait son fils sous son vrai jour.

L'arrivée de Berthold, le père, attire les regards, tourne le vent de la cuisine, change l'atmosphère. Le brave homme recourbé ouvre sa blague à tabac, prend sa pipe et la remplit.

– Savez-vous ce qui est arrivé aux Lanteigne?

Ursule s'approche l'humeur assombrie, le caractère prêt à bondir. Adéline s'esquive en douceur.

– On ne le sait pas, Berthold. Pourquoi tu nous fais languir de même?

– Paraîtrait que le bruit au deuxième étage de leur maison est suspect.

Ursule, la main sur l'épaule de son mari, le visage proche du sien, les yeux accrochés à ceux de son homme, insiste et attend la nouvelle que son mari tarde à leur annoncer.

– Ursule, le bruit cache quelqu'un.

Adéline se pointe la tête dans sa porte de chambre, incapable de retenir sa curiosité et ses oreilles. Vraiment, ils dépassent toute décence la plus élémentaire, ces Montpellier.

Des incorrigibles! Des invétérés!

Toi, Adéline. Qu'as-tu fait? Tu t'es étiré le cou pour en apprendre davantage, soutient une voix en elle.

Elle grimace et se retire doucement. Sa vérité prenait l'eau par certains trous malsains de sa conscience.

Ursule ouvre la bouche qui reste accrochée à ses mâchoires par la stupéfaction. Des idées à profusion bouillent dans son cerveau en ébullition. La vengeance des bretelles à péter sur le torse de son Harold se prépare. Le bonheur d'être reconnue, à sa juste valeur, orne déjà son panier de commérages du dimanche sur le perron de l'église. Enfin! elle aura son heure de gloire, comme tout le monde. Depuis longtemps elle en a fait secrètement le serment à ses entrailles.

— Berthold, qu'est-ce que tu vas chercher là?

Le mari se recule sur les deux pattes de sa chaise, examine Ursule, aux prises avec une jouissance démesurée écrite sur son visage. Une jouissance difficile à retenir, étourdie dans les gestes agités de sa femme; il regrette d'avoir agrandi la mare aux cancans, de celle qui partage sa vie depuis si longtemps. Il tente de reprendre ses dires.

— Ursule, c'est Armand qui racontait cette histoire à la forge. Armand, tu le connais.

— Armand, mon cousin?

— T'en connais un autre, Ursule?

— S'il le dit, c'est que c'est vrai!

— Armand devrait plutôt nourrir ses chevaux, les pauvres bêtes sont maigres comme des carottes.

Berthold ajuste la conversation et bifurque sur un autre sujet. Ursule, les oreilles aiguisées, de sa vieille guenille imbibée de graisse, polit le dessus de son poêle en fonte noire et ajuste sa pensée.

— Berthold, Armand connaît bien du monde. C'est de cette manière qu'on apprend des choses.

— Il parle souvent à travers son chapeau!

— C'est toujours bien mieux que de ne jamais se faire aller les mâchoires.

Berthold nage dans les rondelles de brume de sa pipe et cherche un moyen de lui faire lâcher prise.

— Harold est parti?

Ursule s'approche, une main retenant son linge noirci et l'autre se cachant dans un pli de sa robe rouge à col blanc.

Elle se penche et parle à voix basse, en surveillant Adéline retirée dans sa chambre et noyée dans sa lecture. Une main en porte-voix, elle chuchote.

– Imagine-toi qu'ils sont allés faire une marche en forêt cet après-midi, ensemble. Ce congé de l'inspecteur d'école tombe à point. Harold est arrivé le premier. Il a gagné la course. Firmin, qui est allé les rejoindre, est arrivé tout seul, cinq minutes plus tard.

– Puis... Où sont-ils maintenant?

– Elle est dans sa chambre et lui à la bergerie.

Berthold communie un instant à la joie voilée de sa femme et sourit. Il tire une pipée, songeur.

– T'as pas l'air content.

– On verra, Ursule. Cours pas trop vite. Tu vas te casser le cou si tu marches trop la tête en l'air.

– On dirait que rien ne te contente quand je te parle d'Harold. Si tu lui donnais sa chance à ton tour, comme l'a fait ton père.

– Moi je voulais, lui ne veut rien savoir.

– Tu le connais mal. Un jour, tu verras que tu t'es trompé. Là, tu auras l'air fou, Berthold. Crois-moi. Un jour il sera le meilleur au monde.

Ursule range son linge dans le réchaud du poêle, et s'installe à la table en parlant, un livre dans la main, son regard pointé sur une enveloppe blanche qu'elle déplace et replace chaque jour au même endroit, soucieuse: une autre missive de leur fille Huguette. Il faudrait pourtant lui répondre! Le livre retient son attention. Son cerveau s'attarde tendrement à la beauté du décor au couchant du jour. Elle ouvre le bouquin, le feuillette, et cultive des pages de son esprit nourrissant un étrange rêve, à travers les feuilles qu'elle ne voit pas. Un jour... Harold sera le plus grand. Il vengera sa mère des injustices de ce monde. Un jour, il réussira, là où elle a échoué. On le respectera, l'appellera MONSIEUR gros comme le bras. Satisfaite, elle lui sourira de bonheur. Ensemble, ils savoureront la victoire sur son passé. Elle s'est jurée d'y arriver envers et contre tous.

Berthold, soulagé, regarde sa femme et soupire. Il a frôlé une bombe à retardement. Dorénavant, il se promet de se tourner la langue sept fois avant d'émettre une opinion ou de transmettre des placottages non fondés. Il déteste les Lanteigne mais pas au point de déclencher une guerre inutile, sa fougue est usée.

– Moutons contents. Mange beaucoup. Firmin fatigué.

Le couple se retourne, il n'a pas vu entrer cet autre fils encombrant.

De son rire béat, Firmin s'approche de sa mère et l'embrasse sur la joue. Ursule le regarde et s'essuie la joue. Firmin sourit heureux, incapable de saisir ce geste maternel et prend place auprès d'elle. Au fond du corridor, Adéline, témoin de la scène, recule le coeur serré par la froideur de cet incident. Elle aime davantage ce bel idiot.

Bienheureux les creux, car le royaume de Dieu est à eux, souligne la voix de son père, en elle.

– Cheval, s'écrie Firmin en surveillant par la fenêtre.

Justement un cheval hennit. Alfred Lussier, le bon père affectueux, arrive.

– C'est papa! affirme la jeune fille heureuse.

Adéline s'agite de joie. Son père a désobéi, il avait promis de ne pas venir. Heureuse, elle se blottira contre son épaule, il remontera son col pour cacher sa gêne, feignant la froidure de l'automne. Ils se raconteront les nouvelles de l'heure, puis, en silence, ils reviendront au bercail, dans le soir soudain tombé à vive allure sur leurs réminiscences mutuelles. Adéline reste accrochée à la bouche pincée d'Ursule, aux prises avec son tic nerveux: jamais elle ne montre ses dents.

En route, le soir d'automne accélère son pinceau sur un jour morcelé de joies et de mystères. Adéline sent monter une profonde nostalgie des siens, dont l'un est pourtant si proche. Des parents si bons. Bons comme du pain de ménage chaud et croustillant.

L'horizon a tiré une ligne sur le fleuve et se recouvre de couleurs automnales avant le tourner la page: souvenirs envolés d'une beauté éphémère.

Chapitre 5

Adéline se sent fébrile. Une visite tant attendue s'annonce. Pourtant, elle a rêvé de ce jour maintes fois. Ursule, sa logeuse, a fait des tartes à la rhubarbe et aux fraises.

– Il les adore, dit-elle constamment.

Un tour d'horizon sur sa classe la satisfait. Ses dix-huit élèves ont fait d'immenses progrès depuis septembre. Après la visite de l'inspecteur hautain et orgueilleux, elle souhaite que celle-ci soit la plus belle des visites de l'année.

Elle s'efforce de calmer son coeur en chamade par des intonations lentes et calculées, elle agite son bruit interne par des bonnes paroles d'encouragement et de réconfort. Être positive crée le calme.

– Vous êtes gentils, mes enfants. Vous serez récompensés. La droiture, la vaillance mènent au succès. En les pratiquant dès notre jeune âge, on les acquiert facilement et elles font partie de notre vie. Vous verrez.

Une petite distraite, lève la main.

– Il prend du temps. Depuis le matin qu'on l'attend.

– Il aura eu un retardement. Il se passe plein de choses au presbytère dans une journée. Dire des messes, visiter les malades, répondre aux gens, faire des enterrements.

– J'ai entendu les cloches à midi.

– C'était celles qui sonnaient l'angélus.

– J'en ai entendu d'autres à la récréation.

– Quelqu'un est mort, dit l'un.

– Tu sais ça, toi!

– Il sait tout, mademoiselle, son père est le postillon.

– Pas forcément. Ce monsieur n'ouvre pas les lettres.

– Mademoiselle, on voit bien que vous ne le connaissez pas.

Des rires fusent de toute part.

– Vous n'avez pas vu ses lunettes, affirme un autre enfant.

– Maman dit qu'il ne sait pas lire.

Le garçon du postillon, honteux, supporte difficilement ces quolibets.

– Comment le sais-tu? Ce qui est vrai et ce qu'on entend dire est souvent bien différent. As-tu déjà pensé que le postillon doit savoir lire.

La classe éclate de joie. L'élève gêné plante ses pensées dans son cahier. Le travail scolaire enfile son aiguille et Adéline garde l'oeil sur cet enfant si timide qui a osé émettre son idée.

– Allons les enfants. Un peu de retenu. Ceux qui pensaient la même chose que Louis au sujet du postillon, levez la main.

Le silence refait surface. Chacun réfléchit en tournant son crayon de plomb et n'ose regarder son voisin. La vérité rend leur main si lourde qu'elle ne peut bouger. La moitié de la classe vient de faire un péché. Un mensonge à avouer au confessionnal dimanche prochain. Puis, la culpabilité acceptée, ils se replongent dans leur écriture. L'un d'entre eux rote. L'hilarité se camoufle sous un multitude de gestes nerveux.

Soudain, la classe émet des opinions hors sujet et devient un moment de détente inusitée et rarissime. Des bouts de papiers se transforment en boules et volent en direction de certaines filles. Adéline, aux prises avec sa nervosité, entoure son élève humilié et parvient difficilement à rétablir l'ordre. Elle résolut de semer l'hilarité générale. Son petit monde détend l'atmosphère pendant qu'elle reprend ses sens. Puis, le tic tac de l'horloge se replace au milieu d'eux. Trois heures quinze, réalise les yeux d'Adéline. Elle pousse un long soupir en écrivant les devoirs au tableau noir. Les crayons font diligence sur les feuilles des carnets. On cogne à la porte. Adéline chavire, ses jambes ramollissent, son coeur frappe les parois de son être. Le moment espéré se consume en parcelles d'éternité.

– Tout le monde debout. Faites un grand salut, et dites un beau bonjour à M. le vicaire. Compris?

– Compris.

Elle marche d'un pas rassuré, mais en elle c'est la débandade. Inquiète, elle se demande comment elle pourra faire face à la situation. Jamais elle ne s'est sentie dans une telle impétuosité.

Calme, Adéline. Sois calme. Prends de grandes respirations. Tu exagères. Tes émotions amplifient le défi à relever. Ce n'est pas si grave. C'est un homme comme un autre. Puis, il ne t'appartient pas.

Son monologue lui fait du bien. Sa raison tente une percée dans l'océan tumultueux de son désarroi et de son tourment. Arrivée dans le corridor menant à la sortie, elle tient un moment la poignée de la porte extérieure et implore.

– Mon Dieu aidez-moi.

Un grand bruit se fait entendre dans son dos, elle se précipite dans la classe et la porte s'ouvre. Le vicaire s'amène et aide Adéline à remettre le pupitre de Firmin désolé, sur pied. Elle se relève et plonge son regard dans celui de son bien-aimé. Il se soustrait de ces yeux avides et prend la situation en main. Adéline se retire et se laisse choir sur sa chaise de pupitre, tandis qu'il s'agite autour des petits, heureux de les voir. La jeune femme, en retrait, prend le temps de l'examiner à sa guise en silence. Elle ne dit mot. L'heure du départ claironne à l'horloge. Simon Labrosse les reconduit à la sortie, les salue et laisse entrer une grande bouffée de froideur dans l'atmosphère survoltée. Adéline réagit.

– Qu'est-ce que tu fais? Je gèle.

Il referme la porte lentement et revient vers elle. Adéline s'élance dans ses bras et entoure le torse du prêtre, ferme les yeux, comme autrefois elle l'a fait si souvent. Simon noyé par l'ardeur d'Adéline cherche quelque part, sur le mur, dans la fenêtre, un moyen de lui venir en aide. Sa main brûle de lui caresser les cheveux. Il sent la poitrine ferme d'Adéline traverser la sienne. Il croit entendre en lui, les battements du coeur féminin. Ses folles émotions courent en cavale et s'épivardent. Pourtant, il l'a prise tant de fois, sans éprouver aucune sensation semblable. Maintenant que ces effusions lui sont interdites, il se sent chaviré. Le vicaire, grand ami d'enfance d'Adéline, sombre dans des ténèbres subites et insensées. Son infernal combat diminue quand son regard s'accroche au crucifix, là, devant lui, qui le dévisage. Un amour intense se lit sur le visage du Christ.

Tu as choisi, Simon. En toute liberté. Tu es fort et tu es bon, crie une voix en lui.

Un grand tableau surgit sous ses yeux. Le Christ seul au Jardin de Gethsémani qui prie et implore son père de lui épargner les tentations des forces du mal pendant que ses apôtres dorment à poings fermés. D'autres figures bibliques lui apparaissent et lui indiquent la route à suivre.

Le vicaire ferme les yeux, grimace. Il assèche discrètement ses yeux humectés qu'il veut cacher, avant d'affronter le regard de cette femme. Lentement, il desserre l'étreinte et se plonge dans les yeux d'Adéline.

Adéline, menue, se sent bien au creux de ce colosse. Enfin, elle le possède pour un moment. Cette senteur d'homme se fait intense, sensuelle. Adéline aimerait toucher le velu de ses bras et en sentir la caresse sous ses doigts. Les yeux clos par l'intensité de son bien-être s'abreuvent au puits du feu qui la consume. Submergée d'émotions, elle a mal d'aimer... à sens unique. L'hésitation manifeste de Simon collé à elle, attise l'espoir tapi dans son coeur affamé de tendresse. L'heure des aveux ou de la réconciliation sonne. L'instant de volupté s'éclipse sous le retrait de son bien-aimé qui la repousse doucement. Incapable de communier à son regard, elle se ressaisit.

– Tu n'as pas changé, Simon.

– Si, si. Sous bien des aspects et j'ai toujours sept ans de plus que toi.

– L'âge m'importe peu. Pourquoi tu m'as fait ce coup?

– Quel coup?

– Choisir la prêtrise.

– C'est un appel, pas un choix.

– Je t'ai tant aimé, tu le sais.

– Je ne t'ai jamais fait de promesses.

– Tu mens. J'ai tant lu dans ta cervelle, à ton insu.

– Tu as mal lu et au mauvais endroit. Il te faudrait des verres.

– Le coeur ne trompe pas, tu le sais.

Le jeune vicaire chasse l'intensité du moment par un bon coup de poing sur le pupitre où il s'appuie et croise les bras.

– Simon. Comment peux-tu. Nos espiègleries... nos soirées... nos confidences... nos connivences... nos aveux... nos promenades le long du ruisseau... nos découvertes... nos rêves ébauchés à travers nos fous rires.

– À travers ce chemin, Adéline, j'ai vu la lumière. Grâce à toi!

– N'ajoute pas l'audace à l'injure. Quelle lumière?

– Je ne t'ai jamais rien promis, Adéline. Sois honnête, admets-le!

– Je t'ai promis la lune et tu m'as ri au nez, Simon Labrosse!

– Des folles envolées de jeunesse sans prétention.

– J'étais sérieuse, moi, Simon Labrosse! Je t'écrivais et tu m'ignorais.

– Nos chemins se sont éloignés comme la plupart des jeunes de notre âge, Adéline. Je suis partie pour le séminaire et ensuite j'ai fait six mois de guerre, tu le sais.

– Je ne l'ai pas su, justement. C'est une cousine de ma mère qui nous l'a appris un jour par son frère qui avait combattu à tes côtés.

– Dans ma compagnie. C'est différent. J'étais sur le front mais pour encourager les soldats, consoler les malades, administrer les mourants et enterrer les morts.

– On m'a dit que tu étais le plus jeune soldat de ton groupe.

– Ils se trompaient encore une fois. Les racontars des hommes tu sais... C'est comme la soupe. On ne sait jamais si elle est bonne avant de l'avoir goûtée.

– Je t'ai attendu tout ce temps. Il m'est arrivé de rêver que tu étais mort. Je ne savais plus alors, quoi penser ni quoi faire. Je t'ai aimé plus que moi, plus que tout.

– Adéline. Allons. Reviens sur terre. Es-tu certaine de ces sentiments qui te consument?

– Que signifie ces insinuations?

Simon, lui prend le menton et le frotte du revers de sa main droite. Adéline croise maintenant les bras à son tour.

– Analyse ta façon d'être avec moi.

Adéline va de surprise en surprise, impuissante à saisir l'étrange langage que tient son ami.

– Avec toi je suis bien et heureuse. Est-ce si anormal?

– Tu es bien mais tu n'existes plus. Tu ploies sous la lourdeur de ton amour. Aimer ce n'est pas vivre à genoux derrière un autre mais à côté de l'autre, regardant ensemble vers l'avenir.

Adéline se prend le visage qui ne cesse d'osciller sur elle-même. Vraiment, cette affirmation la dépassait. Simon la conduit dans la minuscule cuisine et se verse une tasse de café.

– Tiens, prenons un léger goûter et reprenons le sujet. Tu as une croûte à manger?

Adéline s'exécute lasse et amère, lui apporte des biscuits maison. Accepter l'inévitable, le pourra-t-elle?

– Tu as un beau chandail vert. N'est-ce pas celui que je t'ai offert à ton anniversaire?

– Ah...? Oui. C'est pourtant vrai. J'avais oublié qui me l'avait donné. Il est si chaud. C'est le vêtement idéal pour cette période de l'année.

– Tu vois! Dans ta lutte pour m'expulser, je suis toujours avec toi, malgré toi.

– Tu te trompes, Adéline. Tu te trompes vraiment, du tout au tout.

– Alors, éclaire-moi, je nage en pleine noirceur. Je suis fatiguée d'espérer, de t'attendre.

– Tu serais malheureuse avec moi. Je ne suis pas fait pour le mariage.

– Qu'en sais-tu?

– Je le sais, un point c'est tout.

– Ta certitude me renverse. La mienne n'existe pas.

– Adéline. J'appartiens à Dieu et lui dédie ma vie.

– Tu aimais les femmes, allons.

– J'aimais m'amuser, c'est différent.

– La femme symbolise le plaisir à tes yeux?

– En quelque sorte.

– Tu me surprends. Le plaisir est défendu?

– Pas du tout. Jésus est allé aux noces et a bu du vin.

Les deux amis sont côte à côte et se taquinent. Simon, qui a repris la maîtrise apparente de ses sens, rajuste la conversation. La forme rassainie de sa tendre amie, lui facilite la tâche. Il retrouve en elle des bribes de cajoleries et d'espiègleries dont elle se nourrissait, parsemées d'un sérieux irrésistible.

– Parle-moi de ton travail. Ces petits, ils sont aimables, hein! Et cette école. Est-elle confortable?

Adéline laisse tomber les bras, désolée. Elle remplit les tasses de café sur sa table ronde. Un goûter fade et insipide qu'elle se promet de raviver et de sucrer. Tout n'a pas été dit.

* * * * *

Le lendemain, Adéline se lève les yeux cernés. La nuit blanche entrecoupée d'un sommeil turbulent, lui a pesé lourd. Les insinuations de Simon lui ont trotté dans la cervelle et ont perturbé son sommeil. Un flot de questions a déferlé dans son insomnie, sans trouver preneur. Elles coulent encore à son réveil dans son cerveau à la recherche d'un ruisselet d'où elles pourraient s'écouler et disparaître.

Cherche dans ton enfance ce qui t'a humiliée au point de te troubler le coeur, lui a-t-il affirmé. Tu aimes peut-être la frénésie de l'amour au lieu de l'homme à aimer?

Adéline repousse les questionnements suscités par cet ami intraitable. Pour qui se prend-il, ce misérable bonhomme? Elle baisse les bras, pensive et entame sa journée péniblement. Un poids lourd lui pousse sur les homoplates. Simon aurait-il vu juste?

– Poser la question c'est y répondre, radote tout le temps sa mère.

Pas ce matin, mes amis. Pas ce matin! Adéline enlève sur ses épaules des poussières invisibles. Peut-être vont-elles les alléger. Ses espoirs déchus, dorénavant, elle devra se faire à l'idée de vivre sans Simon Labrosse. Le pourra-t-elle? Le revoir fut, à la fois, pénible et enivrant. La journée pluvieuse découverte par la fenêtre ajoute à son tourment.

Qu'il est douloureux d'aimer.

– Tu as bien dormi Adéline?

Ursule Montpellier, sa logeuse, la scrute à la dérobée et s'interroge. Que lui arrive-t-il? Elle jubilait hier soir en compagnie du vicaire au souper. Vaniteuse, elle revit les exclamations savoureuses du prêtre pour ses tartes. Son orgueil satisfait, lui remémore leur repas en famille; une réussite unique, car le vicaire ne soupe jamais ailleurs. Il pense que cette pratique envenime les conversations et fait naître des jalousies réelles ou imaginaires chez ses paroissiens. Ursule a tant insisté, qu'il s'est plié, malgré lui, à sa requête et dans un extrême inconfort.

À son réveil, un fait inusité entretient les réflexions d'Adéline: l'étrange démonstration de Firmin, la veille. Sous l'impulsion de sa mère, Firmin a sorti une poche remplie d'écheveaux de laine et s'est mis à faire des balles. Son agilité l'a déconcertée. Ses doigts tournaient le fil à une vitesse saisissante. Comme une bête en cage, l'idiot vibrait, aux appels à l'exploit de sa mère.

– Vous voyez, il va battre son record de l'an dernier.

– Quel record? interroge la jeune femme intriguée.

– Chut! Regarde! insiste Harold amusé.

On finit par lui raconter que cet étrange rituel a débuté il y a quelques années, quand ils ont commencé l'élevage des moutons. Après la tonte, le lavage et le cardage de la laine, Ursule envoie la tonte au moulin qui lui retourne, prête à être vendue. Au début, elle la filait elle-même et Firmin la mettait en écheveau à l'aide d'un dossier de chaise. Puis, Berthold leur procura un dévidoir, Firmin parut soulagé. L'idiot et sa mère, telle une usine solitaire, besognaient du matin au soir. La nouvelle se sut. On commença à venir s'approvisionner de laine chez les Montpellier. Puis, l'idée modeste d'Ursule pris de l'ampleur. Firmin restait auprès de sa mère chaque printemps, pour nourrir les lubies maternelles. Berthold trouva banal et sans importance, cette absence scolaire. Firmin, l'illettré, le resterait toute sa vie. Des femmes de la paroisse vinrent agrandir le champ d'actions de Firmin, déjà très rempli. Puis, Ursule eut un jour l'idée de lui montrer comment pelotonner les écheveaux de laine. Un étrange phénomène se produisit. Assis sur une chaise, Firmin enroulait la laine avec une telle vitesse que sa mère pris tout un avant-midi à examiner les mains phénoménales de son fils. Éreintée, elle refusa de se creuser les méninges et compris qu'elle venait de découvrir un merveilleux pouvoir à exploiter. Au début, ses balles de laine manquaient de forme. Puis, elles prirent un meilleur équilibre, au point d'être parfaitement rondes. Il pelotonnait la laine à une vitesse vertigineuse, en gardant les yeux fixés sur son pouce, l'idée bien arrêtée de le cacher. Puis il le bougeait et recommençait le même manège, de sorte que chaque balle de laine était remplie de petits trous minuscules, tout autour. Les gens trouvèrent ses balles de laine fort géniales. Le monde lui apporta des monticules d'écheveaux de laine à pelotonner. Il accomplissait sa tâche, sans rechigner, le sourire aux lèvres.

Hier soir, Ursule a porté son fils idiot aux nues des regards, en quête d'un nouvel émerveillement. Elle a sorti sa poche de laine, a placé la chaise de Firmin tout près et il a fait la bête de cirque, une nouvelle fois.

Adéline, après avoir trouvé son élève amusant, a vite déchanté devant la salive maternelle assoiffée de compliments et s'est tue. Elle a trouvé la pièce montée si minable et si triste, qu'elle est sortie prendre l'air. Simon Labrosse, le vicaire, le félicita poliment et fit mine de vouloir les quitter. Ursule interrompit Firmin aussitôt. Ses mots pressés sortirent en trébuchant.

– Vous ne le trouvez pas formidable mon Firmin, Monsieur le Vicaire?

– Oh! oui, madame. Trop. Vraiment. Vous devriez peut-être le tenir à l'école. Qui sait, avec l'excellente maîtresse d'école que vous avez cette année, il pourrait accomplir d'autres merveilles?

Ursule parut désolée. Être contestée dans ses décisions, la mettait en rogne. La mère de Firmin s'oublia et laissa découvrir sa bouche mal garnie, deux dents noires apparurent au centre du sourire, aussitôt disparu. Adéline, désolée pour la pauvre femme, baissa les yeux. Ursule Montpellier salua le vicaire, lui donna des tartes pour se faire pardonner d'avoir outrepassé les règles paroissiales, et se rendit à la grève réfléchir. La famille la regarda s'en aller dans l'air frais du soir et sut qu'elle était vraiment fâchée. Qu'allait-elle faire? Personne n'osait y songer.

Ce matin, nulle trace d'aigreur perle sur son visage de femme autoritaire. Adéline se sent soulagée. La vie de Firmin l'obsède. La droiture et la candeur de ce jeune la broie. Comment l'aider à se sortir de cet univers ingrat. Pourtant, il semble heureux de son sort, incapable de ressentir la moindre irritation. Adéline passe des heures à songer, si vraiment Firmin manifestait autant de limites émotives qu'il le démontrait. Ce mystère lui semblait entier. Elle a perçu dans le regard de Simon, la même interrogation et se promet de lui en parler à la prochaine occasion.

Elle enfile son manteau, monte à l'assaut de sa montagne comme elle l'appelle, et songe que le vendredi la ramènera au bercail entre son père et sa mère, deux humains vieillissants, là où c'est si chaleureux. Une fois, sur sa pointe de terre, elle porte son regard sur l'horizon et surveille la nature se transformer sous ses yeux. L'automne en plein essor les quitte lentement. Elle sent dans ses veines la rude saison à ses portes. Le calme matinal l'a toujours émue. Harold lui a montré à aimer les oiseaux, à les apprivoiser. Un vol solitaire, la fait sourire. Un volatile se fait beau près d'elle sur un piquet de clôture: la toilette avant la séduction. Elle prend plaisir à lui faire la causette. Ce nouveau recommencement, effaçant les déveines du jour précédant, l'émerveille. Toujours la vie va. Toujours le temps est positif. Toujours il se lève, peu importe les bévues. Toujours il peint ses splendeurs. Toujours, il invente ses inoubliables moments de silence. Toujours, il fabrique le bonheur à qui veut le saisir. Jamais il ne s'éclipse. Jamais il ne fait faux bonds. Oui, le jour vaut la peine d'être découvert et admiré, songe Adéline ouvrant la porte de sa petite école de campagne.

* * * * *

Au presbytère, Simon Labrosse, le vicaire, a mal dormi. Des cauchemars obscurs voire obscènes par moments ont envahi son lit. Il n'ose se les remémorer, pourtant ces images nocturnes s'imposent à travers son déjeuner enrobé d'une conversation qu'il s'efforce d'écouter. Le curé s'informe des progrès scolaires de ses jeunes paroissiens. Simon distrait, lui répond et s'empresse de retourner à l'église avant de repartir à la campagne. Soucieux, il pousse la porte de la sacristie, entre doucement dans le lieu saint vide, s'abreuve du silence de ce sanctuaire, le coeur toujours habité par le regard persistant d'Adéline. Il s'agenouille dans le premier banc devant la nef, ses pensées entre ses deux mains. Puis, il relève la figure, se laisse imprégner par la sérénité du sanctuaire, son regard cloué à la grande fresque du patron de la paroisse suspendu sur le mur derrière l'autel. La vie de cet homme se déroule dans sa mémoire, il s'y accroche pour trouver des points de repère. Le talent du peintre et la richesse mystique de l'endroit l'apaisent. Le génie des hommes s'est toujours surpassé devant l'expression de leur spiritualité. Les monuments religieux sont de tous les temps, les plus imposants témoignages de l'oeuvre créatrice de l'homme, se dit-il comblé.

Il ouvre son bréviaire, au hasard, le coeur meurtri par son combat intérieur. Des phrases attirent son attention.

La libération du désir.

Sois sans crainte, crois seulement.

L'espérance ne déçoit pas.

Douceur et tendresse de Dieu.

Je me tiendrai près de toi.

Tu es la joie qui transfigure, le pas à pas vers l'infini.

Ce n'est qu'au moment des tempêtes que les marins peuvent montrer ce dont ils sont capables.

Être libre, c'est choisir entre deux biens.

La passion indomptée engendre le désordre.

La vie est devoir, la vie est défi, la vie est beauté, la vie est splendeur.

Des psaumes s'ajoutent.

«Ce qu'il y a de faible, voilà ce que Dieu choisit.»

(1 Co, 12,6)

«Venez à l'écart vous reposer.»

(Mc, 6,31)

«Lui il faut qu'il grandisse et moi, que je diminue.»
(Jean 3,30)

Le prêtre médite cette dernière réflexion, les yeux humides de tourments intérieurs.

Seigneur tu sais tout, tu sais bien que je t'aime, crie son coeur endolori, assoiffé de certitude.

La flamme de la lampe du sanctuaire scintille et retient son attention. À la merci du caprice de l'air ambiant, elle bouge de tous côtés, affolée, incapable de tranquillité. Pourtant, il ne ressent aucun vent autour de lui. La force et la ténacité de cette lumière persistante le saisissent.

Tu vois, monte une voix en lui, cette flamme ne peut s'immobiliser. Trop fragile, elle perçoit et ressent l'invisible, s'en abreuve ou le combat, sans relâche ni désespoir, selon son besoin. Gardienne du phare, elle veille et s'illumine sans cesse comme toi, comme ton coeur, ta volonté et ton amour pour Dieu. Comme toi, elle scintille et se donne. Elle combat ce qui obstrue sa mission.

Le coeur de Simon s'emballe. Il concentre sa réflexion, du tabernacle, maintes fois visité par lui, à cette flamme brillante. Sa méditation flagelle ses sens ébranlés.

Seigneur, venez à mon aide. Revoir Adéline fut un choc insoupçonné. Je ne comprends plus. J'ai peur de lui avoir donné de faux espoirs.

De faux espoirs, crie son trouble apparent.

Simon. Ce que tu vis est normal. Revoir cette femme est le rappel de ton enfance, de tes joies passées. Les émotions font partie de l'être humain et sont saines. Avant de t'emballer le coeur inutilement, analyse ce que tu vis. Regarde bien cette flamme. Laisse-la te parler. Écoute son langage. Tu seras surpris de ses réponses. Cette flamme, Simon, c'est toi.

Le vicaire ferme les yeux, se laisse pénétrer par ces pensées. Le silence mystique le nourrit. Le temps lave ses appréhensions. Son âme s'apaise, ses épaules s'allègent. Ce recueillement solitaire le réconforte. Il se lève soulagé.

Merci Seigneur, je retournerai voir Adéline.

Chapitre 6

– Maman, je ne sais pas si je devrais vous en parler.

Adéline soucieuse se commet. Interpeller sa mère, c'est la mettre au courant de son interrogation. La brave Albertine Lussier surveille sa fille du coin de l'oeil, l'air coquin, en reprisant une mitaine de laine.

– Parler de quoi? fait sa mère taquine, l'air absent. D'un garçon peut-être...

Adéline pouffe de rire et change de sujet. Inutile de continuer, sa mère devinait tant de choses. Elle polit ses souliers, soucieuse.

– Non maman. Je ne veux pas vous parler d'un garçon.

La fin de novembre gribouille sa signature. Les premiers flocons de neige se sont envolés comme ils sont venus. La vie coule sur la campagne qui s'endort lentement. Les arbres dénudés se fondent dans le décor, jadis féerique, repliés sur eux-mêmes un moment, avant l'assaut frigorifique de l'hiver. Au loin, le regard d'Adéline flâne sur le frasil en formation sur les battures du fleuve; un signe précurseur de la froide saison en perspective, elle frissonne. L'hiver lui a toujours fait peur, sans se l'expliquer. Souvent, elle remonte dans sa mémoire à la recherche d'un moment pénible, d'une situation inconfortable et n'en trouve pas. Ses frères et soeurs passaient des journées entières à glisser sur les pentes. Mais elle préférait la chaleur maternelle ambiante. On la surnommait la *vieille fille*; des paroles troublantes et vides de sens pour un petit enfant. *Vieille fille.* Un souvenir surprenant oublié depuis sa lointaine enfance, surgit ce matin à l'improviste. Pourquoi? Adéline aide sa mère au repas, les idées pleines de cette invitation de Laurier Lanteigne et le coeur gorgé de douces mélodies. Sa mère silencieuse, écoute les airs fredonnés par sa fille et sent monter des étincelles de joie. Il y a si longtemps qu'elle a entendu sa fille chantonner. Son coeur de mère discret, devine des doux moments à l'horizon pour sa fille, elle en bénit le Seigneur.

Enfin! c'est arrivé, se dit-elle.

Adéline, une solitaire comme elle, ne méritait pas cet écart de la part des jeunes garçons. Jolie, d'agréable compagnie, sa fille semblait mue par un quelconque souvenir la retenant prisonnière malgré elle, dans un cocon hermétique, à la joie de vivre, à la gaieté, au bonheur. La mère d'Adéline connaissait sa rencontre avec Simon Labrosse, son ami d'enfance devenu prêtre et elle avait senti un changement d'humeur et de comportement chez sa fille, suite à ces retrouvailles. La brave mère intuitive vivait en silence et en spectatrice le combat mené par Adéline pour oublier ce grand amour. Chaque soir, en secret, elle ajoutait quelques Ave de plus à son chapelet avant de s'endormir, implorant la Vierge de lui venir en aide et son ange gardien de la protéger des soubresauts douloureux du coeur. Alfred, son mari, lui répondait que le temps venu, son Adéline saura trouver l'homme de sa vie. Alors, admirant l'optimisme de son homme, elle retournait à ses préoccupations quotidiennes l'espoir au coeur, confiante qu'il possédait la vérité.

Ce soir, assis l'un près de l'autre, en silence ils écoutent la belle voix d'Adéline trop rarement entendue, et se parlent sans bruit, les yeux scintillants de bonheur. L'heure du renouveau aurait sonné. Le vent aura tourné de bord et aura soufflé sur leur fille des nuées de joie insoupçonnée. Ils se regardent et se sourient. L'espérance a raison du mauvais sort, Alfred Lussier l'a toujours su.

Pourquoi sa femme ne le réalise-t-elle pas, se dit-il embrouillé entre ses deux oreilles et dans son coeur.

— Je vais à la ferblanterie, décide Alfred au bout d'un moment.

— Tu reviendras pour le dîner.

Albertine Lussier reste assise et boit les moments inoubliables, ses pensées offertes à ses deux mains ouvertes dans sa jupe. Son Alfred, la vaillance incarnée, devrait se donner du bon temps. Il s'accroche à son atelier comme une bouée de sauvetage. Le métier de ferblantier agonise. Des machines modernes remplacent les mains d'hommes. Bientôt, ses oeuvres d'art, que certains appellent *canisses*, de magnifiques chaudières étanches et robustes parsemant la campagne des milles à la ronde seront rangées au rancart. Que dire de ses *bocks* à bière ciselés pendant des heures.

La véritable passion d'un amoureux, songe sa bonne Albertine en pensant à lui.

Maintenant, plus personne ne vient le voir. Il reste là, à attendre des heures, des jours, le coeur lourd de silence meurtri, du monde qui court trop vite après la vie. Les hommes lui font faux bond et elle s'enfuit au galop. Ils se demandent ensuite comment en être arrivés à la mort, nourris par une étrange sensation de ne pas avoir vécu. La vie, on doit la laisser entrer, comme dans le bon vieux temps. La vie, elle se fait belle, si on lui donne l'occasion de montrer ce qu'elle peut faire.

Des choses, on peut en vivre, vous savez. De toutes les couleurs. Et de belles, je vous l'assure, mijote Albertine soucieuse du futur. Si Alfred pouvait accepter que le monde a changé; qu'il a évolué. Il emportera son métier dans sa tombe avec lui, sans savoir lequel des deux aura raison de l'autre.

Son coeur de femme saigne, en songeant que son Alfred le ressent au plus profond de lui-même, sans le dévoiler ni se l'avouer. Un jour, il sera terrassé de chagrin.

L'inutilité d'un homme vaillant c'est l'arme parfaite pour le tuer, si je pouvais lui changer les idées.

Introvertie, Albertine lisait dans le corps du monde et se taisait. Souvent, elle devinait des millions de choses inavouées et secrètes. Discrète, elle se gardait bien d'étaler ses découvertes sur le tapis de la paroisse. Le respect des secrets valait son pesant d'or à ses yeux. Éviter de faire aux autres ce qu'on ne voudrait pas qu'on lui fit, était sa devise. Peu à peu, elle apprivoisa plein de monde et les écouta, sans broncher d'un poil. Le coeur soulagé, le monde repartait le poids de leurs souffrances diminué de moitié. Un jour, M. le curé eut vent de cette histoire de confidences. Il eut peur. Les confessions se tenaient au confessionnal, pas ailleurs. Qui sait. Cette femme parlait peut-être au diable, sans le savoir. Écouter les méchancetés des gens et les conseiller, sans être préparé, cause souvent plus de tort que de bien. Il prit la décision d'y voir clair et rendit visite à la brave femme. Le coeur net de ses inquiétudes imaginaires erronées, le bon prêtre rassuré, retourna dans son presbytère, la certitude au coeur d'avoir accompli son devoir de chef incontesté et infaillible de son troupeau spirituel, Albertine Lussier était une brave femme sans méchanceté.

Le repas frugal du vieux couple se couvre de réminiscences coutumières quotidiennes. Laurier Lanteigne effleure l'esprit des Lussier.

— Le cavalier d'Adéline a du plomb dans la cervelle, Albertine.

— Qu'est-ce qui te le fait croire?

— Je lui ai parlé l'autre jour. Ce jeune n'est pas bête. Pas bête du tout! Le contraire de son père. Son père est une grande gueule pleine de vent, Albertine.

— Tu foules un peu trop, Alfred. À mon idée, le bon-homme Lanteigne a eu de la misère, beaucoup de misère dans son jeune temps. Il a appris à se battre. La vie ne lui en a pas donné le choix. J'aime le monde parleur. (Le contraire de toi, Alfred.) Avec eux, on sait toujours sur quel pied danser.

— Il y a danser... et danser, Albertine.

— J'ai toujours aimé danser Alfred, tu le sais.

— On peut s'écraser les pieds à mal danser.

— C'est pourquoi tu n'as jamais voulu apprendre.

Alfred lui sourit, lui tapote la cuisse tendrement et sort prendre sa marche, le postillon est passé.

Adéline surgit le plumeau en main.

— Tout est propre, maman.

— Tu me parais un peu pâlotte, Adéline.

— J'ai eu la grippe cette semaine. Puis beaucoup de travail. On a eu la visite de Simon Labrosse, notre vicaire, et j'ai eu les bulletins à compléter.

Albertine Lussier penche la tête, remise sa laine dans son coffre à reprisage, place la paire de mitaines dans son tiroir, songeuse et revérifie la pile de lettres sur la table. Il est revenu dans le décor celui-là! Elle a pourtant assez souffert à cause de lui.

– Vas-tu à la fête au village voisin, ce soir?

– Oui maman. Laurier m'invite à l'accompagner.

– C'est un charmant garçon, ce Laurier. Très différent des autres Lanteigne.

– Maman, vous jugez encore avant de savoir.

– Tu as raison, ma fille. Tu sais, il faut bien avoir quelques défauts par-ci par-là. Sinon, qu'est-ce qu'on ferait pour gagner le ciel?

– Le ciel est autre chose, maman. Votre vie est pleine de bonnes actions, que voulez-vous de plus.

Adéline remplit l'espace vide près de sa mère assise à la table de cuisine, qui répond au courrier. Une interrogation l'obsède.

– Je pense que le temps est venu de vous mettre au courant de quelque chose de curieux. Très, très curieux.

Albertine dépose sa plume sur l'encrier et lève son visage vers sa fille soucieuse.

– ...

– Maman, il se passe des affaires étranges chez les Montpellier.

– Étranges?

– Les deux garçons élèvent des moutons.

– Je ne vois rien d'anormal, là, ma fille.

– Personne ne mange du mouton dans les environs.

– Puis après.

– Pourquoi des moutons et pas des poules ou des chevaux?

– Je ne vois pas où tu veux en venir, Adéline. Explique-toi.

– La mère fait travailler Firmin, vous savez celui dont je vous ai parlé.

– Apprendre à s'occuper est la plus belle qualité au monde, regarde ton père.

– Il est presque un esclave, maman.

– Il travaille trop?

– Non, pas trop, mais d'étranges façons. Elle le garde à la maison pour pelotonner de la laine au lieu de l'envoyer à l'école.

– Elle connaît son garçon mieux que nous. C'est le meilleur moyen de gagner sa vie, je suppose.

– Oui, mais... de la sorte.

– Je ne vois rien là qui puisse t'inquiéter, Adéline. Tu prends trop à coeur les problèmes des autres. Que fait-il au juste?

– Il pelotonne de la laine à une vitesse incroyable, jamais suffisante pour sa mère. Elle exige toujours plus de vitesse de sa part.

Albertine fixe son regard sur l'arbre agité devant la maison, l'image de ce jeune homme, en tête. Elle pouffe de rire.

– Ursule Montpellier fait courir son Firmin par les mains, on aura tout entendu.

– Maman! Ce n'est pas drôle, au contraire. C'est pitoyable.

– Ne te mêle pas de cette histoire. Si tu connaissais mieux cette famille, tu ne parlerais pas de même.

Adéline se recule, sourit à cette brave femme, incapable de saisir le drame de ce jeune exploité.

– Il y a autre chose.

– Encore! T'es aussi bien de changer de place, à mon idée.

– J'aime cette maison. C'est la plus proche de l'école.

– Tu as dix minutes de marche, si je me souviens bien.

– La distante ne m'importe peu, la marche est salutaire. Vous devriez prendre de longues marches comme moi,maman.

– Alors. Qu'est-ce qui te chicote?

– J'ai vu des choses curieuses au deuxième étage.

– Es-tu montée? Ta chambre est au premier.

L'inquiétude grandissante d'Albertine sur des événements imaginaires qui aurait pu se passer avec sa fille, se lisent sur ses traits. Adéline, qui lit dans les pensées de sa mère, s'empresse de dissiper toute ambiguïté.

– Je ne suis jamais montée l'escalier, maman. J'ai simplement vu...

– Vu quoi? crie Albertine au comble de l'incertitude et l'exaspération.

– J'ai vu un mur complet recouvert de fourrure.

– De fourrure?

– Exactement. De fourrure. Le mur était rempli de carreaux disposées dans tous les sens, formés de bâtonnets en fourrure noire et blanche.

La plume d'Albertine Lussier, momentanément activée, paralyse, le fil de sa correspondance se rompt et ses idées courent se cacher sous le tapis près du poêle où clignote les yeux du chien. Vraiment sa fille dépassait toute mesure dans ses histoires. Elle ne la connaît pas sous cet angle. Que lui arrivait-il? Rongée par une extrême curiosité, Albertine pousse sa tablette à écrire, il faut éclaircir ces allégations. Elle regarde intensément sa fille. En effet quelque chose se passe chez elle. L'image de quelqu'un de très préoccupé, la dévisage. Il faut lui venir en aide. Peut-être doit-elle sortir de là et revenir à la maison. On dit que les Montpellier sont des gens bizarres et rancuniers. Elle ne l'avait jamais cru. Maintenant, ces cancans recèlent peut-être des fragments de vérité. Alors...

Le fil de ses pensées amplifie le problème. Adéline doit sortir de cet endroit malsain. Quitter l'école, s'il le faut et la faire remplacer par une autre maîtresse. Inventer une histoire..., une maladie... N'importe quoi.

Albertine Lussier prend les mains froides de sa fille et les réchauffe. Une diversion immédiate s'impose.

– Adéline, ne t'en fais pas, il y a une explication à tout. Si tu veux, reviens à la maison. Elle est si grande depuis ton départ.

Adéline, constatant l'effet dramatique de son aveu sur sa mère, reprend le fil du discours.

– Maman, j'aime enseigner sur le *Plateau Doré*, les enfants sont dociles, obéissants et travailleurs; le contraire de l'année passée. Puis, ce que j'ai vu n'est pas si dramatique, au fond. La mère de Firmin aurait probablement une explication, si je lui demandais.

– Le mur est peut-être troué à cet endroit, on ne sait jamais.

– Vous avez raison. Je laisse tomber cette histoire et je pense à ce soir.

– Là, tu parles Adéline! pense à te faire belle, c'est ce qui compte.

La belle brunette se lève et chantonne pour effacer l'embarras éparpillé partout dans la cuisine, elle scrute son image dans le miroir du corridor. Des airs de valse s'infiltrent entre elles et le miaulement du chat qui s'approche. Un bouton minuscule apparaît.

– Maman! J'ai un bouton immense sous le nez! Regardez! C'est le bouquet!

Sa mère, amusée, approche ses grosses lunettes du drame.

– C'est ce que tu appelles un gros bouton! On le voit à peine.

– C'est épouvantable!

– Pire, ma fille. C'est la catastrophe! ironise Albertine. Impossible de sortir ce soir.

Adéline réexamine le bouton dans le miroir.

– Tu trouves?

– Mets-toi un peu de poudre et le tour sera joué.

Adéline scrute attentivement l'intrus facial en dodelinant devant son miroir. Ouais... C'est vrai. Il n'est pas si gros. Moins gros que je pensais. En le cachant... Maman a peut-être raison. Ah! puis... Tant pis!

Elle s'examine, se pavane et s'exclame en tragédienne à son miroir.

– Un bouton sous le nez, un bouquet au collet, un soupçon de parfum, un chignon tout fleuri, je serai la plus jolie!

En écoutant sa fille à l'étage supérieur, sa mère s'esclaffe, hoche la tête et cherche comment renouer le fil de ses idées décousues. Derrière le rideau lourd de fausses certitudes, Albertine Lussier tremble dans son monde silencieux.

Que faire devant cette révélation insensée? Sa fille, intelligente et futée, n'a pas cousu cette folle histoire. Que penser? Que dire? Comment le révéler à son mari?

La voilà qui se retrouve à sa machine à coudre, elle qui s'est jurée de ne plus coudre. À travers les zigzags, les courbes ou les droitures des lignes, ses tempes se mettent au boulot. Un boulot fertile en impuissance inavouée. Les instants de réalité lui donnent le vertige; elle fait plein d'erreurs qu'elle doit découdre, patiente. Son évidente distraction la mène tout droit vers la crise de nerfs.

– Voyons! J'avais pourtant le bon fil! Ah...! J'ai utilisé la mauvaise aiguille. Je ne sais plus coudre.

– Qu'est-ce que tu fais-là, Albertine? Tu parles toute seule maintenant?

Albertine jette son morceau de linge sur le couvercle de la machine à coudre et va à la rencontre de son mari. Sa décision prise – remuer les cendres déterre les morts, affirmait sa mère,– elle attendra d'autres manifestations et gardera le silence sur cette affaire; elle prépare le repas.

* * * * *

Le soir paisible savoure la pleine lune. Un bon présage pour les amoureux, songe Albertine Lussier, les yeux pétillants de sous-entendus vers sa fille les quittant.

Pourvu que le ciel garde son calme et sa limpidité. Les nuages chasseront bien assez vite l'enchantement.

Adéline voit surgir l'image de Simon Labrosse. Elle avait apprécié sa visite en début de novembre. Il avait parlé de Mme Lanteigne en des mots élogieux, presque sur le ton de la confidence. Sans le savoir, il avait fait son éloge. Générosité? Prémonition? Adéline avait dirigé la conversation sur ses interrogations persistantes. Les Lanteigne l'intéressaient.

– Dis-moi, Simon. Tu connais les Lanteigne? On raconte tant d'histoires à leur sujet.

– Les histoires tu sais. Il faut en prendre et en laisser.

– Je sais. Tout de même, certaines persistent. Tu les as déjà rencontrés?

– Si. J'ai visité Mme Lanteigne à plusieurs reprises. Une brave femme, qui ne mérite pas l'ignorance des gens.

– Explique-toi.

– Les gens ont tendance à parler à travers leur chapeau. Plusieurs ne réalisent pas qu'il est troué.

Adéline pouffe de rire.

– Tu as d'étranges points de vue.

– Eugénie Lanteigne a fait plusieurs fausses couches, elle a perdu trois filles, l'une après l'autre. Il lui en reste une. Ses deux garçons sont comptables.

– Des comptables peu ambitieux.

– Au contraire. Leur mère fut leur premier professeur. Paul a beaucoup d'avenir. Il s'est installé près de ses parents pour le moment. Cette petite bonne femme alerte a de grandes idées.

– Laurier, lui, songe à remplacer le paternel à la bâtisse. Mais il s'interroge. Pourquoi tremper dans un métier qu'il ne prise guère?

– Il aime profondément sa mère. Ses doigts de fée ont payé leurs études. Il gradue l'an prochain et reviendra demeurer avec eux.

– Je ne te suis pas.

– Il se trouvera un travail autre que celui de son père, crois-moi. La campagne c'est sa vie. Il héritera de la maison je suppose, puisque Monique est mariée à Vancouver.

– Leur soeur unique, une psychiatre. Quel drôle de métier.

– Soigner l'inconscient est aussi important que le corps, Adéline.

Adéline cherchait comment piquer ses mots insensés, devant ce portrait si flatteur.

– Le père a du caractère. Il cultive la rancune envers les Montpellier depuis des lunes.

– ...

– Où c'est le contraire.

– Tu sais. Quand on cherche la chicane, on la trouve partout. Quand on ensemence la paix, on la cultive autant.

– On dit qu'un procès est à la base de leurs mésententes. C'est presque un héritage de leurs ancêtres. Le crois-tu?

– Les hommes ont cette faculté de se mettre les pieds dans les plats quand ils veulent et les laisser tremper.

– Oui. Mais y songes-tu, Simon? Un procès pour un arbre. Un arbre! Pauvre femme...

– J'ai vu pire, Adéline. La manie et l'entêtement sont une forme d'inintelligence à dit *Jean Rimaud*. Ce procès fut un prétexte. La véritable raison se trouve ailleurs et est plus profonde. Probablement une accumulation de contradictions entêtées. Il faudrait le découvrir. Tout geste porte sa raison d'être. Notre éducation nous vient de nos grands-parents et non de nos parents comme on est porté à le croire. Ainsi va le genre humain. Tu sais, il y a des personnes qui sont noyées dans les ténèbres de leurs pensées et de leur coeur toute leur vie. Comment veux-tu qu'elles vivent avec discernement? C'est impossible.

Adéline grille de curiosité et ses mots piétinent d'impatience sur ses lèvres. Est-ce le moment espéré? Peut-être.

– Dis-moi, Simon. As-tu entendu parler de choses étranges qui se passeraient dans leur maison...

Simon lui tourne le dos et se rend à la fenêtre. Un laboureur capte son regard.

– Le petit Julien Poitras devient un homme, hein? Regarde-le tenir les guides des chevaux de son père.

– Simon, tu évites de me répondre. J'ai besoin de savoir.

– Que veux-tu savoir?

– On dit que des bruits mystérieux se font entendre parfois au deuxième étage.

– Les bruits, tu sais. Il y en a dans toutes les maisons, Adéline. Le vent dans les arbres, dans la cheminée; le froid et les clous qui craquent, les souris dans les murs, les rats peut-être, les chauves-souris, les hirondelles dans les greniers... Tu vois que les bruits abondent, chez toi comme ailleurs.

– Les Montpellier affirment...

– Adéline, tu es plus sensée qu'eux. Ne te laisse pas entraîner par les oui-dire injustifiés.

Le vicaire se retient de lui dévoiler la visite d'Eugénie Lanteigne au presbytère de sa paroisse, un soir de carême. La pauvre femme était venue déverser le trop-plein de sa vie dans la paroisse voisine de la sienne afin d'éviter les potins inutiles de son entourage. Simon Labrosse l'avait reçue avec compassion et grande écoute. Il avait appris le pourquoi de ces bruits et connaissait les secrets et les tourments de cette femme courageuse et... coupable. Il se demandait comment cette histoire se terminerait et priait Dieu pour elle. Près de sa fenêtre, il l'a regardée pendant longtemps jusqu'aux confins de son regard puis de sa pensée, en songeant que l'homme se créait tant de tourments inutiles, sous le couvert de l'orgueil et ses dérivés. Que de gestes insensés ne posait-on pas en son nom et sous son aveuglement. Les Lanteigne étaient du nombre de la multitude. Triste, il soupa en silence ce jour-là, sous le regard interrogateur de son curé.

– En tout cas, Simon, j'irai bientôt les rencontrer, Laurier m'a invité au réveillon de Noël.

Simon revient vers Adéline la mine ravie.

– Tiens, tiens! On se permet.

Adéline baisse les yeux, coquine et sourit. Elle ouvre son coeur à la confidence, va aux confins de ses états d'âme, soutenus, soulagés, compris par Simon Labrosse, son meilleur ami. Peu à peu, la jeune fille reprend ses esprits, son coeur se calme et une fragile sérénité s'installe. Sous ses yeux étonnés, ses sentiments se transforment en amitié, sans en saisir le mécanisme. Adéline s'est surprise à lui parler de Laurier à son insu. Il en a éprouvé une grande satisfaction, presque du soulagement. Satisfait, Simon la quitte à la tombée du soir, là où se mêlent le limpide et l'obscur.

Au passage du prêtre dans la petite école, des pans de dentelles de certaines fenêtres des environs en raffolent de satisfaction. Un jour nouveau se lèvera demain sur des nouvelles croustillantes à saupoudrer dans des oreilles friandes de potins. La balade des mâchoires grilleront de plaisir: La maîtresse d'école reçoit le vicaire de la paroisse.

Un moment Adéline s'attarde sur une facette de leur conversation et la mijote. Paraîtrait que les Lanteigne devront faire leur deuil de la vente de bois de chauffage à la petite école du *Plateau doré*, les écoles de campagne fermeraient leur porte et les enfants iraient au village.

– Un plan de fou qui ne verra pas le jour de mon vivant! assure le maire du *Plateau Doré*.

En attendant, demain est un autre jour.

Chapitre 7

Depuis sa dernière visite à l'école, Adéline réalise que son coeur et ses pensées se canalisent sur Laurier Lanteigne, le créateur de sourire. Un fluide étrange a coulé entre les morceaux de bois qui s'amoncelaient sur la corde et eux. Un fluide doux et apaisant, comme elle a jadis ressenti en présence de Simon Labrosse, s'infiltrait dans sa vie.

Laurier a fait durer le plaisir pendant des heures. Il a entendu ce rire frais inoubliable devant ses réparties. Le voyage de bois a mis un temps fou à se vider dans le hangar de l'école. Depuis, le jeune universitaire est méconnaissable. Le jeune homme, amoureux d'elle, invente des sentiers tout neufs pour leur futur. Mais il n'est pas encore prêt à lui avouer son amour et ses convictions, un grand combat se livre en lui.

Un élan de mélancolie la recouvre à la pensée qu'elle ne pourra le voir dimanche. À moins qu'il ait deviné les préoccupations de son père et qu'il soit venu le remplacer. Alors, tout à l'heure ou demain, elle s'envolera dans son village, à ses côtés. Cette idée lui sourit, elle virevolte dans la classe et chante à tue-tête. L'heure est aux folles espérances.

* * * * *

De retour à sa maison de pension, une voix la sort de sa rêverie.

– Adéline, la semaine prochaine, il y a un souper bénéfice pour les pauvres de la paroisse. J'ai décidé d'y aller.
Maman leur fait toujours des tartes à la rhubarbe.

Adéline hésite.

– Toutes les maîtresses d'école vont aider les organisa-
teurs de ce souper. À deux, c'est plus intéressant.

Adéline coincée, se laisse convaincre. Elle devra annu-
ler sa sortie avec Laurier.

– Bon. Compte sur moi.

Harold sourit, heureux. Il a réussi sa gageure avec sa
mère. Sa soeur Huguette et son mari Auguste, présents une
première fois depuis leur mariage assistent amusés à la scène.

– Adéline, tu ne le regretteras pas. C'est là que j'ai
rencontré mon Auguste.

– Eh oui! confirme le jovial monsieur. Tu ne t'en tire-
ras pas autrement, Adéline. J'en connais comme ça, du monde
qui se sont mariés après cette fête, lui indiquent ses dix doigts
grand ouverts dans la main d'Auguste. On dirait que les malé-
dictions du ciel se sont toutes réunies là pour y mettre leur
grain de sel.

La famille pouffe de rire. Adéline reprend la parole.

– Rencontrer Huguette fut pour toi une malédiction?

Auguste replace son corps sur sa chaise. Comment se
sortir de ce vilain pétrin?

– Bénédiction. Tu voulais dire bénédiction, reprend
Berthold Montpellier, son beau-père, pour lui venir en aide.

– En plein le mot que je cherchais. Oui. C'est ça!

– Tu as engraissé Huguette.

La grande pimbêche fait la moue, un brin mystérieuse.

– Non Adéline. Je ne crois pas.

– Tu attends...

Auguste, de connivence, plonge ses prunelles dans celles de sa femme et lui sourit.

Harold s'agite et se tape dans les mains en injectant des rires saccadés dans l'humble cuisine de Montpellier. Il a compris.

– Ah, ah, ah! Huguette. Ah, ah, ah!

– Oui Harold, tu vas être mon oncle.

– Ah, ah, ah! s'écrie la famille en chœur. Ah, ah, ah! Harold va être mon oncle. Mon oncle Harold!

Adéline s'approche d'Huguette, la félicite et l'embrasse tendrement. Ursule se lève brusquement, leur tourne le dos, déplace les chaudrons sur son poêle faute de pouvoir délacer ses sentiments.

Ce dimanche avait une saveur de sirop d'érable et une senteur de fleurs des champs. Le soir, Adéline s'endort sur la prophétie d'Auguste et son inclination à se prendre pour cupidon.

La salle paroissiale décorée pour l'occasion laisse flotter ses mille et une babioles de papier. Des tables alignées garnissent tout l'espace. Des femmes s'affairent au repas derrière une porte agitée. Le responsable de la soirée désigne Adéline comme animatrice et hôtesse de la soirée. Harold nage dans l'euphorie. Son Adéline est dans les honneurs et sa mère, heureuse dans ses tartes. Elle ne cesse de reluquer le podium pour entendre sa maîtresse d'école applaudie. Harold se voit relégué à une table secondaire, qu'importe. Son Adéline trône près du maire et du président de la banque; tout est parfait. Au retour, il aura son heure de gloire.

L'entrée du vicaire fait tousser Adéline au micro. À travers les phrases lues, Adéline suit le manège d'un homme des yeux. Il ne cesse de s'essuyer le front, de se tenir la poitrine et de toussoter. L'homme l'implore du regard pour qu'elle fasse diligence. Visiblement, il montre des signes de malaises insoutenables. Adéline termine enfin ses remerciements et invite les convives à goûter le dessert. L'homme se lève, s'approche d'Adéline, lui marmonne des mots inintelligibles car sa bouche ne lui obéit plus, s'accroche à son bras et l'entraîne à la renverse sur le plancher. Adéline se redresse et parle à L'homme. Simon s'approche et lui aide. Berthold Montpellier se pique devant eux et s'exclame.

– Voyons Tancrède, relève-toi!

Le compagnon de travail de Berthold ne bouge pas. Le vicaire insiste.

– Le médecin n'est pas dans la salle?

– Non, répond une voix.

– Nous devons le transporter chez le docteur.

– Ma voiture est prête, dit Berthold. Elle est devant la porte, je devais retourner à la maison. Aidez-nous, on l'emmène tout de suite. Adéline, viens avec moi. Harold, tu reviendras avec Armand Dupuis.

– Je peux aller avec vous, insiste le fils déçu.

– Prends soin de ta mère, c'est important.

Harold voit ses chances de passer une soirée en compagnie d'Adéline fondre comme neige au soleil. Son désir exacerbé de posséder cette fille grandit, impétueux. Ses nuits entières se nourrissent de cette idée. Frustré, il se rassied devant son gros morceau de gâteau au chocolat, boudeur. Il pique dans son assiette, ses réflexions à cent lieux de cette soirée ennuyeuse à souhait. L'infâme Tancrède avait contrecarré tous ses plans. Adéline est partie avec Simon Labrosse, par-dessus le marché!

Il aurait pu rester chez lui ce fatigant-là!

– Il est peut-être mort? soumet sa voisine de table à sa mère assise près de lui.

Mais oui! Qu'il meurt! On sera débarrassé, une fois pour toutes, songe-t-il le coeur rempli de hargne.

– Mais non, il ne mourra pas, Blandine. Cet homme-là ressemble à mon chat. Il a sept vies, affirme une femme devant eux. C'est mon voisin. On ne compte plus les fois qu'il est tombé dans les pommes. On pense toujours que c'est sa dernière crise, mais non. Il revient toujours à lui. Je vous le dis, il peut nous enterrer.

Harold sourit. Cette femme parlait avec du bon sens. Leurs idées se rejoignaient. Il lui offrit un autre café. Puis sortant subitement de table, il interpelle sa mère, aux prises avec des rires plein la gorge.

– T'en viens-tu maman?

– Voyons Harold, pas tout de suite, la soirée ne fait que commencer.

– Fais comme tu veux, mais moi je m'en vais.

– Ton père va revenir bientôt avec Adéline. Tu ne veux pas qu'on la laisse toute seule ici.

– Ce n'est pas ce qu'il a dit. Moi, je pars. Avec qui reviendras-tu?

– Ne t'inquiètes pas je suis assez grande pour trouver mon chemin.

110

Mais Harold se retire dans un coin de la salle pour
mijoter son aigreur et attend. Il estime avoir été floué par ce
fainéant de Tancrède. Son père ne cesse de leur rabâcher les
oreilles sur cet homme.

— C'est un malade, Berthold. Il ne devrait plus travailler, affirmait Ursule, sa femme.

— Un malade qui traîne la patte depuis longtemps. Je
l'ai toujours entendu se plaindre, celui-là. Il a constamment
mal à quelque part. Je me pose des questions. S'il ne potassait
pas pour le gouvernement, il y aurait longtemps qu'il serait
dehors.

— Le contremaître pense à sa famille, Berthold. Dix
enfants à nourrir ce n'est pas une mince affaire.

— Il aurait pu en faire moins.

— Là, tu as bien raison. Le monde devrait prendre notre
exemple. C'est le contraire qui se produit, Berthold. Je ne
comprends pas ça.

— Comment vous avez fait? insiste Harold.

Le couple gêné remplit la cuisine de bruit, sans répondre. Comment expliquer que Berthold... Il ne peut pas..., ne
peut plus depuis longtemps. C'est quasiment un miracle s'ils
ont eu trois enfants.

Harold, dont le regard soutenu attend une réponse,
passe de son père à sa mère sans relâche.

— Harold, ces choses-là ça ne se dit pas, ça se vit. C'est
comme la grosse Binette. Personne ne sait pourquoi elle n'a
jamais eu de moutons.

Ursule, soulagée de voir son mari les sortir de l'embarras, lui sourit et présente le dessert.

– Ouais. Ton père a raison, Harold. Binette te le dirait si elle pouvait parler.

Harold, les yeux dans son assiette comble de confitures aux fraises et de crème, est déjà loin de ce mystère, emporté par sa gourmandise insatiable.

Le bruit d'une chaise renversée sort Harold de ce souvenir et le remet dans la réalité. Recroquevillé dans son monde dans le coin de la salle paroissiale, s'épurant les ongles de colère, le jeune gaillard songe à l'injustice subite. Ce Tancrède prend sa place dans ses plans maintenant. Taciturne, il regarde sa mère qui piaille à haute voix et se dit qu'il devrait la laisser seule, une fois pour toutes. Il en a marre de toujours suivre, les suivre tout le temps, selon les ordres. Quand va-t-il prendre ses décisions lui-même? Quand va-t-il faire un homme de lui?

Des sons raisonnent en lui une idée impensable. Une idée qui n'a pas de bon sens. Faudrait qu'il tombe sur la tête pour agir de la sorte. Non. Il attendra sa mère, la gouvernante, aussi longtemps qu'elle le désirera. Il ne peut faire autrement. En attendant, il remplit sa caboche de pensées saugrenues sur le souvenir d'Adéline et de Simon Labrosse, partis ensemble dans la voiture de son père.

Papa la ramènera avec lui. Il le faut. Soulagé par cette idée, il se voit seul avec elle qui lui raconte pendant la nuit entière les péripéties de sa mésaventure. Il sera heureux.

De retour à la maison, sa déception grandit quand il voit la voiture de son père remisée au hangar. Berthold les attend, impatient et fâché.

– Qu'est-ce qui vous prend de niaiser si longtemps au village? Je vous attends depuis une heure.

Ursule, tigresse, s'impose.

– Berthold, on ne laissera pas Tancrède Laplante briser notre plaisir. Non merci! Tu as voulu faire ton généreux, tant pis pour toi! Personne ne t'a tordu le bras pour lui venir en aide. Prends-en ton parti!

Harold, content de voir sa mère asseoir son père, se félicite de l'avoir attendue.

– Puis. Ce Tancrède. Comment va-t-il?

– Tu ne le croiras pas, Ursule, il est sorti des pommes et a parlé au docteur, à ce qui paraît.

– Vous n'avez pas ramené Adéline?

Le docteur lui a demandé de se rendre chez Tancrède avec le vicaire. Elle reviendra plus tard.

Harold se recule sur sa chaise et grimace. Tant pis! Il l'attendra.

La nuit happe l'amertume d'Harold et l'endort malgré lui sur son fauteuil. À l'aube, le chant matinal d'un geai bleu le sort des brumes. Il regarde l'heure. Nulle trace du manteau d'Adéline derrière la porte, la belle brunette n'est pas entrée. À moins qu'elle ait passé près de lui, sans le déranger. Il boit un verre d'eau et monte se coucher. Au matin, il constate frustré et inquiet l'absence d'Adéline. (Ce vicaire... peut-être.) Honteux, il change vite de sujet et songe à autre chose.

* * * * *

– Il a rechuté, mademoiselle. Ne partez pas.
– Docteur. C'est grave cette fois?

– Allez chercher sa femme tous les deux. Heureusement qu'il ne demeure pas loin.

Adéline et Simon, le vicaire, pressent le pas. La nuit fraîche les fait grelotter.

– Je suis content que tu sois restée, Adéline. Ces choses ne sont jamais faciles à annoncer, tu sais.

Adéline se sent bien en sa compagnie. Elle retrouve cette atmosphère de confiance mutuelle caractéristique d'autrefois. En chemin, le prêtre prie à haute voix et Adéline répond. Simon est l'homme de la situation, elle le réalise. Heureuse de cette découverte, elle se jure de ne plus l'importuner à son sujet. Elle s'efforcera de cultiver son amitié qui leur est si chère et restera son confident.

La maison enveloppée de nuit est en vue. Simon frappe à la porte. De la lumière surgit. Une femme leur ouvre la porte. Dès le moment de leur arrivée, la brave femme sait que l'heure est grave.

– Madame Laplante, vous feriez bien de venir avec nous, votre mari a eu un malaise.

La dame baisse les yeux, serre la ceinture de sa robe de chambre. Un autre malaise... Combien en aura-t-il d'autres, se demande-t-elle éreintée? Elle ne dormait presque plus depuis des mois, l'inquiétude la rongeait à vue d'oeil.

– Je vous suis, Monsieur le Vicaire. Attendez-moi.

Adéline fait le tour de l'humble cuisine et s'interroge. Qui surveillera la maison en l'absence de cette femme? Sa décision est prise.

– Simon, je reste ici pendant que tu retournes chez le médecin. Je pense qu'elle aura vraiment besoin de support moral cette nuit. J'ai l'intuition que cette fois, c'est la vraie.

Reconnaissante à cette jeune fille, la dame usée se presse vers l'inconnu. L'inconnu qui lui apprendra que son mari vient de mourir. Au retour, elle se laissera consoler par une charmante jeune femme qui la soutiendra jusqu'au matin.

Simon Labrosse rentre sous ses couvertures, fatigué, il implore son Dieu de venir en aide à cette brave femme éplorée.

Le lendemain, un homme se présente chez les Montpellier. La nouvelle du décès se répand comme une traînée de poudre. Berthold l'annonce aux siens et part à la chasse aux détails. Courbaturé un jeune homme s'inquiète.

– Tancrède est mort et Adéline est absente. Où a-t-elle passé la nuit, maman? Je me le demande.

Ursule Montpellier devine les pensées tordues de son fils et rectifie.

– Harold, attend son retour avant de te faire des idées. Elle est peut-être à l'église en ce moment, c'est dimanche tu le sais.

(À l'église... avec ce...) Les pensées d'Harold se multiplient et s'emmêlent. Il ne voit plus clair. (Je dois savoir...)

– Etes-vous prête, Maman? On va être en retard pour la prochaine messe.

* * * * *

La semaine se languit d'ennui. Harold fomente d'autres plans. Adéline a raconté son récit, mais il la croit à demi. De grands rideaux d'idées restent sans explication, selon lui, et c'est louche.

Adéline médite la mort de cet homme et en parle à ses élèves. Tout événement, si banal soit-il, est propice à enseigner, éduquer.

– Mort. Firmin, mort.

Tout le monde rigole.

– Tu n'es pas mort, Firmin. Mais tu mourras un jour, comme nous tous.

– Firmin, mort demain.

Personne ne rit. L'atmosphère se remplit de lourdeur et d'inquiétude. Angèle, la plus futée des grandes, s'approche de Firmin et reprend.

– Firmin, tu ne le sais pas. Personne ne connaît le jour. Comprends-tu?

– Firmin sait. Firmin, mort demain, comme Frisou.

– Frisou? insiste Adéline soucieuse. Tout peut arriver dans cette famille.

– Frisou, mouton, mourir. Maman dit. Moi, mourir.

Adéline, aux prises avec ces élucubrations insensées, replace le travail scolaire au milieu du décor et sécurise les enfants.

– Au travail, les amis. J'éclaircirai cette histoire, ce soir à mon retour chez lui, ne vous en faites pas.

La journée entière Adéline est accaparée par le trot de ses pensées. Qu'a voulu dire Firmin par cette étrange affirmation? Pressent-il un malheur?

À son retour chez les Montpellier, un étranger est assis sur une chaise, une quantité de papiers en main et les explique à Berthold, sous l'oeil intéressé de sa femme. Ils ne voient pas Adéline qui se faufile en silence dans sa chambre.

– Vous ne pouvez passer à côté du progrès, Monsieur Montpellier. Cette offre est très alléchante pour vous.

Berthold Montpellier se cramponne dans ses refus. Les bras croisés, il attend que l'homme plie bagage. Mais l'homme colle sur sa chaise comme une sangsue. Berthold a décidé depuis belle lurette de tenir tête au gouvernement.

– Réfléchissez Monsieur Montpellier. M. Lanteigne accepte maintenant l'idée de construire cette nouvelle route.

Tiens, tiens. Hilaire Lanteigne plie l'échine, songe Ursule. En quelle honneur!

Hilaire Lanteigne a viré son capot de bord! Ah bien, c'est la fin du monde! Je n'en crois pas mes oreilles, se dit Berthold. Qui me dit que cet homme dit la vérité? Sur ce sujet, on était du même bord tous les deux. Le gouvernement a peut-être inventé cette histoire pour m'arracher une signature.

– Je vous croirai, quand j'aurai vu de mes yeux la signature d'Hilaire Lanteigne, pas avant.

L'homme déçu replace ses papiers dans son porte-documents, il a échoué.

– Monsieur Montpellier réfléchissez pendant qu'il est encore temps. Bientôt, le gouvernement devra trancher ce dossier. On ne peut pas empêcher le progrès indéfiniment. Cette route entre vos deux terres est inévitable. Elle va permettre un grand développement domiciliaire futur. Votre village récoltera des taxes, des commerces s'ouvriront.

– Et le trafic, hein! Qu'est-ce que vous en faites? On ne sera plus tranquille chez nous. Une fois décidé, personne ne reviendra en arrière. Je hais la ville. Je ne vais pas permettre d'en monter une au bout de mes terres. Vous êtes malade!

Adéline a faim. Elle s'approche et sort les chaudrons, complice. Ursule la suit et l'homme se lève.

– Monsieur Montpellier je vous laisse. Pensez-y bien. L'offre du gouvernement est plus que généreuse. Vous seriez riche Monsieur Montpellier. Vous n'auriez plus de crainte pour vos vieux jours et vous auriez la chance de gâter vos enfants. Je vous salue.

– Ouais, salut! C'est tout réfléchi!

– Fatigant de fatigant! résume Berthold soulagé, une fois que l'homme eut disparu derrière la porte refermée. Le gouvernement pense m'avoir à l'usure. Il va frapper un noeud! Un très gros noeud. Berthold Montpellier n'a qu'une parole et il la respecte.

– Ça c'est vrai! mon Berthold. Tu es un homme d'honneur, c'est certain. Prépare-toi, on va manger une bonne soupe.

Adéline, malgré elle, vient de connaître une autre facette des Montpellier. Dehors, les jours raccourcissent et la pluie tombe abondante et monotone. Novembre se meurt en le parsemant d'ennui.

Je m'informerai à Laurier au sujet de son père, songe Adéline captivée par ce curieux sujet d'entente entre les Lanteigne et les Montpellier. Lequel des deux a donné l'heure juste? Hilaire Lanteigne, l'emboutisseur-fossoyeur ou le représentant du gouvernement? J'en parlerai à Simon, mon vicaire préféré, se dit-elle en boutade.

Chapitre 8

Adéline se refait une beauté. Laurier lui promet une surprise. Elle se sent légère et sa tête flotte dans les nuages. Ce jeune homme envenime le coeur d'Adéline et possède l'art de la retenue. Il sait nourrir le désir. En sa présence, la jeune fille respire d'aise et sent monter la confiance mutuelle, elle se parle souvent, sinon elle se jetterait dans ses bras à corps perdu. Ce sentiment grandit et leur tête-à-tête les rapproche.

C'est peut-être le grand amour, se dit-elle.

Qui sait? lui répond son coeur en émoi.

Elle n'a jamais ressenti de tels élans effrénés. Ils lui font peur et l'enflamment à la fois. Les semaines se passent alimentées par l'espoir de le revoir. Cet après-midi, il n'a pas voulu en dire davantage. L'air mystérieux, l'oeil intriguant, la mine un peu mélancolique, il a gardé son secret. Ce soir elle espère lui tirer les vers du nez. Elle rivalisera d'astuces et saura. Il l'amènera peut-être chez lui. Ce fait trouble Adéline. Jamais il ne parle de lui présenter ses parents. Pourtant ils passent devant chez lui chaque fin de semaine. Adéline s'évertue à examiner la demeure ornée d'une haie de grands chênes, en retrait de la route. Elle devine que souvent, sa mère les surveille à leur passage. Le souvenir des paroles maternelles au sujet de cette femme remonte en surface.

– Un trésor de femme cette Eugénie, Adéline. Elle a de la jugeote à revendre et les yeux pétillants d'intelligence malgré ce vilain tic nerveux intolérable aux nouvelles oreilles.

Sans elle, leurs enfants n'auraient jamais grimpé aussi loin dans les études, ma fille. Ne l'oublie pas! affirme le vicaire.

Eugénie Lanteigne grinçait des dents. La pauvre retroussait les plus avachis sur son passage, tellement ce bruit irritait tout le monde. Cette manifestation nerveuse fit son oeuvre et parcourut tout le village. Il la précéda partout où elle mettait les pieds. Les gens songeaient d'abord à son tic et ensuite à la femme d'Hilaire Lanteigne. Comme l'unijambiste ou le pied bot attire les regards, fort heureusement pour eux, la bonne Eugénie se montrait avare de relations sociales, malgré un caractère aimable et enjoué.

— Elle a ses raisons, Améline, répondait une voisine.

— Tant mieux si elle a des raisons. T'imagines-tu Azilda, obligée de supporter ce bruit plusieurs fois par jour? Qu'elle reste chez elle et le monde sera content!

— Tu es méchante, Améline!

— Je dis tout haut ce que le monde pense tout bas. C'est différent, Azilda.

Les deux femmes évacuèrent leur inondation verbale sur le perron d'église à voix forte et attirèrent vers elles, d'autres inondations verbales. Puis l'orage terminé, la gent féminine retourna à son boulot familial, l'âme remplit de nouveaux secrets à dévoiler et de récits neufs à explorer.

Laurier aurait honte de sa mère, songe Adéline attristée. Comment aborder ce sujet sans le blesser? Au passage, il presse le cheval et ne regarde jamais sa demeure. Pourquoi? Cela ne lui ressemble pas. Sa jovialité, sa candeur permettent de lire en lui comme dans un grand livre ouvert.

Adéline ne s'explique pas ce phénomène. Étrange que Simon, le vicaire, parle de sa mère comme d'une femme sensée et charmante.

Simon devra éclairer ma lanterne à ce sujet, songe la jeune femme curieuse.

Un dernier regard à son miroir et tout est parfait. Sa robe de taffetas rouge ceinturée de noir sur sa petite taille et son ruban de même couleur piqué dans ses cheveux bouclés, lui donnent une allure un peu coquine. L'effet est réussi, elle sourit et virevolte heureuse. Sa jupe se déploie et prend alors des allures de parapluie ouvert, sa boîte crânienne niche à cent lieux de son corps. Adéline entend une voiture, son coeur palpite.

C'est lui!

L'oreille accrochée aux bruits extérieurs, elle sait que la soirée sera merveilleuse. Un regard furtif à travers le carreau sur la nuit sombre du soir, lui renvoie son image de femme anesthésiée par le bonheur, contre tout obstacle réel ou imaginaire.

Adéline souhaite revoir Simon Labrosse, son seul et véritable ami, pour lui faire part de sa transformation. Désormais un homme est entré dans sa vie et s'est creusé un nid au centre de son coeur. Elle anticipe les mimiques cabotines sur le visage de Simon et sait qu'il la comblera de voeux. Il doit accompagner l'inspecteur d'école, qui les visite sous peu. Ce sera l'occasion rêvée de le retenir et lui ouvrir son coeur aux confidences.

— Un monsieur t'attend Adéline, taquine sa mère au pied de l'escalier en érable blond, une tasse de thé chaud en main, pendant que le chien jappe.

– J'arrive Madame Lussier. Dites à ce monsieur que je descends, reprend Adéline sur le même ton théâtral.

Albertine Lussier sourit et revient vers Laurier, amusée. Le jeune homme a entendu la réplique de sa bien-aimée. La mère observe le soupirant de sa fille et le trouve triste. D'une tristesse larvée sous son éternel rictus naturel, mais son regard fausse le reflet.

Que lui arrive-t-il? se demande Albertine soucieuse.

Inquiète, sa pensée vole vers Adéline.

Évite de la blesser, Laurier. Elle plane et voltige de bonheur ce soir. Grand Dieu! épargnez-la. Je veux parer les coups.

– Tes parents sont bien, Laurier?

– Oh oui, madame! Sauf que ma mère est un peu fatiguée de ce temps-ci, papa a eu une vilaine grippe. L'année dernière, il l'a couvée une semaine et supportée trois mois. Elle repartait et revenait, sans crier gare. Maman lui disait qu'il travaillait trop et sa santé en était altérée. Il s'était juré d'aller se faire injecter le vaccin que le médecin lui avait parlé, mais la maladie l'a surpris avant le temps. Maman était très déçue. Papa est difficile à soigner.

Albertine sourit pensive. Elle devine l'atmosphère de cet événement. Elle revoit cet homme irascible qui faisait fuir le monde qui l'approchait, et se dit que Laurier, d'un abord si chaleureux, ressemblait fort heureusement à sa mère. La confidence du jeune homme laissait deviner les ennuis d'Eugénie. Elle soupçonne l'amour filial profond entre cette femme et ce fils tendre. Cette pensée l'émeut profondément. Une phrase maternelle monte en elle: «Les hommes! Ils sont pires que des bébés quand ils sont malades!»

Adéline descend l'escalier et Laurier s'abreuve de cette image pour l'immortaliser. Il se tait, torturé à l'idée que tout à l'heure il lui fera une grande peine. Il ressent l'affection offerte par Adéline. Tout en elle vibre dans les moindres recoins de son corps et dans les plus profonds replis de son âme. Il l'aime à en devenir dingue. Elle entretient ses silences de moments surréalistes qui l'enivrent. Chaque sourire, chaque parole le drogue de bonheur; Laurier s'envole alors, sur des monts infinis où il se dore et paresse. Ces instants célestes, il les savoure à souhait et s'en gave. Jamais il n'a ressenti autant de force et d'énergie bienfaitrice prodiguée par une femme. Son coeur craque, parfois. Il ploie sous le vide ressenti qui l'effleure au passage. Inquiet, il se demande où cette aventure le mènera. Laurier se dit que cela ne peut durer, le rêve n'atteint pas la splendeur de sa réalité. Il est aimé par Adéline Lussier, la belle, la pure dont tant de monde à barbe convoite. Il devine les regards d'envie des jeunes loups de la bergerie villageoise. Le nez au vent, il hume sa réussite et s'enorgueillit. Laurier multiplie ses randonnées avec sa belle et prend un malin plaisir à faire durer le supplice et l'envie de ses adversaires, surtout Harold Montpellier qu'il croit être un prétendant encombrant. Par bonheur, le hasard évite cette manifestation envers ce dernier. Laurier en est déçu. Il aimerait tant étaler son triomphe devant cet énergumène, sans cervelle. Puis, il songe à Adéline, sa bien-aimée, qui pourrait peut-être en subir les conséquences, et se jure de lui éviter de tels contretemps inutiles.

La vie se chargera de ce détail, assure une voix en lui. Et toi! Comment te comportes-tu avec elle? Tu l'utilises pour flatter ton ego. Que feras-tu ensuite? ajoute le poids de sa culpabilité.

Troublé par cet encombrant fantôme, il baisse les yeux et réfléchit en silence.

Adéline enjouée s'approche et l'accueille par de grands éclats de joie et ajuste son chapeau.

– Bonsoir Monsieur Lanteigne!

Bonsoir Madame Lanteigne! répond sa pensée.

Laurier sourit et se presse. Devant la droiture de ce regard limpide, son inconfort s'amplifie, il lui sourit et se tait.

– Bonsoir, maman. Reposez-vous bien. Je ne rentrerai pas tard.

Albertine s'empresse de rétablir les faits ou ses sentiments.

– Je ne suis pas inquiète, Adéline. Prenez du bon temps. Tout le temps que vous voudrez. La vie est si courte.

Le couple lui sourit. Des mots anodins et chatoyants parsèment le silence entrecoupé de compliments et de chaleureux conseils lancés de part et d'autre.

– Allez! Amusez-vous!

Adéline relève le bas de son manteau et monte en voiture. Laurier saute près d'elle et le jeune couple salue Albertine heureuse qui les arrose de sa bénédiction imaginaire, d'une main tendrement agitée. Le cheval se cabre et le coup se répercute dans leurs reins, la bête prend son envol. Adéline glisse sa main gantée sous le bras de Laurier pour mieux se protéger d'un danger éventuel.

La nuit noire les recouvre au passage. Un moment ils plongent dans ses entrailles et l'apprivoisent.

– As-tu froid?

– Je suis très bien. (Près de toi, Laurier tu le sais.)

– Ne te gêne pas.

– Moi gênée! Tu ne me connais pas.

– J'ai apporté une couverture, au cas où...

– Au cas où tu aurais froid, Laurier?

Blessé dans son orgueil, il plisse un oeil et grimace; il devine son visage rieur, heureux de sa taquinerie.

– Exactement! Adéline. J'ai pensé à moi, rien qu'à moi!

– Parfait! Les gens un peu égoïstes ne font jamais de crises de coeur.

Laurier surpris de cette affirmation, l'interroge.

– Madame affirme de grands énoncés médicaux, maintenant.

– Vérifiés par mon oncle Hervé, le docteur, mon cher Laurier!

Les amoureux parfument l'air de leurs joyeux bavardages et le cheval reprend son trot. Adéline comblée savoure son bonheur et le laisse éclater bruyamment. Le cheval ralentit au dépassement des Lanteigne. Laurier le harangue, sans regarder sa demeure. Adéline, qui avait pensé visiter les parents de Laurier, s'interroge.

– Tes parents sont seuls, ce soir? Ils s'ennuient peut-être.

– Ils doivent commencer à s'habituer. Tout le monde est parti ou presque. Je suis resté pendant une session, mais ce ne sera pas toujours le cas.

– Tu penses à repartir? (Déjà?)

Laurier garde le silence, claque le cordeau sur la fesse de la bête et le provoque. Son inconfort se couvre de bruit.

Adéline décèle un certain trouble chez son amoureux mais refuse à l'analyser. Ce soir, elle se veut heureuse.

– Allez, sale jument! Avance.

Laurier a tourné la question depuis un certain temps. Malgré la promesse faite à son père au sujet de la bâtisse d'emboutissage, il sait que ce métier est maintenant dépassé pour lui. Il la conservera un certain temps, afin de lui éviter un grand chagrin. Quant au métier de fossoyeur, c'est réglé, il a catégoriquement affirmé à son père que la paroisse devra s'en trouver un autre. Hilaire Lanteigne? Un père un peu buté mais qui les a faits instruire dans les grandes universités. Ça, il ne l'oubliera jamais!

Repartir. Oui, il le faudra. Laurier jette un regard tendre sur sa bien-aimée, il a besoin de soutien pour lui avouer ses ambitieux projets.

– Vous m'amenez où, ce soir, Monsieur Lanteigne?

– C'est une surprise. Nous arriverons bientôt.

Adéline amusée se berce tendrement de ses paroles. (Ici ou ailleurs, peu importe. Pourvu que je sois avec toi, Laurier Lanteigne.)

La lune perce la voie lactée et pointe son regard vers eux. La campagne, soudain baignée de clarté à peine voilée, offre sa magnificence à la jeune fille éblouie. Son coeur s'emballe, son verbe s'égosille ou devient muet d'admiration. Elle décrit l'endroit comme si elle le découvrait une première fois. Chaque demeure, chaque espace est décortiqué par elle et expliqué à Laurier, comme s'il n'avait jamais connu le lieu.

– Tiens, regarde. Les Langlois ont rentré leur avoine. Les Lemieux ne changent pas. Tout traîne encore autour de leurs bâtiments.

Laurier met le cheval au pas.

– Si. Tu as oublié quelque chose.

Adéline se tord le cou et ne voit rien.

– Ils ont enlevé les échafaudages autour de leur maison, placés par le grand-père il y a cinq à six ans.

– C'est pourtant vrai. Être aussi paresseux est inimaginable! As-tu une idée sur ce phénomène?

– La peinture qu'ils avaient mise la première fois a eu le temps de se détériorer. Le grand-père est mort au début de novembre et les béquilles des murs sont disparues deux jours plus tard.

– Ce doit être Henriette, la femme de Richard Breton. Un jour, je l'ai rencontrée chez la coiffeuse et elle m'en avait glissé un mot. La pauvre se sentait honteuse de cette situation. Les Breton sont si propres et si fiers, tu les connais.

Un autre clin d'oeil céleste fait immobiliser la bête le long du grand ruisseau. La valse des eaux coule joyeuse sur le lit de l'onde miroitante comme de minuscules diamants en mouvements, caresse les grosses roches de sa mélodie et nourrit leur coeur de joie surabonde. Laurier très lentement approche ses lèvres de celles d'Adéline ivre de bonheur et en goûte l'arôme. L'intensité du désir les fait frémir. Ils s'étreignent éperdument. Adéline pose sa tête sur son épaule, ferme les yeux, hume l'odeur masculine et chavire. Prisonnière du désir et de sa raison, elle se demande comment elle se sortira de cette étreinte.

Le cheval renâcle, lève la queue, laisse échapper un gaz répétitif et bruyant. Ils éclatent de rire et la bête se remet en route. Une maison illuminée est en vue. Adéline ouvre grand les yeux, cherche un point de repère et n'en trouve point. Ils sont rendus au village voisin, chez des gens inconnus; elle n'a pas vu passer le temps.

– Nous voilà rendus, Adéline. Tu vas connaître le monde le plus avenant du village. Descendons de voiture, je rentre la jument et tu m'attends ici.

Adéline regarde partout mais tout est noir. Leur chaperon céleste s'est endormi à la tâche.

– Tu connais ces gens, lance Adéline un brin inquiète.

Laurier devine l'affolement de sa belle, explique et s'affaire.

– Les Champagne sont mes parents. Ma mère et ma tante sont les deux soeurs. Mon oncle Francis est notaire. Ils fêtent leur quarantième anniversaire de mariage. D'un seul coup, tu vas connaître toute ma famille maternelle. On dit qu'il manquera seulement ma soeur de Vancouver.

La physionomie d'Adéline se fige de surprise. Muette d'étonnement, elle se tait et attend la fin de ses confidences. L'astre complice dévoile d'un trait la splendeur du domaine. Adéline figée sur son siège cesse son babillage. Va-t-elle entrer dans cette... ce château... chez ces gens?

L'immense enceinte pierreuse pleine d'orifices illuminés aiguise sa curiosité et sa crainte de l'inconnu. Spacieux, le domaine entouré de peupliers magnifiques, paré, à sa droite, d'un cercle scintillant dans la nuit, – un lac artificiel – parsemé de rocailles savamment agencées, de bouquets naguère fleuris au soleil, maintenant en attente de disparaître au rebut, qu'une allée large et évasée l'ouvre au monde, s'impose aux visiteurs et impressionne les étrangers. Adéline tente de dissocier le mélange de rêves et de réalité créé par son ravissement, sans y parvenir. Elle avait longtemps rêvé de grande maison luxueuse où elle trônerait en princesse comme dans les contes de fées, mais elle savait que ces voeux tenaient de la frivolité de son adolescence et se hâtait de les noyer dans de plus amples réalités accessibles. Ce soir, cette nuit, pendant que Laurier s'occupe du cheval, elle reste là, immobile à contempler l'objet de ses désirs secrets inavoués et se dit que la réalité dépasse souvent la fiction. Captivée par ses émotions, elle n'entend pas son ami qui se tient proche et savoure, en silence, l'intensité de la joie de sa belle Adéline palpable dans son regard scintillant dans la nuit claire.

Si Dieu le veut, Adéline, je te trouverai un pareil château. Si tu le veux! reprend son crâne récidiviste.

Fier de l'effet désiré, il lui prend la main fermement et la tapote gentiment.

– Laurier, c'est incroyable comme c'est beau!

– Au contraire, Adéline, tout est réel.

– Ton oncle est si riche?

– Il a hérité de son grand-père, un commerçant de fourrures, qui, lui, a hérité d'une fortune en France.

– Ah bien là, tu m'épates! (Attends un peu quand papa va apprendre ça. Il n'en croira pas ses oreilles).

En effet, le vieil Alfred Lussier avait déblatéré un jour pendant des heures, sur la découverte de cette fabuleuse maison et avait fait naître des rêves farfelus chez ses enfants avides de sensations nouvelles.

Le couple d'amoureux se dirige vers la demeure féerique noyée de mystères inconnus. Une entraînante musique les rejoint et les invite. Laurier présente à tous, sa bien-aimée aux pommettes rougies de timidité. Il se sent des ailes. Adéline attrape au vol, l'oeillade du cousin Frédéric fait à Laurier,

complice. Elle sourit, amusée. Décidément, ces chuchote-
ments, ces exclamations sur son passage! Adéline doit reconnaître que son charme opère des merveilles; il fascine plus
d'un jeune mâle. Cette découverte soupçonnée amplifie sa
confiance, elle fonce. Elle défile dans cette famille inconnue
et se sent bien. Elle est peut-être faite pour le grand monde.
Sa mère le lui répétait maintes fois. Tapie en elle, Adéline se
nourrit de l'ambiance joviale et bruyante; elle réfléchit. Le
cousin Frédéric la surprend un moment seule, il s'approche.

– Dites-moi mademoiselle, Laurier s'est envolé?

– Il m'apporte un verre de vin.

– Il aurait pu s'enfuir maintenant à Ottawa, sans crier
gare, comme il l'espère. J'aurais volontiers pris sa place, vous
savez!

La mimique d'Adéline s'allonge. Toute trace de joie a
disparu. Frédéric constate qu'il a gaffé, il veut s'expliquer et
se racheter. Trop tard. Laurier les rejoint, insouciant. Frédéric
intervient.

– Laurier, vilain cachottier! Tu ne te vantes pas que tu
veux partir!

Laurier sent son cerveau s'échauffer. Trop de situations
défavorables pour lui se déroulent sous ses yeux. Il voit déjà
son cousin butiner autour de sa belle Adéline, il lui presse
doucement le bras et l'amène vers un autre groupe.

– Frédéric, tu t'énerves inutilement. Va jouer dans tes
plates-bandes.

– Allons le cousin. Ne t'offusque pas de la sorte, je bla-
guais. J'en ai le droit, non?

En retrait, le regard d'Adéline exige des explications. Laurier, le nez plongé dans son verre qu'il tourne dans sa main, s'efforce de minimiser l'effet alarmiste de son cousin exécrable.

– C'est vrai Laurier. Tu veux partir?

– J'ai eu une offre très alléchante du département des Affaires extérieures, à cause de mon oncle Francis, le jubilaire. Son expérience et ses relations lui garantissent une influence appréciable au gouvernement, comprends-tu?

– Ah, ah! Je comprends. Tu m'as amenée ici, des intentions préméditées plein la casquette, hein Laurier?

Le jeune homme replonge son regard dans son verre vide. Il ne sait où donner de la tête.

– Tu partirais quand?

– Après les fêtes. Cette opportunité inespérée se présente qu'une seule fois dans une vie.

– Tes parents. Qu'en pensent-ils?

– Je ne les ai pas encore informés. Tu es la première à qui je soumets l'idée.

Adéline médite. Laurier, nerveux et inquiet, attend désespérément une réponse les yeux rivés sur ceux d'Adéline, cachés sous ses paupières piquées sur la moquette verte.

(Damné Frédéric! S'être mêlé de ce qui le regarde!)

– Tu partirais longtemps?

– Je l'ignore.

– Tu irais où?

– Là, où ils ont besoin de mes services.

– À l'extérieur du pays?

– C'est une possibilité.

– C'est ton désir?

– Une chance inespérée que je ne dois pas mettre de côté. J'ai toujours voulu travailler dans ce milieu.

– Et moi. Que deviendrai-je? (Sans toi.)

– Je t'écrirai. Je viendrai te voir. Adéline c'est... notre avenir.

Adéline tressaille. Les yeux de Laurier brûlent de luminosité. Elle devine son coeur en chamade, dérouté par l'incertitude. Il a pris un tel risque, qu'il en est étourdi. La perdre, s'est tout perdre. Pourtant il doit poursuivre son rêve, malgré tout, malgré elle. Son espoir s'accroche au jugement et au sens du devoir de cette fille ravissante. Il sait qu'elle comprendra. Adéline lui prend les mains. Elles sont moites de frayeur. Les siennes sont chaudes d'amour et de compréhension. Le désir de goûter ses lèvres accentue le tumulte de ses sens. Elle voudrait l'embrasser, sceller devant tous, les sentiments débordants en elle, montrer à la face de la terre l'intensité de son amour pour lui.

– Adéline, je t'aime.

La foule asperge ses bruits de fond, les gens congratulent les jubilaires aux cils blancs, mais Adéline et Laurier sont seuls au monde. Leurs yeux se perdent dans l'immensité de leur communion mutuelle. Leur coeur vibre au même diapason et leurs sens se consument comme le feu sur la matière ignée.

– Je t'aime Laurier.

Adéline pose son oreille sur le coeur de son amour, ils s'enlacent et s'infiltrent dans la danse langoureuse qui se répand partout et le désir exacerbé de se fondre l'un dans l'autre. Adéline lui offre son visage, plonge ses yeux d'une limpidité désarmante dans ceux de Laurier et inscrit des mots indélébiles dans l'âme de son amoureux.

– Je t'attendrai Laurier.

(Je le sais, Adéline. Je l'ai toujours su.)

Le jeune homme referme ses bras sur elle pour éviter de lui répondre. Il lit tant de sincérité et de don de soi en cette jeune femme qu'il le supporte difficilement. Il joue avec son coeur et triche. Cette laideur stagne en lui et lui donne la nausée. Les mains liées par un secret, il profite d'une situation inespérée qui se terminera sous peu.

Debout en bordure de la piste de danse, un vieux couple ému les surveille et sourit. Laurier s'arrête, il les salue.

– Papa, maman! Vous êtes enfin arrivés!

Attendri, le jeune homme pose son regard sur sa mère.

Adéline sent son prince charmant rempli d'une grande joie.

– C'est maman! Elle est venue. Elle sort si rarement.

Adéline s'attarde à cette confidence incongrue pour en saisir le sens, en vain.

Laurier entraîne Adéline vers le couple.

– Maman, je vous présente Adéline!

La brunette radieuse et intimidée, les salue, au faîte de l'excitation intérieure. Enfin, elle sait, elle connaît ce que sont les Lanteigne: ennemis jurés des Montpellier. Les premiers instants envolés, Adéline sent grandir une communication chaleureuse entre eux, ils sont le contraire de ses esquisses imaginaires tordus par les Montpellier. Elle les amène avec elle dans un petit salon, l'idée bien arrêtée de les interroger et de savoir si les Montpellier disent vrai ou se trompent. Laurier, lui, s'éclipse un moment, leur laissant le loisir de faire plus amples connaissances; il désire ardemment renouer compagnie avec ses oncles, tantes, cousins et cousines. Curieusement, Adéline ne s'est pas rendu compte du tic nerveux d'Eugénie Lanteigne, mère de Laurier.

Au petit matin, Adéline défait le parcours initial, endormie sur l'épaule de Laurier. Le cheval les ramène lentement au bercail. À l'horizon, l'aube naissante s'étire les flans. Laurier a laissé la bête suivre seule la route, les bras chargés de sa bien-aimée endormie. L'aurore lui fait découvrir la force de l'amour dans les traits fins d'Adéline. Il voudrait ce moment infini, son bonheur interminable, et son Adéline près de lui pour toujours. L'idée de la quitter lui déchire le coeur. Lui demande-t-il l'impossible? Tant d'hommes la convoitent. Laurier lui effleure les joues de ses doigts et lui caresse le menton. Il dépose lentement un baiser sur ses lèvres au goût de miel. Elle ouvre les yeux et lui offre la beauté de son regard vert. Heureuse, elle se redresse, et met ses mains dans les siennes pour les réchauffer.

– Je suis heureuse, Laurier. Infiniment heureuse avec toi. Je n'y croyais plus, tu sais.

– J'ai peur, Adéline. J'exige peut-être trop de toi.

– Tu n'exiges rien de moi. J'ai promis de t'attendre en tout liberté, ne l'oublie jamais! Tu entends!

Laurier ferme les yeux, frotte sa joue à celle qu'il aime. Ses yeux s'humectent de reconnaissance. Jamais il ne pensait ce rêve possible. Pourtant, au fond de lui, il pleut des regrets. Il savoure cet élixir au moment où il doit déposer la coupe à peine humée. Il part. Bientôt. Très bientôt. C'est la dernière fois qu'il enlace Adéline. Son plan élaboré, pendant des semaines, fonctionne comme prévu. Il lui écrira lorsqu'il sera en place, quelque part autour du globe. Il sait qu'elle lui en voudra pour cette façon peu cavalière de partir, mais il est incapable de la quitter autrement. Voir Adéline en pleurs lui est inconcevable. Ce déchirement serait insupportable, il pourrait flancher. Puis il y a ce secret...

Dans son lit, il s'endort fourbu, l'esprit troublé et l'âme meurtrie; c'est dimanche. Dehors, le ciel lessive la nature.

* * * * *

Chez les Montpellier, la mère aiguillonne les suspicions. Le profil de sa réussite marque des ratés. Harold s'enfonce dans un mutisme tenace et respire à reculons. Elle s'inquiète de le voir si obstiné à ruminer des récents événements, qui, somme toute, appartiennent à Adéline. N'est-elle pas libre de ses actes? N'est-elle pas une chambreuse seulement? Qui a droit de regard sur ses agissements? Personne!

– Maman, on a dit qu'elle est allée veiller avec le Lanteigne hier soir.

– Harold. Tu te trompes. Elle n'oserait pas faire (nous) une chose pareille!

– Maman, si c'est vrai, je ne veux plus la voir ici! Nous cracher dessus de même, n'a pas de bons sens!

Ursule plonge ses yeux sur les carreaux du plancher et réfléchit. C'est vrai. Adéline ne doit pas nous faire honte. On ne le prendra pas. Venir nous ôter nos pensionnaires dans notre propre maison est le pire qui peut nous arriver. Elle scrute le visage de son fils envolé dans les limbes de ses théories nébuleuses, à travers la fenêtre sillonnée de pluie. Son coeur palpite de déception, la pauvre mère s'interroge sur l'avenir de de ce fils maternellement adulé. Elle l'aidera, envers et contre tous. Il aura sa chance, un jour. Ursule, la bouche serrée, s'en fait le serment.

– Bonjour tout le monde!

Adéline radieuse apparaît et les sort de leur monde anesthésié et ténébreux. Surprise d'entendre Adéline, – elle la croyait chez ses parents – à la dérobée, Ursule vérifie la physionomie de la jeune fille et se console. Des pointes de tristesse transpercent le regard d'Adéline que la mère d'Harold met sur le compte de la déception.

Une bonne dispute entre ce fou et elle, je suppose...! songe Ursule Montpellier l'aigreur aux lèvres.

Ursule devine que ce Laurier est venu la reconduire cette nuit. Un garçon collant à l'extrême qu'il faudrait penser à éliminer. La voix d'Adéline la ramène dans sa cuisine.

– Il fait beau, hein!

Harold regarde dehors.

– Adéline, il pleut!

– Il va faire beau. Je le sens.

– Il pleut tout le temps en novembre.

– Parfois, il pleut le jour et la nuit, la lune éclate. Maintenant, la pluie a cessé.

– Éclate! Tu es drôle, Adéline.

– Allons, vous deux! Cessez de vous chicaner au sujet de la température.

Adéline rit. En effet, c'était ridicule.

– Bon. C'est l'heure de la messe. Tu viens Adéline.

Adéline se prend les joues.

– La messe! Je l'ai oubliée.

Elle se presse. Harold sent renaître sa bonne humeur. Ils seront ensemble dans leur banc d'église, au su et au vu de tout le monde, même de Simon Labrosse, le vicaire, qui ne manquera pas de les apercevoir. Enjoué, Harold sort préparer la voiture.

Dans son coeur, Adéline plonge dans un monde confus où se côtoient l'euphorie et la mélancolie, loin d'Harold et près de Laurier.

La vie a parfois de ces revers qui lui font mal à en pleurer. Que lui réserve l'avenir? Adéline n'en a aucune idée.

Chapitre 9

Les Lanteigne, eux, jubilent. Laurier, un de leurs fils a terminé ses études, il prendra aussi possession de leur petit lopin de terre, puis s'installera aux commandes leur bâtisse d'emboutissage au coin du village; un autre comptable, au futur prometteur. Car il sait compter ce Laurier. Un jour il deviendra maire du village, pourquoi pas! En attendant, leur fils cadet est parti pour Ottawa depuis deux jours, la larme à l'oeil et le coeur dans l'eau.

— Ne l'annoncez à qui que ce soit, surtout pas à Adéline, maman.

— Pourquoi, mon grand? Tu lui fais beaucoup de peine, tu sais.

— Je lui ai annoncé mon départ dimanche passé. Ne vous inquiétez de rien! Maman, je vous écrirai dès que je serai arrivé en Argentine.

— Tu vas en Argentine? s'écrie Eugénie, cherchant dans son monde où pouvait se trouver un endroit pareil. Ce mot lui semblait si vide de sens qu'elle eut peur.

— Mon oncle Francis m'a laissé entrevoir cette possibilité.

— Ton oncle Francis a la folie des grandeurs, mon garçon. Ne l'oublie pas.

— Papa, c'est décidé on ne reviendra pas là-dessus! conclut Laurier sur un ton tranchant.

Hilaire Lanteigne grimace et se tient en retrait, le corps gorgé d'inconfort. Sait-il qu'il est le responsable de ce départ? Est-ce que leur virulente discussion de la semaine dernière aurait pesé dans la balance sur sa décision? Eugénie, sa mère, noyée de chagrin ne cesse de caresser les épaules et le dos de son fils feignant la nécessité de lui nettoyer le chandail.

Laurier serre sa mère dans ses bras et salue ses parents, il ignore où le mène cette aventure. Il a donné l'Argentine comme destination mais en vérité, il nage en plein mystère sur son départ. On assure que plusieurs gouvernements ont un urgent besoin d'administrateurs et de gestionnaires étrangers. Il sera du nombre, il le sait. Ce n'est pas la peine de les inquiéter inutilement. Ils le seront bien assez vite.

– Papa, faites attention à la bâtisse. Je la veux en bon état, souligne Laurier, sans ardeur.

La porte se referme doucement sur leur dernier fils prenant son envol.

Son père sourit tristement. Le vieil homme savait que Laurier parlait pour ne rien dire. Il réalisait que son commerce appartenait à un monde révolu pour ses fils. Il trouverait insolite que Laurier s'acharne à retenir le passé quand le futur les bouscule sans ménagement. Fabriquer des roues de voitures est un métier moribond; des autos ont fait leur apparition dans certains villages. Qui sait. Elles remplaceront peut-être les chevaux, un jour.

Quand mes os ne me feront plus mal, tu liquideras tout, mon Laurier, je le sais. Et ce sera bien. Ainsi va la vie, songe à voix basse, l'homme résigné.

– Une bonne fille cette Adéline, affirme Eugénie qui plie du linge et grince des dents, et très belle.

– Dépareillée! ma femme. Dépareillée! J'espère qu'il sait ce qu'il fait. Plein de garçons ont les yeux sur elle.

* * * * *

Les jours et les semaines s'égrainent façonnant l'absence de leur garçon dans leurs souvenirs. Novembre se prépare à déléguer les clés à décembre. Dehors la terre se fige, le froid coagule ses entrailles, l'hiver déploie lentement sa peau blanche sur le sol et les gens du pays entrent en eux-mêmes. Chez certaines têtes blanches sommeille un vide grand comme leurs secrets intimes et qui a du mal à se remplir. Les Lanteigne sont du nombre.

Que deviendront-ils, devenus vieux? Comment se terminera leur horrible séjour terrestre? Le silence de Laurier leur fait mal. Les Lanteigne n'ont reçu aucune lettre de leur fils. Ses parents ne sont pas convaincus de cette solution de fuite précipitée et inexpliquée. Ils trouvent que Laurier s'est conduit de façon étrange. Dans le silence de leurs muettes confidences personnelles, leurs communes pensées les distraient du bruit qui se fait au deuxième étage de leur demeure. Le vacarme les ramène à la réalité.

– Eugénie, va donc voir ce qui se passe.

Inquiète, sa vieille grinceuse monte lentement l'escalier la menant à *la chambre*. Elle redescend vivement, ses mains sur ses oreilles, et criant.

– Hilaire! Hilaire! Qu'est-ce qu'on va faire? Qu'est-ce qu'on va faire de *la chambre*?

Son mari, debout au pied des marches, lui fait signe de se taire. Quelqu'un pourrait l'entendre.

– Qu'est-ce qui arrive dans *la chambre*, Eugénie? Dis-le! mais dis-le donc! Tu le sais que je ne peux plus monter les escaliers.

Eugénie, aux prises avec une crise d'hystérie, hurle et se tord le ventre en sanglotant.

– Tais-toi! Eugénie. C'est arrivé?

– Oui, Hilaire. C'est épouvantable. Si tu voyais *la chambre*.

Hilaire entoure les épaules de sa femme qui tremble et l'assoit tranquillement sur une chaise. Eugénie doit reprendre ses esprits. Il lui caresse le bras, un calme précaire s'étend dans le coeur de sa femme. Une femme petite et frêle qui n'a pas mérité les sacrifices imposés par leur situation affligeante.

– Bon. Tu es brave Eugénie. Laisse-moi faire le reste. Repose-toi. C'est le moment de mettre notre plan à exécution. Tout va bien marcher, tu verras.

Hilaire enfile ses bottes de cuir et son manteau.

– Je sors ma pelle et je vais chez Paul. Au retour, tout sera sur le point d'être réglé. Es-tu capable de tenir le coup, toute seule? Si tu ne le peux pas dis-le-moi. J'irai chercher la voiture plus tard. Par contre, tu sais qu'il est préférable d'être seulement deux à exécuter notre plan, notre garçon ignore tout de nos intentions.

Eugénie regarde vers l'escalier les yeux remplis de frayeur. Elle hésite à répondre.

Hilaire entend les dents de sa femme qui grincent nerveusement, remplissant la cuisine aux couleurs chaudes d'une torpeur grandissante. Il secoue Eugénie et l'enveloppe de mots réconfortants.

– Eugénie, *la chambre* ne fait de mal à personne, tu le sais.

Encore moins maintenant, songe la brave femme résignée. Elle affirme en silence, car le pire est fait. Hilaire respire profondément, soulagé. Si l'un d'eux se dégonflait dans les circonstances, tout tombait à l'eau.

– Je pars, referme la porte à clef derrière moi. Ne réponds à personne avant mon retour. Monte à *la chambre* te consoler si cela te fait du bien.

– Je ne sais pas, je verrai. Dépêche-toi. Heureusement qu'il est seulement six heures du soir.

Hilaire sent que sa femme recouvre sa raison, il sort plus confiant. Sa pelle appuyée près de la maison, il se dirige chez le voisin, son second fils.

Une heure plus tard, les deux hommes arrivent et placent une voiture près de la galerie. Leurs gestes mécaniques enveloppés de silence suivent leurs yeux plantés au sol, pensifs. Autour d'eux la nuit étend lentement son linceul.

Pendant ce temps, Eugénie, en femme fautive et traquée, pâle comme une morte, debout près de sa fenêtre de cuisine les regarde dans le noir en priant. Le moment se vide de mots, ils seraient superflus. Paul interroge.

– Maman n'est pas là? Il fait noir dans la maison.

Elle s'est couchée de bonne heure, elle couve une grippe.

– Bon. Alors bonne nuit, p'pa.

– Bonne nuit, mon Paul. Demain je te rapporterai la voiture.

– Prenez tout votre temps, rien ne presse.

Le fils retourne chez lui intrigué, un peu inquiet, sans saluer sa mère. Fatigué, l'homme vieillissant entre le dos courbé. Eugénie ne l'a jamais vu dans un tel état. Il enlève ses nippes et s'assoit.

– C'est fait. La voiture est prête.

En haut, *la chambre* se tait. Nul bruit ne les perturbe.

– Je reviendrai à cinq heures, si tout va bien. Tout doit être préparé, tu comprends. Vas-tu m'aider Eugénie?

– Il le faut, Hilaire. Il le faut bien.

Les bruits de table étourdissent le repas léger, lourd de silence. Sans paroles, ils essaient d'avaler quelques cuillères de soupe, sans y parvenir. Un bruit extérieur, les surexcite.

– Eugénie, repose-toi je vais répondre.

Le soir lugubre tombe comme une chape de plomb, il a revêtu ses jupes sombres.

Il va pleuvoir cette nuit, songe Hilaire, attachant sa veste brune, le visage préoccupé par ce visiteur inattendu.

Eugénie frissonne de frayeur devant la tâche à accomplir quand le visiteur sera parti. *La chambre* docile traverse sa pensée. Par chance qu'elle est petite *la chambre*. Sinon ce serait impossible de...

Hilaire, de retour, se frotte les mains l'une dans l'autre pour se réchauffer.

– Qu'est-ce qu'il voulait celui-là?

– Se faire préparer une potion pour sa jument malade de la gourme. Paraîtrait que sa femme lui a dit d'apprendre la recette pour l'avenir, s'il ne voulait pas tout perdre ses chevaux. Il a trouvé étrange qu'on reste dans le noir quand la brunante tombe, il a pensé qu'on manquait de chandelles. Je lui ai répondu, en riant, qu'on les ménageait au cas où...

– Est-il parti?

– Comme il est venu.

Eugénie laisse retomber ses épaules, soulagée. Son dos ploie devant l'ampleur du geste qu'ils s'apprêtent à faire. Une détresse infinie se lit sur son visage. À travers la lueur dansante de la chandelle, elle confie son anéantissement au regard silencieux de son mari. Hilaire Lanteigne frissonne d'inquiétude. N'en pouvant plus, il se lève.

– C'est le moment, Eugénie.

Elle prend la chandelle déposée à la hâte dans une soucoupe, tombée une première fois sur le tapis ciré de la table. Elle suit son mari qui monte l'escalier à genoux et se dirige, tête basse, à *la chambre*. Sans un mot, ils exécutent le plan établi et redescendent au rez-de-chaussée. Hilaire remet sa veste brune, son manteau, sa casquette noire, ses gants de cuir et la quitte. Au passage, le vent le frigorifie. Eugénie, immobile comme une statue, nage dans le brouillard. À quoi sert un brouillard dans la nuit encre, sinon à amplifier la terreur. Son corps se glace partout. Elle a l'impression de ne plus jamais pouvoir se réchauffer. La porte refermée, Hilaire a vite disparu dans la nuit.

Eugénie, secoue-toi. Tu n'as pas terminé ton travail, se dit-elle.

Curieusement, ses épaules allégées la surprennent. Elle ramasse à nouveau la chandelle et monte à *la chambre*. En elle, son coeur perd le nord, il lui assène de vilaines douleurs à la poitrine. Elle interrompt son ascension un moment pour reprendre son souffle, son corps prend soudain un poids considérable. Elle suffoque.

– Oh! Mon Dieu.

Les visages de ses enfants la visitent. Elle sent l'angoisse resserrer son étreinte sur sa gorge.

– Mon Dieu, venez à mon aide!

L'escalier se termine, enfin. La flamme tremble sur les murs. Eugénie pénètre dans *la chambre*, place la soucoupe sur la table de chevet près de la fenêtre. Elle s'assoit au pied du lit vide. L'empreinte d'un petit corps d'enfant, à jamais figé dans sa mémoire, inonde son coeur. Elle hurle sa douleur, si longtemps refoulée aux confins de ses entrailles. Une fatigue extrême s'empare de tous ses membres. Elle a l'impression de ne plus pouvoir se relever de ce lit, ses pensées crient à l'aide. Eugénie se renverse dans le sillon creux du lit vide et attend que cesse sa terrifiante inquiétude. Est-elle sur le point de chavirer seule? Près d'elle la chandelle à moitié brûlée se tient droite, en sentinelle, et fait le guet. La douleur à sa poitrine s'amplifie. Le visage défait, les deux poings sur sa poitrine, elle se recroqueville dans le lit vide.

Hilaire, de retour à la maison, regarde sa demeure endormie, entrebâille la porte, tend l'oreille, soupçonne que son Eugénie s'est endormie et décide, soulagé, de remettre la voiture à son fils, dès maintenant.

– Papa! Que faites-vous dehors à cette heure? Il fait si noir.

– J'ai changé d'idée et j'ai décidé de venir te rapporter la voiture tout de suite; demain j'ai d'autre chose urgente à faire, je rentrerai le bois un autre jour, il fait trop mauvais temps.

– Vous n'auriez pas dû, papa. Cela ne pressait pas tant. Entrez, venez fumer une bonne pipée de tabac.

Hilaire hésite. Eugénie flâne dans son esprit.

– Allons. Maman va se reposer de vous, pour une demi-heure. Vous ne lui refuserez pas un cadeau pareil! ajoute Paul taquin, en tapotant l'épaule de son père.

Hilaire, le souffle court, fixe son fils. Comment lui dire le trouble qu'il ressent. Paul traverse les pupilles paternelles insaisissables et s'interroge. Jamais il n'a observé un tel regard chez lui, même aux heures les plus sombres de son existence. Le visage décoloré du vieil homme le tourmente. Son père devrait se reposer.

– Voyons, papa, entrez. J'irai vous reconduire si vous avez peur dans le noir.

Hilaire sourit... enfin. Il jette son pauvre corps exténué jusqu'à la moelle sur une chaise et Jeannine, sa bru, lui aide à se dévêtir; un breuvage chaud l'attend. Le bruit enfantin envahissant le silence lui fait du bien. Il se laisse pénétrer par ce gazouillis salutaire qui chasse un instant les images lugubres imbibées dans sa mémoire.

– Vous ne dites pas bonsoir à grand-papa, les enfants?

– Oh! grand-papa. On ne savait pas que vous étiez arrivé. Regardez ce que j'ai eu pour ma fête.

Le grand-père s'efforce d'être attentif, il y parvient difficilement. Paul, qui l'observe depuis un moment, intervient.

– Les enfants, grand-papa va manger une pointe de tarte, il a faim. Allez continuer vos devoirs.

Les marmots dociles disparaissent, Paul s'approche et, gourmand, prend une grosse bouchée dans son assiette. Le silence de son père, toujours intempestif, l'intrigue. L'attitude abattue de cet homme lui fait peur. Il a vieilli de dix ans en une semaine.

La demi-heure prend des airs d'éternité pour Hilaire, pressé de rejoindre sa pauvre Eugénie. Je suis parti depuis plus d'une heure, se dit-il coupable. Je dois rentrer.

– Bon, je retourne maintenant. Ta mère m'attend.

– Tenez. Apportez cela à grand-mère, Monsieur Lanteigne. Elle aime les fraises.

– Il vente fort, papa. On va avoir de la pluie ou de la neige, je crois.

Le vieil homme embrasse les enfants et les quitte. Cinq minutes plus tard, il revient épouvanté.

– Paul! Paul! La maison est en feu!

Le sang glace dans leurs veines au son de ces mots. Paul, fouetté par le vent, court vers sa mère, tandis que sa femme appelle à l'aide. Hilaire envisage l'apocalypse.

Impuissants devant l'immense brasier, Paul et Hilaire pleurent à chaudes larmes. Leur mère brûle sa chair et cette sensation se transmet dans leurs entrailles. La douleur morale devient insupportable. Paul vomit.

Hilaire complètement anéanti sent monter un étrange sentiment de soulagement. Enfin, elle ne souffrira plus. Elle a trouvé la paix qu'elle n'a jamais eue.

– Eugénie! hurle Hilaire à genoux, tu ne le méritais pas. Pardon. Mille fois pardon.

Paul, le visage inondé de larmes, relève son père et le serre dans ses bras. Leurs pensées se marient dans le silence de cette nuit immonde et froide. Ils sont à cent lieux des badauds qui s'attroupent autour d'eux, paralysés par la force des éléments destructeurs attisés par le vent orageux d'un mercredi de fin novembre. Les Lanteigne viennent d'enterrer leur secret.

Chez les Montpellier, la vie pousse comme elle peut. Tout le monde se prépare au dur hiver en perspective. Comme les feuillus, les gens, dans une commune pensée, se dépouillent de leur effervescence et rentrent dans leur monde interne. Le monde parle moins et plus vite puis ne s'attarde plus sur le parvis des églises paroissiales. Les hommes font provision de bois de chauffage qu'ils cordent dans les caves des maisons, de sacs de sucre, de sacs de farine, ils engrangent les graines abondantes, ils ont retourné le sol et attendent... patiemment, irrémédiablement, que l'affreux, l'horrible hiver leur tombe sur le corps. Au large, le fleuve se camoufle sous une couche de glace épaissie, peu à peu, le silence céleste reprend possession de son logis, la gent ailée l'ayant déserté.

Harold et Firmin ont ramené les moutons à la bergerie. Ils comptent les mâles et les femelles, préparent leur stratégie pour la morte saison, sous l'oreille maternelle attentive; la laine sera longue et belle, lors de la tonte et les queues seront superbes! Leur mère s'endort, grisée de plaisirs anticipés.

Adéline continue sa montée vers le don du savoir. Ses élèves font de grands progrès et elle s'en réjouit. Chaque jour, elle accroche son regard au postillon dans l'espoir de recevoir une lettre de Laurier qui se fait silencieux. En attendant la fin de novembre sur le point de surgir, Harold ne cesse de l'écouter raconter chaque soir, ses péripéties quotidiennes et prend un malin plaisir à les ridiculiser ensuite, avec sa mère le lendemain. Adéline, loin de s'en offusquer en rit à gorge déployée. Un vent de complaisance s'établit entre eux.

– Ces deux-là, sont sur la bonne route, Berthold, affirme Ursule soulagée, à son mari sceptique.

L'amour c'est davantage que des blagues, se dit le père soupçonneux.

Une main frappe à la porte de la petite école du *Plateau Doré*. La maîtresse d'école va ouvrir. Le vent froid fouette ses bras, elle se hâte de refermer. Il est sept heures du soir. Adéline accueille Simon Labrosse, le vicaire.

– Simon! Quelle belle surprise!

Simon se dévêt, jette son manteau sur un pupitre et brasse les tisons du poêle.

– Figure-toi que j'ai déjà eu besoin de chaleur, comme tu vois. Nous allons la subir royalement encore une fois cette folle saison.

– Cette école est mal isolée et particulièrement froide, Adéline. Tu n'y peux rien.

– S'il fallait que je couche à l'école, ce serait un désastre. Autrefois cela se faisait, mon ami!

– Autrefois nous avions la couenne dure.

Adéline lui présente un café fumant, qu'il hume profondément.

– Dis donc que je suis une fluette, Simon Labrosse!

– Pas une fille assez entêtée pour se laisser geler, en tout cas.

– Je l'espère! Monsieur le Vicaire timoré.

Simon essaie de se glisser dans la confidence, mais Adéline le laisse sur son appétit. Il s'assied sur un coin d'un pupitre, sa tasse de café en main et attend. Attend que naisse le moment propice à sa démarche.

– Que me vaut l'honneur de ta visite?

– Pour le plaisir, Madame Lussier! Le simple plaisir de bavarder avec toi!

– Je ne te crois pas! Tu ne sors jamais le soir. Espèce de vieux garçon prématuré!

– Tu sauras que je suis né à terme; non prématuré, foi de Marguerite Labrosse, mère du dit Simon Labrosse, personnellement en personne!

Adéline rit aux larmes. Son ami affiche une mine superbe. Simon, lui, se demande comment il lui apprendra la nouvelle; elle semble si heureuse.

– Puis, toi. Comment vas-tu?

– Je suis en forme, Simon. En pleine forme! Il y a trois semaines, je suis allée à un quarantième anniversaire de mariage chez nul autre que Francis Champagne au village voisin.

– Francis Champagne! Tu te paies du luxe. La haute société t'attire maintenant!

– C'est l'oncle de Laurier.

Simon se tape sur la cuisse de plaisir. Enfin elle goûtera au bonheur.

– Ah, ah! On s'épivarde les jeunes!

Adéline remplit la pièce de gaieté sonore. Un grand soleil brille dans son coeur et illumine ses yeux. Des images d'un homme la quittant à l'aube d'une nuit féerique lui donne espoir.

– Je reviendrai rendre visite à mes parents le premier dimanche de décembre, lui a promis Laurier, les yeux remplis de larmes.

Depuis, Adéline vit de souvenirs. Elle se meurt d'attendre leur future randonnée amoureuse. Déjà des montagnes d'idées s'amoncellent en elle; cette journée sera mémorable et remplie de lui. Elle n'a pas vu Laurier depuis trois semaines, c'est son père qui est venu la chercher à l'école. Elle a mis l'absence de son bien-aimé sur le dos de travaux urgents à accomplir. Cependant, elle piétine le doute qui grandit en elle. Le visage atterré de Laurier, quand il l'a quittée, ne cesse de coller à sa mémoire et son long silence lui donne des gros frissons.

Attends de savoir avant de te raconter des histoires, se dit-elle, en s'endormant le soir.

Adéline rembrunit sa physionomie, elle s'approche de son ami et redevient la fille sérieuse.

– Simon, je crois avoir trouvé le bonheur. Laurier est un homme formidable!

– J'en suis très content, Adéline. Tu le mérites.

– C'est sérieux cette fois, Simon. Je suis guérie de toi.

Simon a un pincement au coeur, il s'interroge. Aurait-il enfoui des sentiments sous le tapis?

– Je croyais ne jamais t'oublier ni pouvoir aimer un autre homme.

– Le temps guérit bien des douleurs, Adéline.

– Je le réalise, en effet. Cette fois, c'est la bonne.

Simon replace sa tasse vide sur la table de sa cuisinette et prie le Seigneur de lui venir en aide. Comment lui apprendre le mauvais sort qui s'abat sur elle. Toute trace de gaieté a disparu en lui. Il la prend par le bras, l'assoit sur une chaise, en face de lui. Puis il lui prend les mains.

Surprise, elle se demande ce qui lui arrive.

– Adéline j'ai une mauvaise nouvelle à t'apprendre.

Adéline retire ses mains de l'étreinte affectueuse et se prend le visage. Son coeur bat la déroute.

– Laurier! Il a eu un accident!

– Rassure-toi, ton Laurier est en bonne santé.

Adéline pousse un long soupir de soulagement. Ce n'est pas aussi grave qu'il le laisse entendre.

– Alors. M'annonceras-tu cette fameuse nouvelle, à la fin?

– La mère de Laurier est morte.

Adéline qui s'était levée, retombe sur sa chaise.

– Morte! Comment?

Adéline défile un chapelet de questions sur le drame et Simon la renseigne au meilleur de sa connaissance. Surexcitée, comme mue par un ressort, elle pense tout haut et marche de long en large son petit univers. Simon attend que la tempête émotive diminue. Puis, elle se laisse choir sur son pupitre, la figure sur ses bras, les larmes commencent leur processus de guérison.

Pleure, ma pitchounette. Je prierai pour toi, songe le vicaire aux prises avec ses émotions. La caresse des longs cheveux d'Adéline par sa main malhabile et incertaine la fait se relever subitement.

– Laurier. Je dois me rendre chez lui. Il a besoin de moi. Tout le monde a besoin de moi, là-bas.

– Je crois qu'il est mieux d'attendre ici et de prier pour elle, Adéline. J'ai averti ton père, il viendra te chercher demain comme prévu, puisque c'est vendredi.

Adéline se tait. La douleur anticipée de son bien-aimé lui transperce le coeur. Elle a l'impression de souffrir avec lui.

Anesthésiée par l'événement, elle écoute docile les conseils de son ami et les fait siens. Ils ferment les yeux de la petite école ensemble et il l'accompagne chez les Montpellier. Préférant être seule avec sa peine, Adéline se retire dans sa chambre, vivre l'horrible moment de souffrance. Simon, lui, reprend le récit pathétique et voit monter chez ces gens un trouble certain pour le malheur qui frappe les Lanteigne. Eugénie ne méritait pas une fin aussi tragique. Tout, mais non par le feu.

Chapitre 10

19 décembre.

Adéline, maintenant seule dans l'école avec Firmin, sent une étrange angoisse lui serrer la gorge. Nous sommes vendredi. Son père viendra la chercher vers sept heures trente, s'il ne vient pas avant. Elle n'entend plus que le tic tac de la grosse horloge piquée au mur dans son dos et qui semble s'amplifier à chaque instant. Elle regarde le jeune homme qui se boutonne et se prépare à partir. Inquiète, elle l'interroge.

– Firmin, tu t'en vas tout de suite?

– Non Mamzelle. Firmin rentre le bois.

Adéline reprend le travail mal habile de Firmin, le coeur habité d'une profonde inquiétude, elle ressuie le tableau derrière sa chaise de maîtresse d'école.

Ce soir, sans se l'expliquer, elle sent son corps rempli d'un étrange sentiment. Dehors, la neige qui tombe depuis deux heures, se fait abondante et lui crée un sentiment ambigu. La saison hivernale s'est installée trop hâtivement. Les bancs de neige s'amoncellent à une vitesse vertigineuse. Elle n'ose s'imaginer le paysage de février, si cette température continue à faire des siennes. Pourtant elle n'a jamais eu peur de la neige, au contraire, c'est sa saison préférée. Une seconde fois Adéline jette un oeil au gendarme du temps adossé au mur vert sombre qui, pourtant, n'avance pas assez vite malgré son empressement sonore. La classe est finie depuis une heure; elle a retourné les enfants à deux heures trente, le ciel assombri à l'ouest signalait du grabuge. La neige tombait à grandes pelletées, son abondance laissait présager une grosse tempête qui pouvait prendre à tout moment. Fidèle à son habitude, Ulric Gonthier regimbera sur cette décision inhabituelle, mais elle va oser le braver. La peur de voir mourir des enfants gelés au retour de l'école s'impose trop ardemment. D'ailleurs, la mort d'un enfant au village voisin lui est resté gravée en mémoire. Elle analyse cette première transgression à l'autorité de son patron, le président de la Commission scolaire, et se console à la pensée que bien des gens supporteront cette sage décision. Raccourcir une journée d'école est pourtant impensable en ce monde. La maîtresse outrepassait ses prérogatives. Il faudra l'avoir à l'oeil.

Firmin s'arrête un moment de corder le bois près de l'évier et regarde sa maîtresse. Le flot de son monologue hachuré de sons quasi inintelligibles a cessé, au son de la voix d'Adéline. Il insiste.

– Firmin, beaucoup de bois, dit-il de son air béat.

Adéline secoue ses mains pleines de craie et se rassied à son pupitre.

– Firmin, tu n'as pas peur de la neige, toi?

– Firmin pas peur, Mamzelle.

Elle se dit qu'il est inutile de le retenir davantage et qu'elle se conduit en fillette. En regardant dehors, elle insiste.

– Tu devrais retourner chez toi, maintenant. Il fera noir dans une demi-heure. Tu vois, bientôt on ne verra plus votre bergerie.

Firmin regarde le tas de bois, prend ses mitaines et se met à monologuer de plus belle, tout en rangeant le reste de choses à faire. Adéline retourne à ses cahiers, sous la mélodie monocorde fredonnée par son élève stupide.

– Firmin s'en va, Mamzelle.

– Bien. Fais attention à toi. Dis à ta mère que j'ai du travail à terminer et que j'arriverai plus tard.

Je crois que papa remettra à demain ou la semaine prochaine, le retour chez moi, continue-t-elle pour elle-même.

L'idiot sourit et la quitte, habité par une profonde confiance tranquille.

Au passage, à travers la porte ouverte, elle entend la bourrasque de la tempête qui s'amplifie. Adéline referme son chandail sur sa poitrine et se rend ajouter d'autres morceaux à brûler dans son poêle à bois.

Son geste terminé, elle s'attarde longuement sur la fenêtre ouest où virevolte la neige en mille tourbillons avant de se coller au contour ou s'amonceler sur le rebord.

Mystique dans le silence, elle reprend son rythme, sa confiance et s'abreuve d'absolu. La neige, sa force, ses assauts, ne l'ont jamais effrayée. Elle aime s'enfoncer seule dans la tourmente en la défiant, comme elle aime savourer le monde silencieux d'une fin de journée scolaire. Les deux lui sont salutaires et nourriciers, son inquiétude momentanée s'est évaporée.

Tic tac, tic tac.

L'horloge l'incommode. Si elle pouvait être moins bruyante. À sa fenêtre, à travers le rideau de neige flagellant le carreau, Adéline revoit chaque visage d'enfant à éduquer et sourit. Une longue introspection raffermit sa joie. Ils ont magnifiquement progressé. Firmin donne des signes de changements. Il fréquente l'école assidûment, elle souhaite le retenir au printemps, saison de la tonte des moutons. Elle a mûri un plan, qui, selon elle, rendra tout le monde heureux. Elle glisse des insinuations aux repas chez les Montpellier, afin de les préparer. Ce changement sera majeur et bénéfique pour tous. Déjà, elle se voit le raconter à sa mère, qui l'aidera à tout concrétiser. Firmin l'idiot sera reconnu à sa juste valeur. Un flot de joies monte en elle quand cette idée chemine. Elle aime ce garçon simple et sans malice. Le vicaire Simon Labrosse la secondera dans ce projet, elle le sent, le sait.

S'il pouvait venir me voir. Je ne l'ai pas revu depuis novembre. Harold a dit que sa visite à l'école a fait jaser le monde. Le monde, elle s'en fout. Leurs relations se sont transformées petit à petit. Elle ne ressent plus cet ardent désir de se frotter à lui, quand elle le rencontre. Simon, soulagé, favorise cette tournure des événements. Il reviendra la voir et la revoir souvent, aussi souvent qu'il le peut, lui apportera le réconfort de sa situation solitaire, il l'a promis.

Retrempée dans le silence chaleureux de sa petite maison d'enseignement, le regard d'Adéline se fixe sur un objet.

Oh!...

Le chandail de laine vert irlandais que Simon a oublié à sa dernière visite traîne sur une chaise. Elle le prend et le met sur ses épaules, en savoure sa senteur et sa douceur. Simon se filtre encore un sentier chatoyant dans les entrailles de la jeune femme. L'amitié transporte des perles de sentiments intenses dont la pureté des intentions les hisse au faîte des perceptions les plus nobles de l'homme.

Adéline revient sur terre. Elle est seule en ce jour d'hiver. Seule et triste. Triste de tant de souvenirs funestes et de rêves brisés.

Noël sonne à la porte du calendrier. Son père entrera une autre fois. Comment passera-t-elle la période des fêtes, sans Laurier? Évoquer cette éventualité est pour elle un cauchemar. Depuis son départ, elle s'isole. Le monde lui paraît dépourvu de tout intérêt. Adéline continue de vivre en vase clos. Son coeur endolori cherche un répit à la meurtrissure de l'absence. Fragile, il ne souffre aucune insertion malveillante. Il doit se reposer s'il veut guérir. Assise à son bureau de maîtresse d'école, sa réflexion voyage dans le temps.

Ce soir-là, quand Simon est retourné au presbytère semant ses gouttelettes de peine partout sur sa route, elle espérait ardemment rejoindre Laurier et le blottir sur son coeur de femme amoureuse et compréhensive. Malgré son silence de trois semaines, elle le devinait près de son père se consolant mutuellement. Adéline revoit les yeux affectueux de son bien-aimé pour sa mère, le soir de l'anniversaire de mariage des Champagne et ressentait l'ampleur de la tragédie. Quel grand vide il doit éprouver! Elle voudrait que le temps se presse, qu'il soit déjà vendredi soir, mais hélas, il lui reste deux longs jours avant de se rendre à son chevet. Elle réussit à fermer l'oeil au petit matin, et ses élèves la retrouvent les yeux bouffis par la peine.

Dès l'arrivée de son père, Adéline se jette dans ses bras et lui déverse son torrent de confidences humides. Alfred Lussier prend le temps de l'écouter et se tait. Il ne peut lui en apprendre davantage, personne n'est venu chez lui. Il comprend difficilement le silence de Laurier mais se garde de répandre son doute qui s'appesantit chaque jour. Sa fille souffrira bien assez tôt.

À la maison, Albertine, sa mère, lui essuie le visage. Ses gestes nerveux font plus de mal que de bien à sa fille préoccupée et très pâle.

– Vous allez venir me reconduire chez Laurier, papa?

– Maintenant?

– Tout de suite.

– Ce n'est pas raisonnable, Adéline. Ton père ira après souper. Ils doivent préférer être seuls. La police, les enquêteurs les ont visités toute la journée, c'est évident. Imagine comme ils doivent être épuisés.

– Raison de plus, maman. Mangeons tout de suite.

– Ta mère parle avec sagesse, Adéline. Nous irons plus tard.

Adéline se résigne et mange du bout des lèvres. Sa hâte de revoir Laurier est palpable. Elle attend déjà son père assise dans la voiture, tandis qu'il mange encore. Le couple envahit par une grande tristesse se regarde, sans mot dire, et hoche la tête. Il ne faudrait pas assister à une autre déception amoureuse. Cette fois elle ne s'en remettrait pas.

Albertine prie de toute son âme, en les surveillant disparaître à travers la fenêtre de la porte. Longtemps, elle restera dans cette position, à implorer le ciel de protéger sa petite fille.

En route, le silence les accompagne. Emmurés dans leurs pensées, ils se transmettent les mêmes courants pathétiques anticipés. Adéline esquisse un plan quand elle sera près d'eux. Alfred impuissant attendra sa fille le temps nécessaire. Elle se tient le ventre, ses boyaux se tordent entre eux. Elle déteste cette inconfortable position; selon elle, toujours précurseur de drame ou de situation pénible.

La maison est en vue, mais... il n'y a plus de maison. Seulement un long couloir de longs arbres au centre vide. Ils frissonnent. Immobilisés devant la longue entrée, ils se demandent quoi faire. Personne ne bouge autour des bâtiments. Adéline grelotte.

– C'est incroyable! Je n'ai jamais vu de choses semblables.

– Il faut le voir pour le croire, papa.

– Qu'est-ce qu'on fait?

– Tiens, regarde... un homme.

En effet, quelqu'un sortait de nulle part et marchait les décombres.

– On y va.

Alfred guide la bête qui s'engage dans la grande allée ombragée. Le soir opaque amplifie la désolation du sinistre. Seul le pas du cheval frappant le sol diminue le silence lourd qui s'amplifie à mesure qu'ils approchent. Le brasier éteint fumant encore accentue l'anéantissement ambiant. Sous les décombres, ils devinent la présence d'Eugénie morte brûlée et imaginent les pompiers sortant ses restes du désastre, sous les yeux horrifiés des siens.

Alfred tend les cordeaux et l'animal cesse son pas, ils descendent de voiture. L'homme vêtu d'une salopette orange les rejoint.

Un inspecteur, songe Adéline intuitive.

Figés par cette vision terrifiante, ils analysent l'ampleur du drame. Eugénie plane partout sur sa maison déconfite, Adéline la sent. Elle se frictionne les bras de ses mains gantées.

Le vent rageur tourbillonne sur les débris pour raviver les cendres. On entend craquer certains tisons mourants et une partie de mur tombe sur le nid et le recouvre. Tout est consumé. Dans un silence lourd, ils font une fervente prière pour le repos de l'âme de cette femme.

– Vous désirez quelque chose, monsieur?

– Nous voulons rencontrer les occupants, nous sommes des amis.

– Vous aurez des informations chez le deuxième voisin; Paul, leur fils y demeure.

Adéline regarde son père et s'enfile à la course sur son siège.

– Merci monsieur. Vous avez trouvé des indices?

– Nous constatons, c'est tout.

– Au revoir.

Le coeur meurtri, ils vont offrir aux Lanteigne le réconfort dont ils sont remplis. L'émotion étreint la gorge d'Adéline.

La maison de Paul encombrée de voitures les incommode. Alfred se sent gêné de sa démarche. Adéline trouve que le cheval flâne lamentablement. Elle se meurt de courir vers Laurier et le consoler.

Deux jeunes enfants, insensibles à l'événement qui se déroule autour d'eux, s'amusent à grimper et descendre de chaque voiture garée près de la maison. Adéline les interrompt.

– Ton papa s'appelle Paul Lanteigne?

– Oui.

– Il est chez toi?

– Oui. Avec grand-papa qui pleure. Grand-maman est morte dans le feu.

– Je sais. Merci jeune demoiselle. Faites attention de vous faire mal, hein!

– Oui madame. Maman nous a avertis.

Adéline se presse. Son poing énerve le bruit sur la porte. Une dame, le visage ravagé par la peine, leur ouvre.

– Madame Lanteigne? Adéline Lussier.

La dame hésite un moment et les invite à entrer. La souffrance se coupe au couteau et marque tous les regards. Adéline fait le tour des gens et constate désolée que Laurier est absent. Elle s'élance vers Hilaire Lanteigne, le seul qu'elle reconnaît et l'étreint dans ses bras. L'homme effondré sanglotte comme un enfant. Longtemps, il se laisse bercer par cet accueil chaleureux. Ses larmes un moment taries, il la regarde et explique.

– Adéline. Ma pauvre Adéline.

Adéline ignore le sens de cette expression. Elle lui sourit faiblement. Un flot incessant de larmes entrecoupé de sanglots sillonne le visage blafard du vieil homme anéanti. Deux larmes se tiennent en équilibre au bas de chaque joue. Hilaire Lanteigne est effondré, assommé par le mauvais sort qui lui déchire les entrailles.

– Eugénie est morte, Adéline! J'ai perdu ma femme dans le feu. Mon Eugénie a brûlé vive.

– Je sais, Monsieur Lanteigne, je sais. C'est affreux être éprouvé de même.

Le vieil homme courbé explique de mieux en mieux l'événement, à mesure qu'il reprend son courage. Adéline se retient de lui poser la question qui lui brûle les tempes.

– Je ne vois pas Laurier.

– Il est absent, ma pauvre fille.

– Absent!

L'homme lui prend tendrement les mains, ce double désappointement la touchera droit au coeur. Il pose un regard paternel sur elle et explique. Mais les mots ne sortent pas, terrés qu'ils sont, à travers les souffrances qu'il endure.

– Il est parti.

– Parti!

– Il n'est pas revenu, n'a pas écrit et on ne sait pas où il est ni comment le rejoindre.

Adéline bouche bée sent son sang se figer d'étonnement dans ses veines. Elle l'implore des yeux de continuer son récit.

– Il est parti depuis trois semaines pour Ottawa et devait nous écrire, dès qu'il serait installé en Argentine.

– Ar..gen..ti..ne!

Adéline tombe des nues. Son père nerveux, debout près d'elle, tourne indéfiniment son chapeau entre ses doigts et se tait.

– Le ministère des Affaires extérieures à Ottawa ne vous a pas aidé?

– Paul est parti en ville à ce sujet mais je doute qu'il réussisse. L'Argentine c'est loin et il doit tout juste mettre les pieds à terre, en ce moment.

Tout de même... trois semaines! songe Adéline perplexe.

Le vieil homme sent les mains d'Adéline se dérober des siennes. Il lit la vive déception écrite sur son visage. Il tente une réponse.

– Nous lui avons parlé de toi le jour de son départ, mais il préférait suivre sa décision. Il disait qu'il t'écrirait et que tout serait clarifié.

La retenue d'Adéline cède. Le flot de larmes inonde ses yeux. Elle tombe dans les bras de l'homme assis et pleure. Pleure sa déception, pleure ses espoirs détruits, pleure la sensation d'avoir été trahie, pleure les larmes de ce vieil homme qu'elle aime si tendrement, pleure de regrets et de compassion. Autour d'elle le vide s'est fait, ils ne sont plus que trois. Son père la relève doucement, ému et décontenancé. Son père! Il est là, elle l'avait oublié.

– Viens-t-en Prunelle.

Adéline sent le bras paternel lui ceinturer tendrement les épaules. Elle accepte. Sa tête sur sa large épaule, comme elle avait fait pour Laurier pendant une autre belle nuit d'extase, elle se laisse consoler comme une petite fille, lourde d'un trop grand chagrin.

– Papa, je ne comprends vraiment pas.

– Il doit avoir de bonnes raisons. T'en a-t-il déjà soufflé un mot?

– Oui. Son oncle Francis lui a fait miroiter une belle carrière dans les Affaires extérieures.

– Tu ne l'as pas cru?

– J'ai mis cette histoire sur le compte de la rêverie.

– Ce pauvre garçon a pensé le contraire, figure-toi. J'aurais fait la même chose à sa place.

Une traînée de brume passe devant le regard d'Adéline, sa pensée se voile d'inquiétude.

– Vous pensez?

– J'en suis certain. C'était une chance inespérée.

L'ossature d'Adéline se redresse sur son siège. Elle se met martel en tête. Si son père disait vrai.

– On ne quitte pas quelqu'un sans l'avertir, c'est impensable, papa.

Mille et une idées torpillent le cerveau d'Alfred. Séparer des jeunes tourtereaux est toujours pénible.

– Si son geste voulait t'éviter des peines inutiles.

Adéline tourne et retourne l'interrogation de son père, il jaillira peut-être une certaine vérité. Un arsenal de sentiments divers traversent son coeur. De la droiture au mensonge, de la bravoure à la lâcheté, tout s'entremêle.

– J'ai du mal à y croire papa. Ce mystère me blesse davantage.

– Attends. Dans quelques semaines, tu auras tes réponses. Tu es si pressée. Tu vois, même son père n'a pu le rejoindre pour l'enterrement de sa propre mère. Alors...

– Vous avez raison.

Adéline regarde son père attendrie. Lui seul sait redorer ses sombres pensées.

– Nous irons le revoir, si tu veux.

– Nous nous rendrons chez Hilaire Lanteigne, autant de fois que tu le désires. Puis, ta mère lui cuisinera de bonnes croquignoles et nous les lui apporterons. Là. Es-tu satisfaite?

Adéline serre tendrement le bras de son père et s'y blottit. Le soleil affectueux dans le coeur de son paternel tentait une faible percée. Alfred Lussier, lui, se rembrunit.

Un moment douloureux intense s'est incrusté dans leur mémoire.

Le voyage cérébral d'Adéline se termine sur le tintement sonore de son gendarme du temps, pendu au mur, qui lui indique le moment de quitter ce triste souvenir et de se rendre chez les Montpellier. Elle vérifie tout, verrouille les entrées, attache le chandail vert de bas en haut, se couvre chaudement et part à la poursuite de la neige folichonne qui la harcèle de toute part. Elle sourit, glisse ses pieds sous la neige de la route, examine ses traces derrière elle comme une gamine enjouée et continue son chemin; les Montpellier surveillent son retour.

– Enfin te voilà! Je pensais aller te rejoindre.

– Harold! Que tu es plein de bonnes intentions! Je suis fa..ti..guée!

Adéline se secoue essoufflée. Ses joues rougies par le vent lui donne des airs de bonne santé. Ses cils et ses sourcils gelés sont remplis de givre et lui donne des airs de vieille bonne femme.

– Ah! ah! ah! rigole Firmin en la pointant du doigt.

Adéline l'imite enjouée. Elle se rend au miroir examiner sa mimique. Elle se sent pleine d'énergie et heureuse d'avoir vaincu les forces de la nature.

– Ah! que c'est bon!

– Si tu le désires nous irons jouer dehors, après souper.

– C'est bon, mais suffisant pour aujourd'hui, Harold. Je ne sors plus!

– Approchez, nous vous attendions pour souper, Adéline. Votre père a pris une bonne décision en restant chez lui.

– Je dois l'admettre Madame Montpellier. Il fait un temps horrible!

Les Montpellier discourent sur leur quotidien et Adéline tombe de fatigue. Elle se retire et dépose son corps entre les draps douillets recherchés. La route de ses réflexions se parsème de souvenirs et d'images colorées faisant allusion à la neige et ses péripéties de jeunesse. Les Lussier surgissent tantôt souriants, nerveux, inquiets, rigolos, amusés selon les circonstances et Adéline se surprend à rire toute seule. Puis d'autres réminiscences refont surface. L'une d'elles capte sa méditation. Un souvenir lamentable dont certaines bribes lui ont été racontées, revit en images. Un feu, des flammes, une femme qui brûle, une église, du monde partout.

C'était un lundi matin de fin de novembre.

La paroisse voisine entière rendait un hommage respectueux à Eugénie Lanteigne. Le curé donna un vibrant témoignage sur sa vie exemplaire, Ursule toussota.

– La Lanteigne ne grincera plus des dents, Berthold. Ça c'est certain! chuchota la critiqueuse à son mari renfermé.

Les Montpellier ont tenu à assister aux funérailles.

– On ira pour toi, Adéline, suggéra Ursule en songeant qu'Adéline ne pouvait s'absenter de son école.

Cette absence procura à Ursule Montpellier une certaine fierté, saupoudrée de malveillance. Elle sera, d'ailleurs, flanquée d'Harold et de Berthold dans le banc d'église.

Personne n'aura à redire, se disait-elle satisfaite. Les Montpellier seront présents et Adéline Lussier absente!

Pour Eugénie, la femme d'Hilaire Lanteigne, c'était différent. Eugénie venait d'une race respectable. Son association avec cet Hilaire de malheur s'acceptait en quelque sorte. L'amour ne cherche pas de midi à quatorze heures, des raisons d'exister, médite encore la grande Ursule.

Albertine Lussier avait tenu à passer la journée à l'école de sa fille pour la soutenir. Assise dans la cuisinette, la porte refermée sur elle, la mère écoutait pour la première fois Adéline enseigner et découvrait comment elle fait preuve de professionnalisme. Cette expérience la rendit heureuse à l'extrême. Elle la suivait en pensées qui exécutait d'une main de maître, le boulot tracé pour faire progresser ces enfants travailleurs, obéissants et attentifs. Elle constatait combien il est facile de transmettre les connaissances lorsqu'on les possède comme son Adéline, si douée pour conduire des petits.

La jeune femme avait voyagé entre sa classe et l'église, le temps du service funéraire et se sentait très lasse. Elle parcourut l'Argentine à la recherche de son Laurier et le retrouva. Elle lui appris la mort de sa mère et le consola de son amour. Il manifesta tant de regrets qu'il revint dans son pays.

– C'était une idée farfelue! Trop folle! ne cessait-il de lui répéter.

Puis, ses marmots scolaires imposèrent la dure et implacable réalité. Laurier était parti. Parti sans la prévenir, sans s'expliquer. Elle avait pris pour une réalité sa conversation chez cet oncle Francis. À son réveil, il avait continué à édifier des bases pour leur future union, mais elles avaient été faussées par une raison qu'elle ignore.

– C'était trop beau pour être vrai! soupira-t-elle à haute voix, oubliant qu'elle était devant des enfants.

– Firmin pas compris, Mamzelle.

Adéline se ressaisit et lui sourit tristement.

– Moi, non plus Firmin. Moi non plus!

– Trop beau pour être vrai! soupire Adéline en prenant son oreiller comme un toutou pour s'endormir.

Elle ferme les yeux et se laisse bercer par le vent remplissant son sommeil de bruits de fond lancinants et berceurs et s'endort profondément.

Chapitre 11

Janvier.

En hiver au pays, c'est parfois l'enfer.

Le froid mordant, la neige folle qui s'amoncelle, les grands vents du nord contribuent à isoler le monde. Chacun se terre en lui et attend, comme l'ours, que passe l'inévitable saison blanche.

Adéline, blottie dans son cocon de brume et d'aigreur devant la brutale réalité de la vie, son esprit arrêté sur le crépuscule du mois qui se meurt, analyse son année scolaire, un certain contentement au coeur et se prépare à jeter la page accomplie, aux flammes affamées de son gros poêle à bois. Ses enfants se transforment et s'améliorent. Même Firmin fait des progrès. Ce garçon au coeur si limpide porte en lui un joyau de bonté. Le geste sur la main, il court au devant de tous et chacun dans le but de les aider. Les regards enfantins se sont transformés à son sujet. Ils l'apprécient et rient à gorge déployée de ses erreurs et ses pitreries sans malice. Le monde du *Plateau Doré* est heureux d'avoir une perle auprès de leurs enfants. Ils se consultent pour demander aux commissaires, son retour l'an prochain.

Les fêtes de Noël se sont déroulées, assez bien, malgré les appréhensions d'Adéline. Deux semaines chez elle en compagnie de ses parents lui ont redonné le courage de continuer. Harold l'a invitée au réveillon mais elle a refusé prétextant une vilaine grippe, ce qui n'était pas entièrement faux, le jeune homme est retourné bredouille. Adéline s'enveloppe dans sa chaude couverture de laine pure, se berce et ressasse son vécu pendant des heures.

– Tu devrais sortir prendre l'air.

– Maman, je respire le vent du large, soir et matin dans ce coin de pays. Laissez-moi goûter la bonne chaleur de votre poêle. Il vente tellement là-bas.

– Sur le bord du fleuve, le vent à de quoi courir, ma fille.

– Le vent, puis la neige, puis les rafales... Quand il fait beau ici, il tempête là-bas. Je n'ai jamais vu pareil climat. Vous devriez voir les tempêtes. C'est aberrant!

– Te rendre à pied, seule, au fond de cette cuvette, chez les Montpellier, tu n'as pas peur de te perdre en route?

– J'aurais besoin que le ciel me tombe dessus, maman. Je m'emmitoufle d'un bout à l'autre, je me cache le visage, même les yeux parfois, et je fixe les maisons, de temps à autre, à mesure que je les aperçois. Le premier voisin, ce sont les Dubois à droite, puis la bergerie à gauche et ensuite la maison Montpellier, encore à droite. Me voilà rendue.

– Tu mets combien de temps à faire le trajet?

– Vingt minutes en flânant.

– S'il faisait mauvais, au point de ne plus voir ni ciel ni terre.

– Je resterais à l'école et je me coucherais tout habillée. Les Montpellier sont avertis.

– Tu me rassures.

Adéline compte les semaines d'absence de Laurier. Dix semaines. Dix longues semaines sans nouvelles ni de lui ni de son père. Elle est allée voir Hilaire Lanteigne pendant ses vacances de Noël en compagnie de son vénérable Alfred.

Le pauvre homme avait fondu, il était devenu l'ombre de lui-même. Son visage était traversé par deux sillons sur chaque joue creusés par la peine. Toute trace d'aigreur ou de méchanceté avait disparu en lui. Seule la douleur de l'absence de son Eugénie suintait dans chaque pore de sa peau. De Laurier, il refusa de parler. Un ingrat, un enfant tombé sur la cervelle par les folies chimériques de son oncle. Adéline n'en su pas davantage.

– Je commence à penser comme lui, papa, affirme Adéline à son père, tous deux creusés dans la belle carriole noire et rouge faisant une tache dans la campagne blanche, ensoleillée par un astre timide.

Alfred songeur ruminait ses idées. S'il lui était arrivé malheur. Ces choses se produisent fréquemment. Il évita de les communiquer à son Adéline. Amplifier sa déception et ses inquiétudes était inutile.

Adéline pensive, ressassait ses rencontres avec Laurier et cherchait quelques moments signifiants, lui prouvant des écarts de lucidité et n'en trouvait aucun. Une conversation refit surface. *La chambre*. Un jour, elle avait osé lui poser des questions sur le sujet et il avait hésité, se montrant agressif et évasif. Adéline changea de cap et tout redevint normal. N'en-pêche que ce moment remonte souvent en surface, comme un instant crucial de leurs fréquentations; elle se demande pourquoi.

174

Subissant son absence et son silence inexpliqués, blessée, elle continue de vivre, en a-t-elle le choix? Ses parents désolés ont perdu espoir et prient le Seigneur intensément, chaque dimanche. Leur fille glisse la pente vers le célibat irrémédiable. Ils devront se faire à l'idée qu'ils auront une vieille fille à la maison! Une vieille fille qui prendra soin d'eux, et veillera sur leur bien-être.

– La vie a du bon, malgré tout, Albertine.

– Cesse de penser de même, Alfred! Vieux snoreau! Cela pourrait arriver.

Son mari vieillissant fit éclater son rire si vibrant et communicatif qu'il se propagea dans la maison et la réchauffa. L'absence d'espoir s'était fait sentir douloureusement. Songer à haute voix avait du bon. Alfred ouvrit son sac à tabac et tira une bonne pipée.

* * * * *

Adéline pointe le crayon sur les chiffres du calendrier. Seulement cinq avant de tourner la page. Le chandail vert de Simon sur ses épaules – il n'est pas venu le chercher et elle a oublié de le lui rendre –, elle prépare le bulletin de fin de mois.

Tu te mens, Adéline Lussier, crie sa petite voix. Tu aimes ce chandail. Avoue-le.

Adéline sourit. Oui, elle aime ce chandail. Elle le porte dans le silence pour couvrir et réchauffer sa solitude. La présence de Simon lui serait salutaire en ce moment. Lui confier ses tourments allégerait son coeur. Sa dernière visite remonte en décembre..., le jour même où Harold, lors d'une visite à son école, lui a fait remarquer qu'elle portait souvent le chandail du vicaire de la paroisse. Surprise, elle s'était jurée de ne plus se pavaner avec ce vêtement si particulier. Cependant, elle éprouve une étrange sensation quand elle revoit la figure cousue de mystères d'Harold, à ce sujet.

Cher Harold. Il colle comme de la mélasse en janvier, se dit-elle, son crayon silencieux. Il croit que j'ai besoin de lui et ne veut rien comprendre. Il insiste tant que je songe à changer de pension l'an prochain. Il est bon garçon, étrange sur les bords, mais je n'éprouve aucun sentiment pour lui. Leurs histoires de queues de mouton pleines de sous entendus me fait tomber de ma chaise. Ils sont si mystérieux, lui et sa mère, que je m'y perds. Je préfère les laisser aller sur la route de leurs chimères que de perdre mon temps. Firmin ignore leurs intrigues. Le cher frère s'ouvrirait la trappe et ils veulent éviter cette éventualité.

De toute façon, se dit-elle ironique, refaisant courir le crayon sur les lignes à corriger, compter des queues de moutons ne fait de mal à personne.

Elle vient, sans le savoir, de découvrir un grand secret.

Un bruit dans le hangar attenant à sa petite école la saisit, elle tend l'oreille. Rien de dangereux, songe-t-elle. Un morceau de bois aura tombé de la corde. Il vente si fort. À ces mots, elle s'approche de la fenêtre sombre endimanchée de dentelle blanche et réalise que la tempête s'est élevée à son insu, plus forte et plus enragée que d'habitude. Elle frissonne et se pose mille questions.

Il est déjà neuf heures. Je serai en retard pour écouter mon programme à la radio. Je pense que je vais coucher ici. C'est dangereux de prendre la route toute seule. Si Harold venait à ma rencontre, je l'apprécierais, mais il se présente toujours au mauvais moment ou quand je n'ai pas besoin de ses services. Ensuite il se plaint que je préfère Firmin. C'est ridicule. Complètement ridicule!

La maisonnette scolaire craque de partout. Adéline écoute ses plaintes un moment, perdue dans son monde mélangé de désirs frustrés, de rêves démolis ou piétinés, d'instants de délices, de minutes de joies intenses, de communions intimes grandioses. Ce bouquet de pensées aux multiples couleurs cueillies sur sa route fait d'elle une femme unique en son genre. Unique mais malheureuse.

Si elle était attentive à ce qui se passe autour d'elle, Adéline frissonnerait d'horreur. Dans le hangar, un homme attend, l'attend. Il a songé à ce moment tant et tant de fois, que sa cocologie en est usée. Il doit s'exécuter ou tout oublier. Il désire cette femme depuis si longtemps, qu'il en devient fou. La première fois qu'il l'a aperçue, tous les pores de sa peau ont hurlé de désir. Elle ne le prend pas au sérieux et c'est dommage. Un jour, il s'est fait le serment qu'elle sera sienne et aucun autre homme ne lui touchera. Depuis tant de jours qu'il rêve de la posséder, que ses sens grillent à petit feu. C'est elle qu'il a choisie. Le destin doit maintenant s'accomplir. Il a étudié diverses avenues, et son plan, mis au point depuis des nuits et des nuits, fonctionnera à merveille. Il fallait attendre le moment propice. Il la prendrait pendant une tempête... énorme, gigantesque. Les prouesses de la nature le fouette chaque fois. Un besoin intense de se mesurer à elle s'empare alors de lui et l'attise. Vaincre Adéline c'est être grand! Comme le vent qui hurle et la bourrasque qui s'acharne.

Encore quelques minutes et le tour sera joué. Un sourire dément remplit son silence; il se sent heureux.

* * * * *

Dans la bergerie, Firmin achève son travail. Les bêtes gloutonnes mangent le bon foin. Il s'amuse à les examiner, un agneau dans ses bras. Harold est parti en disant:

– Je m'en vais à la maison, j'ai oublié quelque chose.

Le soir tombe sur les Montpellier plongés dans le tourbillon de leur quotidien. Dehors la tempête s'éclate à grandes secousses. À plat ventre sur le sol, elle sculpte la neige et invente de nouveaux monticules laiteux; elle s'amuse à gribouiller la terre dans une danse folle et insensée. Ursule pensive s'enfonce dans son monde garni de multiples gestes anodins. Elle aime la neige en furie, bien enrobée dans sa cuisine, de chaleur ambiante. Sa maison s'agite sous les gifles du blizzard endiablé, elle hurle ses plaintes. Demain le monde d'Ursule sera vêtu d'un blanc immaculé partout où elle y mettra ses pupilles sombres.

– Tu as vu, Harold! C'est grandiose! Cette fois, personne ne sera épargné.

Harold, retient sa bouchée de pain dans sa bouche et dévie ses pensées vers les affirmations de sa mère, captivé par la fenêtre complètement recouverte de neige.

– Firmin n'est pas encore de retour.

– Il n'avait pas terminé son ouvrage.

– Espérons que ton père passera à travers. Il commence à se faire tard.

Ursule brasse les tisons et remet un morceau de bois dans le poêle.

– Adéline n'arrive pas, non plus. Tout le monde est en retard, aujourd'hui.

– Papa va peut-être rester au village chez mon oncle Henri.

– Ce serait une bonne idée. Tu le connais. Orgueilleux comme il est, ton père est capable de se mettre dans le péril.

– J'espère que le monde va le raisonner. J'ai rarement vu un temps pareil.

– Tu t'en vas?

– Je dois aller surveiller une brebis qui va avoir un petit. Je reviendrai quand le danger sera écarté.

– Peut-être que tu devrais aller à la rencontre d'Adéline.

– Elle a averti Firmin cet après-midi qu'elle couchera probablement à l'école.

– C'est dangereux. L'école est si peu isolée. Il ne faudrait pas qu'elle tombe malade. On serait peut-être blâmé.

– Ne vous inquiétez pas d'elle. Adéline est une femme forte.

Harold s'habille très confortablement. Il met tant de vêtements qu'Ursule s'interroge. Puis elle se dit que son fils faisait preuve de sagesse et lui sourit complaisante.

Firmin, de retour à la maison, explique l'effort déployé pour rentrer.

– Firmin... emporté par le vent. Firmin... étouffé.

* * * * *

Adéline replace la pile de cahiers au coin droit de son grand bureau, puis se rend à l'arrière de sa classe, ordonner le reste des travaux laissés par les élèves sur la table. Chaque division reprend sa place. Les grands cahiers derrière, les petits devant. Elle vérifie les fenêtres et s'assure que le poêle soit rempli de bois. Dans le corridor, un foulard est resté accroché.

Le beau Vincent! Il oublie tout.

Elle examine l'épaisseur de son manteau sur son crochet, ses bottes et se demande si elle ne devrait pas braver la tempête. Son lit chez les Montpellier est si douillet. Des intempéries, elle en a vu bien d'autres.

Pas comme celle-ci, lui répond sa cervelle.

Adéline pénètre dans sa cuisinette et lisse les couvertures froides de son petit lit. Je devrais les réchauffer dans le fourneau.

La lumière s'éteint.

– Oh, oh! Dieu qu'il fait noir! Je ne vois rien.

À tâtons, elle revient près du poêle, songeuse, se penche et entrevoit une faible lueur à travers les fentes de la porte en fonte.

Devrais-je me coucher si tôt! J'ai oublié les chandelles. À moins qu'il y en ait quelque part. Elle referme bien les pans de son chandail vert. Adéline ouvre une porte d'armoire en coin près de l'escalier et cherche.

Derrière elle, un homme s'approche à pas de tortues, le visage recouvert par un foulard, le coeur au paroxysme de l'excitement. Il l'empoigne et lui met une main sur la bouche pour l'empêcher de crier. Adéline se débat, en bute à un effroi grandissant. Il tente de l'embrasser mais elle se dérobe.

– Allons! Qui êtes-vous? Laissez-moi, lâchez-moi!

L'homme la traîne vers le lit, mais elle s'accroche au cadre de la porte et lutte. Adéline sent le souffle court et saccadé de l'homme ignoble qui impose sa bouche partout en émettant des grognements bestiaux. Elle cède une main pour se protéger, il en profite.

– Non! Non! Allez-vous-en!

L'homme réussit à l'allonger sur le lit, elle se débat de toute son âme en le giflant partout, lui assenant des coups de poing et lui tirant les cheveux courts. L'homme lui tient les bras solidement et lui lèche le cou tandis qu'elle hurle en niant, pendant que son visage grimace de haine et d'impuissance. Ses larmes coulent de rage.

Adéline essaie d'identifier son agresseur sans y parvenir. Seul, son râle de mâle en rut remplit la pièce exiguë. Que faire? Il pue! Adéline se frétille avec l'énergie du désespoir.

L'homme lui déchire la chemise, goûte son sein et lui mord. Elle hurle de douleur. Il empoigne ses jupes et cherche à trouver l'objet de son exaltation. Adéline, ses poings en action, tente de s'esquiver par un élan désespéré de ses jambes et ses pieds qu'elle accroche sur le bord du lit. La bête humaine lui retient les membres inférieurs et s'affaire, le souffle haletant. Elle entend un grognement dément. Adéline sent l'homme en elle qui la déchire et lui fait mal, elle veut vomir. Désespérée, elle cherche de ses bras un objet quelconque et attrape son réveil-matin, puis lui en assène un coup sur le crâne.

– Aie! crie l'homme.

Adéline cherche à reconnaître la voix de cette *chose*, mais elle est si troublée qu'elle ne peut l'identifier. Sous le coup la prise bestiale cède son emprise, Adéline se dégage, enjambe le corps ramolli qui tombe sur le petit tapis tressé près de son lit, faillit tomber, court vers la porte de l'école et l'ouvre. Dehors, le vent hurle sa colère dans la nuit sombre et froide et lui gifle le visage. Pendant une seconde, elle hésite, mais l'idée de revoir l'homme derrière, l'électrise. Sans réfléchir, elle s'enfonce dans la nuit d'enfer. Adéline éperdue est soudain happée par la vélocité du vent qui la prend toute entière et lui fouette le visage. Doit-elle rebrousser chemin? Jamais! Plutôt mourir. Elle sent la neige s'infiltrer dans ses cheveux, ses pieds froids, de plus en plus froids dans ses bottillons qui s'enfoncent. Sa longue jupe de laine noire plissée l'épargne un moment du vent et se blanchit de neige. Tout en courant, elle se cache le visage de ses bras et cherche à travers ses enjambées à se maintenir debout. Elle referme le chandail vert de Simon qu'elle porte et sent ses mains refroidir. Elle analyse sa route et croit être sur la bonne voie. Bientôt son corps grelotte et s'engourdit. Ses larmes figent sur ses joues, elle les essuie et se ressaisit. Il ne faut pas pleurer. Derrière, l'homme doit la suivre.

Son coeur fond de tristesse. Un ouragan d'idées la transperce et l'emmêle. Incapable de regarder où elle va, Adéline essaie, malgré tout, de retracer son chemin. D'une main, elle tient son chandail refermé et de l'autre elle bat sa course affolée où elle tombe maintes fois, en regardant souvent derrière elle, pour voir si l'homme ne la rejoindrait pas. Le moment semble une éternité. Sa raison peuplée de cauchemars grotesques chevauche les émotions fortes de son coeur en déroute. En elle la tempête fait rage autant qu'à l'extérieur.

Où suis-je?

Elle devrait être maintenant chez les Dupuis. Transie, elle ne sent plus son être frigorifié ni ses pieds qui chancellent. Point de maison en vue ni âme qui vive.

Où suis-je? Vais-je mourir toute seule dans cet enfer frigorifié?

Adéline redouble d'ardeur et s'efforce de remettre son esprit au ralenti. Elle tourne le dos à la tempête et fait face à son école disparue dans la blancheur de la nuit noire. Pas d'homme en vue, elle respire un peu.

– À l'aide.

Le vent enterre ses cris à mesure qu'ils naissent. Des larmes incessantes se mêlent à la neige collée sur ses joues mouillées. Adéline se parle, combat la panique en elle, implore le ciel et la terre entière.

– Dieu. Oh Dieu! Venez à mon aide! Papa. Maman. Oh! maman. Venez à mon secours! Je vous en prie! Simon...

Adéline tombe et se redresse maintes fois, ses bras un peu plus gelés chaque fois. Elle ne sent plus ses mains nues.

– Je suis perdue. Simon, entends-tu ma prière? Viens à mon secours.

Il le faut! Tu dois venir me chercher. Je vais mourir. Je suis égarée. Je ne vois rien. J'ai mal. Que vais-je devenir?

Adéline exténuée a dépassé les Dubois devenus des fantômes engouffrés dans la fureur de la tourmente. Elle n'entend plus que le sifflement glacial s'abattant sur elle. Bientôt, ses jambes gelées, se dérobent sous elle. Elle se relève difficilement. La fatigue s'amplifie. Ses mains congelées cèdent à toute sensibilité. Tout est confus.

Si un médecin la suivait, il verrait ses pupilles se dilater, son corps grelotter par intervalles, son souffle raccourcir, ses idées s'emmêler, se déshydrater lentement ce qui accélère l'hypothermie, ses extrémités se refroidir, ses veines et ses artères se rétrécir sous l'action du froid, la peau de ses membres bleuir, ses paupières s'alourdir, son tronc emmagasiner l'énergie et la chaleur diminuer.

L'hypothalamus, le réseau central du cerveau qui régularise la température du corps réagit à la moindre température, aussi minime que 0.5 Celsius de variation, enregistrée par le système nerveux de la peau et transmet le message au sang.

La température optimale permettant les réactions chimiques essentielles au corps humain se situe à 98.6 degrés Fahrenheit. Au-dessus de 105 F. les enzymes corporelles se dénaturent entraînant des complications variées qui peuvent mener à la mort. Sous 98.6 F., les réactions chimiques diminuent lentement créant aussi diverses complications pouvant causer la mort. Les organes internes principalement le coeur, les poumons et le cerveau sont touchés ainsi que la peau et les tissus musculaires. La température interne du corps est plus essentielle que celle en périphérie. Les vaisseaux sanguins augmentent leur activité jusqu'à 3000 ml/minute quand la normalité se situe entre 300-500 ml/minute.

Puis la vasodilatation se concentre vers le centre du corps, décline en périphérie et refroidit les extrémités. Cette contraction atteint parfois à peine 30 ml/minute aux extrémités du corps dans une longue exposition au froid. Les artères étant rétrécies, le sang se retire et le glucose musculaire se transforme en cristaux; c'est très grave. Voilà des signes irrémédiables d'engelures importantes.

* * * * *

Adéline ploie sous ses jambes, elle titube. Elle grelotte par intervalle. L'enfer du froid est insoutenable. Ses forces diminuent à mesure qu'elle les décuple.

– Au secours. Je suis perdue!

Elle s'arrête à nouveau et examine intensément les environs à la recherche de repaire, mais tout est ténèbres profonds. Adéline songe à cet homme dans son école qui l'a jeté dehors et le hait. Qui cela peut-il être? Elle cherche dans son combat, des indices la menant un nom, un visage. Le mystère total l'embrouille davantage. Elle avance face à l'ogre hivernal, la seule certitude dont elle se souvienne. Tout est flou en elle. Cette découverte la terrifie. Elle a l'impression d'avancer et de reculer, tout à la fois. Ses dents claquent dans sa bouche, incapable de les arrêter. La peur gruge son cerveau et la terrifie. L'idée de se dévêtir l'assaille. Elle veut détacher les boutons de son chandail de laine verte et ne le peut plus.

– Où suis-je? Vais-je mourir ici, seule dans la nuit?

Elle cherche ses mots, donne l'impression d'avoir la bouche pâteuse et se sent ivre. Ivre de froid. Cette fausse sensation d'ivresse la rassure mais sa pensée n'en saisit pas le sens véritable. Ses jambes ne répondent plus. Ses forces diminuent à chaque effort soutenu. Sa tête sombre dans des brumes inconnues. Toujours ce vent la fouette sans merci. Elle meurt de froid. Une sensation intolérable jamais ressentie auparavant. Elle le sent descendre au fond des entrailles d'un gour- mand insatiable. Adéline s'invente des moments de chaleur intense en été ou près de son gros poêle en fonte de son école pour contrer cet horrible froid. Son père lui a déjà dit que s'enfoncer dans la neige nous empêche de mourir gelé. Si elle avait revêtu son manteau, des bottes, son chapeau, et ses grosses mitaines si chaudes, elle n'en serait pas là. Heureusement qu'elle a mis ses gros bas pure laine tricotés par sa mère à Noël. Adéline avait trouvé un peu ridicule ce geste maternel. Franchement elle n'était plus un enfant. Ce soir, elle bénit le ciel de bénéficier de l'intuition maternelle. Au début, elle n'osait les enfiler, de peur d'alimenter les quolibets. Puis elle avait songé à sa fierté déplacée, puisqu'aucun élève ne le remarquerait. Les pieds au chaud, elle se sentait enjouée pour enseigner.

– Ma... man. papa..., clame un mince filet de voix éteinte sur des mots brouillés de sons bizarres.

À demi-consciente, elle ouvre ses bras et danse comme une folle qu'elle devient peut-être. Elle manque d'air dans cet océan de souffle versatile. Endormie par le froid Adéline tombe exténuée, recroquevillée comme un foetus sur elle-même, dans le lit blanc de la nuit pour mourir.

La maîtresse d'école est à deux pas de la bergerie.

* * * * *

Dix heures trente du soir, Harold entre chez lui. Sa mère le trouve bouleversé.

– Tu parles d'une bordée!

– C'est la pire que j'ai connue.

Firmin le regarde intensément. On dirait qu'il lit en lui. Harold perturbé l'interpelle.

– T'es pas encore couché, toi?

– Firmin attend papa.

– Papa arrivera seulement demain. Va te coucher.

– Firmin attend Mamzelle.

Harold donne un coup de pied à une patte de table.

– Ne l'attends pas, elle t'a dit qu'elle couchait à l'école.

– Mouton pas de bébé, hein?

Ursule relève le regard intriguée. Comment peut-il savoir, Firmin est resté avec moi toute la soirée? Si c'est vrai. Qu'a fait Harold à la bergerie pendant tout ce temps?

– Non. La brebis est morte. Le bébé ne voulait pas sortir. J'ai mis la queue à sécher dans le portique de la bergerie.

Firmin plisse les yeux pour penser profondément. Harold s'inquiète. Tout peut arriver avec lui. Une question embêtante et tout s'écroule. S'il s'avisait de demander où est la brebis.

– Va te coucher Firmin, tu es fatigué.

Ursule intriguée examine son fils aîné à la dérobée et s'interroge l'espace d'un éclair mais repousse sa ténébreuse suspicion. Pourtant une marque rouge est visible dans son cou et une égratignure traverse une de ses tempes.

Incommodé par l'insistance du regard maternel, Harold se dirige à la salle de bain. Il s'empresse de faire disparaître les quelques gouttes de sang séché sur sa joue se lave les mains et revient.

– Harold. Tu t'es fait mal?

– La brebis m'a donné du fil à retordre.

– Ah, bon!

Soulagée, Ursule saupoudre de menues peccadilles verbales sur le silence avant d'aller dormir. Dehors, la fureur de l'hiver donne des signes de fatigue.

– Je pense que le vent tourne. La tempête achève.
Pourvu que le froid ne fasse pas des siennes tout de suite. Les
bancs de neige ne seront plus déplaçables.

– Ouais, fait Harold distrait.

– Bonne nuit, les enfants.

* * * * *

Seul dans son lit, Harold ressasse les récents événements. Il a crâné devant Firmin et sa mère, mais il n'arrive
plus à reprendre ses esprits. Tout a marché de travers. Son
plan est à l'eau. Il doit maintenant penser vite car demain
matin, il sera trop tard. Ses idées dans son oreiller, il ne cesse
de songer à Adéline seule et nue dans la nuit effrayante. Elle
va en mourir. À mesure que l'horloge clignote des yeux, et
avance le temps, il voit sa lâcheté couler en lui, claire comme
de l'eau de roches. Des images indélébiles se greffent dans son
ciboulot et amorcent leur incandescence. Il revoit son odyssée
perfide dans la chambre de la petite école.

Le regard parsemé d'étoiles en farandoles, étourdi un
moment par le coup de cadran qu'Adéline lui a assené sur la
boîte crânienne, Harold se lève en se tenant la tête; tout
tourne. Puis, soudain, il réalise où il se trouve et cherche
Adéline. Une coulée de vent froid s'infiltre par la porte
ouverte qui bat au vent. Il se rend près de la boîte électrique
et rétablit le courant. Le courant d'air froid entoure ses
jambes, son visage un instant à l'extérieur le fait frissonner
d'horreur. Il écoute à travers les éléments déchaînés de la nuit
noire un appel d'Adéline mais la plainte des arbres enrobe
tout. Il s'empresse de pousser la porte de l'école, laissée

ouverte par la fuite de la jeune fille et met le verrou. Il remarque qu'elle est sortie, sans se couvrir; son manteau et ses bottes sont toujours là, sur le crochet à l'attendre. Désappointé, il se prend le cerveau à deux mains et réfléchit à vive allure.

Pourvu qu'elle ne m'ait pas reconnue.

Harold ramasse la neige amoncelée dans le portique de l'école et assèche le plancher avec la vadrouille qui se tient là, tout près. Effacer toute trace de son passage est primordial. Puis, il ferme les trappes du poêle, tire la porte du hangar sur lui, se vêt chaudement, en referme solidement l'ouverture, toujours ganté qu'il est, afin de ne laisser aucune indice possible. La clôture solidifiée par lui le guide jusqu'à la bergerie et il se restaure un moment auprès de ses brebis endormies.

À la maison, il fignole une histoire que ni sa mère ni Firmin n'ira vérifier le lendemain matin. Les brebis mourraient sans que personne n'y prenne gare, sauf pour sa mère. Il racontera à qui veut l'entendre qu'il a échappé une brebis par le carreau à fumier, qu'il l'a poursuivie dans la tempête, elle s'est assommée, il l'a tuée dans la neige derrière le bâtiment, a ramassé la queue. La disparition de la carcasse de la bête est certes l'oeuvre des loups ou des renards fréquents dans la région. Il affirmera que la queue fut mise dans le portique et elle fut perdue par négligence, les jours suivants. Car, après tout, perdre une queue de mouton n'était pas la fin du monde.

Heureux de cette trouvaille, Harold s'endort profondément, il avait atteint son but. Morte ou vivante, il a été le premier homme dans la vie d'Adéline, le seul à la prendre tout entière. Cela lui parut une victoire sans précédent. Le reste, il s'en foutait éperdument. La nuit lui déroulera des manières de s'en sortir, facilement, il n'était pas inquiet.

Harold passe une main sur sa tempe endolorie, et sourit. Malgré tout, Adéline lui avait laissé une caresse tangible. Il refoule dans les profondeurs de son subconscient, le goût amer qui lui monte à la gorge.

Dehors l'orgie du temps fait son oeuvre sur le corps d'Adéline enfoui dans la neige. Il insère l'engelure implacablement dans ses membres et son corps, tandis qu'elle descend lentement mais sûrement dans les limbes.

Chapitre 12

Firmin n'a pas sommeil. Il tourne et retourne dans son lit, sans savoir pourquoi. Le visage d'Adéline ne cesse de lui apparaître. Dans le noir, comme en pleine clarté, il voit sa maîtresse d'école qui lui crie. Il essaie de comprendre ses mots, sans y parvenir. Il se lève, descend lentement au premier étage et se dirige, sans bruit, vers la chambre de la belle demoiselle qu'il aime tant. Il pousse doucement la porte de sa chambre et s'assied dans le noir sur le bord de son lit; un geste jamais posé.

— Viens, Firmin, lui dit une voix.

Il se retourne et cherche Adéline absente. Son coeur se serre et ses idées s'obscurcissent. Il entend sa voix lui parler dans l'école et il est content. Si douce, elle remplit les vides de ses minimes pensées et son coeur avide d'affection.

— Firmin. Viens, je suis malade, continue son étrange dialogue.

Firmin, frissonne. Mamzelle, malade. Mamzelle, malade, ne cesse-t-il de se répéter.

Il entend sonner trois coups à la grosse horloge grand-père, insouciant de l'heure qui passe. Il tend l'oreille, personne ne bouge. On dirait que dehors la tempête s'est apaisée. Il s'habille vivement, mû par je-ne-sais-quoi, et se dirige vers la bergerie. Sous peu, la nuit noire s'estompera lentement à l'horizon. Firmin va, sans pouvoir expliquer ses gestes insensés. Les fous ont peut-être un sixième sens, absent chez les sensés.

La folie donne du pouvoir télépathique aux idiots, cela s'est déjà vu, affirmerait bêtement Ursule.

Des éclairs de lucidité sont toujours possibles en ce bas monde, renchérirait une autre.

Il entre dans la bergerie et tout est calme. Il revient se piquer dans la porte et, tout à coup, aperçoit un bout de bras... puis une tête... des cheveux remplis de neige. Il s'approche et reconnaît Adéline, en apparence trépassée mais toujours vivante.

– Mamzelle! Mamzelle!

Il la prend dans ses bras et l'emmène près des moutons couchés les uns près des autres. Il lui creuse un lit entre l'un d'eux, va quérir de la paille et en fait un matelas. Firmin secoue encore ses cheveux et délie son corps curieusement replié sur un côté, mais n'y arrive pas. Il la dépose délicatement entre les flancs des bêtes, et amène une brebis à ses pieds. Il sent une grande chaleur se dégager de l'animal docile et sourit.

– Moutons, tranquilles!

Les bêtes obéissent à l'idiot, sans bouger, dans une étrange communion de comportements. Il essuie encore sa maîtresse bien-aimée, la secoue, nettoie sa chevelure, la recouvre de son manteau épais comme d'une couverture et la regarde dormir un long moment. Il se faufile sous son manteau se couche près des jambes d'Adéline immobile, et les sent froides à faire frémir. Il touche les bras de la jeune fille et sent la raideur froide de son corps le pénétrer. Il pose une main sur sa jambe et sursaute. On croirait un membre mort. Les bêtes réchauffent Adéline la nuit durant, tandis que Firmin s'endort sur les jambes bleuies d'Adéline.

Au déjeuner, Ursule appelle Firmin qui se lève tôt.

– Va donc le réveiller, Harold.

Harold grimpe les escaliers mais ne trouve aucune trace de son frère.

– Il n'est pas dans son lit, maman.

Ursule se souvient vaguement du bruit de la nuit, mais ne peut certifier davantage. Elle s'inquiète.

– Harold! Où est-il?

– Il recommence peut-être ses crises.

Ursule rejette cette supposition. Il ne faut pas. Il ne doit pas.

– Son manteau n'est plus sur son crochet.

– Il est tout simplement levé avant nous. Maman, vous savez comme il est matinal.

– Je sais. Prends une course à la bergerie.

Harold enfile son coupe-vent et se dirige vers les brebis qui, en temps normal bêlent à s'époumoner. Ce qu'il aperçoit, le laisse sans voix. Une vision d'apocalypse ou de profond mystère, sinon pure folie, le fige sur place. Les moutons couchés en cercle ne bougent pas, se taisent et réchauffent une jeune fille – qu'il reconnaît – et son frère sommeille à ses pieds. Harold se prend les joues et ses tempes fusionnent mille et une raisons à la fois, il retourne sur ses pas, à la course.

– Maman, je l'ai trouvé. Je l'ai trouvé, ne cesse-t-il de crier à bout de souffle.

Exténué, il ouvre grande la porte, incapable de prononcer un son, submergé par une nervosité extrême.

– Maman, dit-il enfin. Viens vite. Il est ar...rivé... un... malheur.

– Un malheur? Explique-toi.

– Firmin dort dans la bergerie.

Ursule agrandit les yeux et se laisse choir sur une chaise.

– Dans la bergerie!

– Vite, venez.

Harold, le manteau de sa mère en mains, la presse de se hâter.

– Aller où?

– À la bergerie, il y a autre chose.

– Autre chose? Tu m'inquiètes à la fin. Calme-toi, tu es comme une girouette au vent.

Harold se voit sauvé par le sort. Il est né sur une bonne étoile. Pendant qu'il courait vers sa mère, la suite des événements lui est apparue si claire qu'il n'en croit pas ses yeux.

– Maman, il faut que tu viennes les voir, ils dorment.

– Ils... dorment? Qui ça, ils?

– Lui et Adéline dorment au milieu des moutons.

Ursule regarde tout partout et ne sait où se mettre la chevelure. Voilà que son Harold perdait la boule à son tour.

– Bon, bon, j'y vais. Si ton père peut arriver. Les niaiseries vont cesser.

Harold enjambe le banc de neige en deux temps trois mouvements et l'attend sur le seuil de la porte, tandis que sa mère enfonce, de peine et de misère, le manteau blanc molletonné de la terre engloutie sous la neige, le regard accroché à son fils impatient qui frétille d'une jambe à l'autre. Son nouveau plan doit aboutir coûte que coûte.

Les deux Montpellier pénètrent dans la bergerie et s'acheminent à pas feutrés vers la lubie d'Harold. Mais non, la lubie se transforme en réalité. Adéline et Firmin dorment la lubie se transforme en réalité. Adéline et Firmin dorment profondément. Dorment..? Ursule s'approche et se penche vers la jeune fille affreusement pâle. Soudain elle recule effrayée. Elle a aperçu du sang sur un sein par le chandail vert ouvert. Les bêtes la regardent mais ne bougent pas. Elle touche le front de la jeune fille et s'interroge. Puis elle pose son regard sur son fils idiot qui dort à poings fermés. Une pensée horrible lui traverse l'esprit. Firmin. Aurait-il pu faire une chose pareille? Harold lit la désolation sur le visage maternel et intervient. Il chuchote:

— C'est le chandail de Simon Labrosse, le vicaire. Ce doit être lui qui a fait ça.

Ursule recule d'effroi. Le vicaire! Oh non! Je ne puis le croire. Ursule compressée de mots emmêlés, tire son fils en retrait.

— Harold, il faut se hâter. Prends le cheval et va chercher le docteur. Nous avons besoin de témoins, c'est trop grave.

— Qu'est-ce que tu vas faire?

— Je reste ici à les surveiller et je t'attends. S'ils se réveillent avant ton arrivée, je les amène à la maison. Allez! presse-toi! Nous n'avons pas une minute à perdre.

— J'en parle au docteur?

— Oui. S'il juge que l'on doit prévenir la police, eh bien...!

Harold frissonne.

— La police!

— Oui, mon petit garçon. La police! Des fois on ne peut faire autrement.

— Une chance que je t'ai mon Harold. Toi tu ne fais

pas de coches mal taillées. Quant à Firmin...

– Maman. Vous n'allez pas accuser Firmin, voyons. C'est insensé.

– Insensé ou pas, on verra.

La bête installée à la hâte à la voiture, Ursule claque sa main sur une de ses cuisses.

– Allez la jument! Avance!

Ursule, la pensée restée captive de la voiture qui disparaît, ressent une grande lassitude l'envahir. Se voir seule en un tel moment, la terrifie. Elle prie le ciel que personne ne bouge avant l'arrivée du médecin et espère qu'Adéline s'en sortira indemne. Elle jette un regard à l'intérieur, sans bouger et n'ose se déplacer, ne sachant quoi faire en de telles circonstances. Elle et la maladie ne font pas très bon ménage. L'affirmation d'Harold fait son oeuvre. Simon Labrosse...

Comment une telle histoire a-t-elle pu arriver? Grand Dieu! je vous le demande.

Longtemps elle reste prostrée, appuyée sur le mur près de la porte à attendre, ne sachant comment expliquer le mystère qui se déroule sous ses yeux. Les brebis éveillées réchauffent *le nid*, inlassablement.

Comment est-ce possible? Firmin... Firmin aurait des pouvoirs! Étranges et puissants... Je n'ose y croire. Ursule, secoue-toi et reviens sur terre. Il doit bien y avoir une explication.

Attends et tu le sauras, ordonne une voix en elle.

Un brin rassurée, elle s'appuie le dos au mur et commence à dire son chapelet, la réalité vécue sous ses yeux lui semble trop inconcevable.

* * * * *

Au village, les gens sortent de leur tanière. La nature émerge lentement de son cauchemar. Derrière chaque rideau des fenêtres, le monde examine Harold Montpellier dont la bête tirant la voiture enjambe les légers vallons de neige, courageusement. Le jeune homme pressé, harangue son cheval et aiguise la curiosité des badauds surpris.

Que lui arrive-t-il à celui-là. Les jeunes n'ont pas de coeur pour les animaux.

Le docteur, à peine sorti du lit, se fait enguirlander par sa femme, l'heure fermente de gravité.

– Tu dis que la maîtresse d'école est blessée.

– Oui, à la poitrine. Maman vous le montrera en arrivant. Elle affirme encore qu'il vaudrait mieux en parler à la police.

– Oh là! Ta mère est vite en affaire! Je me rends chez vous et nous jugerons des événements, en temps et lieu.

– Comme vous voudrez. Mais elle a raison.

– Tu viens avec moi?

– Je dois retrouver mon père qui est resté au village. Je vous rejoins.

Les deux hommes se séparent et se pressent. Harold se dirige vers l'église où Simon Labrosse, le vicaire, s'affaire à aider le sacristain au déblaiement des entrées de l'église. Le vicaire a toujours aimé exercer ses muscles quand il en a l'opportunité. Harold immobilise son cheval et descend de voiture. Les pelleteurs cessent leur ardeur et examine le jeune homme si matinal, un lendemain de poudrerie à écorner les boeufs.

– Cré bon Dieu! T'es de bonne heure sur la trotte à matin, jeune homme.

– Je viens chercher mon père qui a découché.

Le sacristain éclate de rire.

– Ah, ah! Berthold qui découche! On aura tout vu.

– Ça prend un commencement à tout, Monsieur Paradis, avance Harold qui marche en s'éloignant du sacristain et invitant du regard le vicaire à le suivre.

Harold et Simon sont maintenant épaule contre épaule. Le ton du jeune homme prend des airs d'urgence, de gravité et d'intensité.

– J'ai quelque chose à vous dire, Monsieur le Vicaire.

– Dis, dis. Les bancs de neige sont discrets.

Harold tourne nerveusement ses mitaines entre ses doigts, apparemment troublé. Le vicaire appréhende un drame.

– J'ai une nouvelle à vous apprendre.

– Une nouvelle? Tu viens spécialement me voir à ce sujet!

– Oui, Monsieur le Vicaire.

Simon Labrosse entre dans le regard d'Harold et ressent un trouble inexplicable, comme la naissance d'une fourberie. L'instant suivant, il rejette cette sombre pensée et se penche vers son interlocuteur pâle et agité.

– Parle, Harold, je t'écoute.

– Je préférerais le faire au confessionnal.

Simon Labrosse se garde de se montrer surpris. Il l'invite à le suivre. Derrière eux, le sacristain se demande par quel diable Harold Montpellier a-t-il juré, pour déranger le vicaire à cette heure du matin.

Ce n'est pas à la sacristie qu'il va trouver son père, ça c'est assuré! songe-t-il repiquant sa pelle dans la ouate durcie du parvis de l'église.

Dans un confessionnal, un homme avoue l'atrocité de son crime.

– Mon père, j'ai eu envie d'une personne et j'ai été trop loin.

– Que signifie trop loin, mon fils.

– Je l'ai prise et je...

Simon Labrosse devine le geste d'Harold. Curieux, il insiste.

– Tu as blessé cette personne?

– Oui, mon père. Elle est peut-être morte, maintenant, par ma faute.

Le confesseur estomaqué a du mal à garder son calme. Il penche son oreille vers la grille pour éviter de regarder Harold et attend. Attend, en vain, que l'autre avoue l'identité de sa victime.

– As-tu avoué ton crime à la police?

– Non, mon père.

– Nul ne doit porter atteinte à la vie d'autrui. Le sais-tu?

– ....

Le vicaire laisse planer le mystère et filer un temps de réflexion sur le silence insoutenable. Le pécheur se tait.

– Dis ton acte de contrition, je vais te donner l'absolution de tes péchés.

Le confesseur entend Harold débouler sa prière de repentir automatique, soulagé. Il scrute à la dérobée, le visage de ce jeune homme et se retient de le juger. Il marque si peu de regrets.

– Va en paix, mon fils.

Harold tire le rideau et quitte l'église pressé. Maintenant, par son aveu, un poids énorme s'est envolé de son esprit. Il pourra, à souhait, manier les cordes de son plan machiavélique.

– Papa n'est pas là non plus, dit Harold crâneur, en passant près du sacristain qui s'essuie le front de sueurs.

– Les femmes, c'est pas à l'église qu'on les trouve, mon gars. Le savais-tu?

– Maintenant je le sais.

Dans son confessionnal, Simon reste un moment immobile, pensif et troublé. Harold l'a chaviré. Qui peut-être sa victime? La figure terrifiée d'Adéline effleure son esprit le temps d'un éclair, mais l'ampleur de son intuition la refoule aussitôt. Il sort, s'agenouille devant le tabernacle et communie sa prière dans une intense supplication pour ce pécheur. Le sacristain le trouve ainsi prostré quand il rentre pour préparer l'autel. À la vue du bon serviteur, le prêtre se lève et enfile ses vêtements sacerdotaux pour la célébration de la messe, ses idées empreintes de ce lourd aveu au confessionnal. En lui, quelque chose s'est transformé, mais il le peut en saisir le contenu ni la signification.

* * * * *

Le médecin arrive chez les Montpellier, son cheval exténué; pourtant la route déroule à peine ses deux kilomètres. Il aperçoit une femme qui lui fait signe dans l'entrée d'un bâtiment. Il se dirige vers elle et presse le pas, sa valise en main. La femme parle à mots feutrés.

– Bonjour docteur, venez par ici.

L'homme penche son chapeau de fourrure pour éviter le cadre de porte et aperçoit les moutons qui ruminent en le regardant, puis le couple endormi. Son regard s'attarde sur le visage pâle de la jeune fille. Le médecin incrédule ne saisit pas le but de leur agitation insensée. Un beau tableau certes, mais insuffisant pour le déplacer de la sorte un lendemain de tempête d'hiver.

– C'est très beau mais où est le malade?

Ursule Montpellier, touche le bras de son fils.

– Firmin.

Le médecin se penche sur le jeune homme, tâte son pouls et lui touche le front.

– Il dort.

La femme le secoue en le découvrant.

– Firmin lève-toi.

L'idiot ouvre les yeux et se frotte le cou. L'inconfort de son lit rustique se lit partout sur son visage. Des moutons se lèvent et laissent le champ libre vers la jeune fille au visage d'une blancheur à faire frémir. Firmin debout s'agite et explique à sa mère en des mots saccadés et inintelligibles, ce qui est arrivé.

La pauvre femme captive des gestes du médecin penché sur Adéline inerte, ne l'écoute pas et l'invite à se taire. Le médecin éternise son examen et accentue le suspense qui s'amplifie. Il lui prend un bras et le pousse loin vers l'arrière. Le membre reprend sa place originale. Le médecin pousse un soupir de soulagement.

– Elle n'est pas morte!

– Comment le savez-vous?

– Son bras serait resté derrière, mais non il est revenu en avant.

– Qu'est-ce qu'elle a, docteur?

L'homme se relève.

– Nous devons la transporter à la maison puis, à l'hôpital.

Ursule se cache les joues.

– À l'hôpital? C'est sérieux!

– Très sérieux. Nous devons avertir la police.

Ursule ébahie sent sa bouche tomber et ses joues se creuser, son intuition visait juste.

– La police!

– Cette jeune fille a subi un traumatisme et souffre l'hypothermie. Nous devons découvrir ce qui s'est passé. Ce jeune homme nous le racontera.

Ursule lève les yeux sur son fils, à cent lieux d'eux et se demande s'il pourra les éclairer. Le médecin couvre la jeune fille inconsciente de son manteau et le trio la transporte délicatement dans sa chambre. Ursule quitte le médecin et se rend à la cave remplir la fournaise de bois car la maison grelotte. Elle s'attarde un moment, anéantie, à méditer ce qui lui arrive, dépassée par les événements. Que fait son mari? Ne pourrait-il pas être à ses côtés en un moment pareil? Sa pensée court vers Adéline perdue dans les brumes de son drame et son mystère et se demande ce qui a pu se passer. Ses deux fils effleurent son esprit, elle grimace.

Non. Mes fils sont irréprochables, voyons. Qu'est-ce que je suis en train de penser?

Dans sa méditation elle entend le bruit d'une voiture. Ce doit être Berthold. Elle remonte vivement l'escalier, une brassée de bois en main. Elle voit le docteur qui met son manteau et sort parlementer avec le conducteur.

– Harold, retourne chez moi et demande la police. Trouve ton père, nous devons amener Adéline à l'hôpital.

Le jeune homme préoccupé fait demi-tour et disparaît tandis que le médecin revient vers sa patiente. Ursule n'en finit plus de s'étonner.

Adéline repose dans son lit, le médecin l'ausculte tout en s'informant. Il s'attarde sur son sein et se rembrunit.

– Raconte-moi ce qui s'est passé, Firmin.

L'idiot surexcité s'approche penaud, incapable de prononcer un son. Sa mère intervient.

– Dis à maman qui a couché Adéline avec les moutons.

– Firmin. Mamzelle plein de neige. Partout, partout.

Le médecin se questionne. Le jeune homme semble très dépourvu. Se peut-il que son instinct grégaire l'ait poussé à agir de la sorte? Cela s'est déjà vu. La mère se penche sur la jeune fille et implore.

– Comment va-t-elle docteur?

Le médecin examine les membres de la jeune fille et avance des suppositions.

– Ne chauffez pas trop. Elle est mal en point. Elle est en hypothermie sévère. Tout peut arriver.

– Comment le savez-vous docteur?

– Vous avez différents degrés d'engelure. Elle ne tremble plus. Si elle le pouvait, on la considère alors en hypothermie modérée. Elle pourrait compter à reculons, par exemple. Vous voyez, elle est inconsciente. Donc c'est un cas sévère. Les signes évidents sont la peau bleue, les pupilles dilatées et fixes, le pouls inexistant, la respiration indiscernable, dans le coma ou incapacité de réponse à aucun stimuli, les muscles rigides de ses membres vous comprenez?

Ursule se roule les mains une dans l'autre inquiète, accrochée aux lèvres du médecin qui explique.

– Mais ils peuvent être vivants dans un bloc de glace métabolique et revivre. Le problème se situe dans la restauration de la chaleur corporelle graduelle. Le corps rétablit la circulation avec seulement deux à trois battements cardiaques par minute. Plus le corps se restaure lentement par lui-même, plus le succès est évident. Reste à savoir si son inconscience est le résultat du froid ou d'une autre source. Apportez-moi des vêtements secs et des couvertures. Si elle était en état modéré, vous pourriez la réchauffer vous-même par votre corps. C'est efficace.

Ursule pense à Firmin couché près d'elle et songe que son idiot de fils lui a peut-être sauvé la vie.

– Dans ce cas-ci Madame Montpellier, ce remède est impossible. Elle a besoin d'eau sucrée pour produire sa chaleur interne.

– Un bon gin, lui ferait du bien, docteur.

– Pas du tout. C'est contre indiqué.

– Un café chaud!

– Pas davantage. C'est un diurétique donc elle perdrait de l'eau et augmente sa déshydratation.

– C'est compliqué docteur.

– Oui très critique.

– Va-t-elle mourir docteur?

Le médecin se tait et dévêt Adéline, lui enfile des vêtements amples et la recouvre d'une couverture de laine.

– Vous n'en mettez pas beaucoup docteur.

– Elle doit se dégeler elle-même, c'est plus efficace.

Ursule Montpellier se tient les joues à deux mains. Elle n'en finit plus d'en apprendre et de se surprendre. La pauvre femme inquiète se morfond de voir arriver son Berthold et son Harold et d'en finir avec ce cauchemar incroyable. Elle songe aux morceaux de viande gelée sur son perron du deuxième étage et frissonne. Elle n'ose croire que les membres d'Adéline soient semblables. La voix du médecin la sort de son tumulte.

– Votre fils l'a probablement sauvée, madame.

– Lequel?

– Celui qui dormait près d'elle.

Ursule Montpellier fait la moue.

– Celui-là? Ah!... Peut-être.

– Il a eu la brillante idée de l'entourer de moutons. Ces bêtes lui ont transmis leur chaleur. Peu de gens auraient songé à ce processus. Votre fils est génial, madame.

La femme de Berthold Montpellier grimace de stupéfaction. Son Firmin serait intelligent! Je n'ai jamais entendu de pareilles sornettes! Elle sourit faiblement au médecin pressé de voir arriver du secours. Il referme la porte sur le mystère irrésolu, laissant la mère et son idiot dans leur cuisine, béats et dans les vapeurs épaisses de l'inconnu.

Dehors les grelots tintent leur mélancolie, une voiture se pointe enfin. Au loin le bruit d'un moteur s'amplifie et fait naître un sourire sur le visage du médecin songeur.

206

Ma femme a pensé à tout. C'est inouï comme elle a de l'intuition. Elle s'amuse à lire dans mes pensées.

En effet, la femme du médecin avait appelé la compagnie d'électricité, elle savait qu'ils possédaient une autochenille capable de courir à travers les champs en tout temps. Elle leur avait exposé les besoins de son mari et le patron s'était empressé de lui envoyer une de leurs autos-chenilles auprès d'une certaine Adéline Lussier, enseignante sur le *Plateau Doré*.

Adéline n'eut pas le temps de côtoyer les policiers chez les Montpellier, elle était déjà en route pour l'hôpital.

Ursule referma sa porte sur ses inquiétudes et se retrouva seule, en compagnie de son fils niais. L'urne de ses émotions fit sauter la soupape et les pleurs se répandirent à torrents dans son visage caché derrière ses mains longues et émaciées de femme exténuée de se battre contre les vents de ses chimères et les poussées téméraires de son orgueil.

Firmin, lui, assis près du poêle, roulait sa tuque entre ses doigts et ne savait comment résoudre la situation. Son coeur blessé pleurait en silence le départ de Mamzelle Adéline, sa belle maîtresse d'école. La froidure de ses jambes sur lesquelles il s'était endormi, collait à sa mémoire et lui donnait froid dans le dos.

Chapitre 13

Berthold atterré, assis sur sa vieille chaise usée, se perd en conjectures. Un scandale lui tombe sur les méninges. Il écoute l'officier de police interroger Firmin nerveux qui déboule, fébrile, des montagnes de sons biscornus pour le commun des mortels, que sa mère répète correctement à mesure que le policier demande:

– Qu'est-ce qu'il dit?

Le couple apprend la situation et l'ampleur du drame, à mesure que l'idiot leur décrit l'inexplicable. Un mélange d'incrédulité et d'admiration monte en eux en pensant à leur crétin de fils et son incroyable réalisation. Il a vraiment sauvé cette pauvre Adéline de la mort.

– Firmin, maintenant allons voir où tu as trouvé Mlle Lussier.

Le groupe intéressé et soucieux suit le gendarme à l'extérieur. La neige immaculée leur facilite la tâche. Un creux encore visible prouve hors de tout doute la véracité du récit de Firmin.

– Vous avez un autre fils, monsieur?

– Oui. Il est allé à l'école avertir les enfants.

Le constable se rembrunit.

– C'est plutôt à la Commission scolaire d'accomplir ce travail. Ne trouvez-vous pas?

Le couple se tait pour réfléchir.

– C'est vrai. Il a fait pour bien faire, monsieur.

208

– J'ose espérer qu'il n'est pas entré dans l'école.

– Oui, monsieur. Il avait la clé.

Le policier hausse le ton, donne des ordres à son assistant.

– Tu vas voir ce qui se passe à cette école. Des indices importants ne doivent pas être souillés.

Le gendarme se tourne vers les Montpellier.

– Votre fils prend toujours de telles initiatives!

Berthold se sent outré. En effet, Harold allait trop vite et trop loin dans ses décisions. Cela ne lui ressemblait si peu. Ursule, quant à elle, impatiente devant son impuissance tournait le problème, sens dessus dessous, cherchant un bouc émissaire à leur épreuve, sans fin, et sans issu, mais n'en trouvait aucun.

* * * * *

À l'école. Harold se presse. Il fait un tour d'horizon pour vérifier si tout est en ordre et si toutes traces de son passage sont disparues. Il renvoie le premier élève qui se présente et examine la chambrette d'Adéline. Le couvre-lit mal placé capte son attention. Le replacer ou le laisser tel quel? La porte de l'école le ramène à la réalité. Deux autres enfants prennent congé. Il songe à l'objet qu'il l'a assommé et se demande qu'est-ce que c'était. Il cherche partout et ne voit nul objet dur. Dans le silence, il entend le tic-tac d'une horloge. Il se penche et l'aperçoit sous le lit. Il le ramasse, l'essuie et le dépose sur la table de chevet. Devant l'objet plutôt minuscule, il songe:

Tu es forte Adéline. Ouais, pas mal forte!

Harold place le crucifix bien en vue sur la table de cuisine pour éveiller les soupçons. Puis, sous le babil du reste des marmots qui attendent la cloche de l'école, il ouvre, ferme la porte à clé et leur offre un jour de vacances supplémentaire. Sur la table de chevet de la chambre d'Adéline, Harold a oublié de vider la tasse de café froid, à moitié pleine.

— Allez, les enfants, il n'y a pas d'école aujourd'hui, la maîtresse est malade. Restez chez vous, l'école est fermée jusqu'à nouvel ordre.

Harold met la clé dans sa poche et prend le chemin du retour. Au loin, un homme vient à sa rencontre. Désinvolte, il donne la clé de l'école au policier et rentre chez lui comme si de rien n'était.

— Poussez fort sur la porte, la clé entre difficilement dans la serrure.

Dans la demeure des misérables Montpellier, au bout de la table, un homme et son calepin grille une cigarette et se languit de l'interroger. Le silence opaque noie les pensées des trois Montpellier aux prises avec leurs angoisses et exténués de se raconter. Même Firmin a réussi à se taire.

— Le voici qui revient, s'écrie Ursule soulagée de voir entrer son fils.

Harold est pris d'assaut par une horde de regards diversifiés, allant de l'anxiété à la curiosité. L'inconnu hausse le ton.

— Enfin! le jeune homme que nous attendons.

Harold sourit et enlève ses pénates.

— Ah! oui? Ah bon!

S'il avait regardé sa mère, il aurait vu qu'elle était morte d'inquiétude et son père rouge d'une colère retenue pour ses gestes parsemés de tant de désinvolture.

– Harold, assieds-toi, le policier veut connaître ta version des faits.

– Monsieur, je suis à votre service. Que désirez-vous savoir?

L'inspecteur scrute à la loupe les faits et gestes du jeune homme, dans l'espoir d'y déceler des failles. Son attitude indique une maîtrise insoupçonnée chez le jeune homme.

– Pourquoi êtes-vous allé à l'école après votre retour du village au lieu de rester ici avec vos parents?

– Les enfants ne doivent pas geler dehors, monsieur. Ursule, surprise par tant de hardiesse, écoute les répliques déconcertantes de son fils et s'émeut. Une telle assurance la remplit de fierté. Elle jette un regard sur son mari anéanti qui jongle avec ses mornes pensées et s'apitoie. Au moins il y en a un qui sauve l'honneur des Montpellier et c'est mon Harold. Ursule met un autre morceau d'érable dans le poêle, le temps peut être long et froid.

– Donc, vous étiez chez vous hier soir.

– Oui, monsieur.

– Vous pouvez le prouver?

– Ma mère vous le dira.

– Et votre père?

Berthold sent suinter son échine. Harold le regarde et devine l'insinuation soudaine du policier. Il laisse courir le doute un moment et continue, en soutenant le regard de son père.

– Mon père est resté au village.

– Où l'avez-vous trouvé ce matin?

– Au travail, monsieur.

– Savez-vous où il a passé la nuit?

Ursule ouvre grand les yeux. Le policier soupçonnerait son mari? Quel toupet! Elle intervient.

– Tu penses qu'il a passé la nuit chez qui, Harold?

– Il a couché chez mon oncle Henri. Demandez-leur.

Ursule pousse un long soupir de soulagement. Les réponses de son fils corroboraient les leurs.

– Et ta mère?

Ursule tombe assise sur sa chaise. Elle attend le secours, pendue aux lèvres libératrices de son fils.

– Maman n'est pas sortie de la soirée, voyons. Elle doit chauffer le poêle quand il fait froid.

– Racontez-moi votre découverte de ce matin.

Harold commence à avoir soif. Très soif. Il prend un coup d'eau et reprend sa place près de la table, en face de l'homme plein de suspicions. Il raconte l'étonnante découverte de son frère endormi sur les pieds d'Adéline et les événements qui ont suivi. La sûreté de ses affirmations étonne l'inspecteur, mais il se garde de le souligner.

– Le chandail vert qu'elle portait m'a surpris.

– Vous n'avez vu personne autour de vos bâtiments, hier soir?

– Personne. Il faisait trop mauvais.

– Ce mouton que vous dites avoir tué. Vous pouvez nous le montrer?

Un geste d'incertitude à peine perceptible passe sur le visage d'Harold, il se ressaisit.

– Il doit être derrière la bergerie, là où je l'ai jeté.

– Nous irons le constater tout à l'heure.

– À votre avis? Qui a commis ce crime?

Harold hésite un instant. Le moment est crucial, il tient son existence entre ses mains. Il fait le tour des siens, l'idée accrochée à la monstruosité de ses réponses et entame les dernières esquisses de son plan.

– Je pense que c'est Simon Labrosse, le vicaire de la paroisse. Il allait souvent visiter la maîtresse d'école le soir après la classe, le monde en parlait partout.

Un long silence remplit la pièce déjà alourdie par le drame, il évite le regard de ses parents, de peur de perdre le reste de courage qu'il possède. Harold enfile ses mots d'un seul trait, afin de ne pas être interrompu ni contredit. Il les sent abasourdi et sans voix.

– Harold! ose prononcer son père. Tu n'as pas le droit d'accuser le vicaire!

– Sans savoir! continue Ursule, verte de frayeur.

Le policier intervient.

– Vous êtes certain de ce que vous avancez.

– Adéline avait le chandail vert que lui avait donné le vicaire sur ses épaules quand Firmin l'a découvert. Que voulez-vous de plus, monsieur.

– Porter un chandail ne signifie rien d'autre que porter un chandail, jeune homme.

– Demandez-lui. Vous verrez bien.

Ses parents sont remplis d'étonnement. En effet. Que venait faire ce chandail dans le décor?

L'officier de police se tourne vers eux.

– Vous avez déjà vu Mlle Lussier porter ce vêtement?

– Non, affirme le père Montpellier, perdu dans une impasse ridicule peuplée de mystères brumeux et opaques.

– Le vicaire est venu nous voir en octobre avec ce chandail. Il nous a même dit que c'était Adéline Lussier qui le lui avait offert lors de son anniversaire, affirme Ursule, heureuse de venir en aide à son fils tandis que son mari lui lance des éclairs de colère, gros comme son bras. Sa femme et son fils embrouillaient les cartes maintenant.

Si elle pouvait se taire. Se taire!

Le policier ouvre la bouche de satisfaction, note les premières constatations et prend congé. La joie éclatée jusqu'aux oreilles, il se voit déjà aux commandes de cette sordide et incroyable affaire de moeurs, et se demande si son patron osera le laisser faire toute la lumière sur le sujet ou s'il sera tenté d'étouffer ce scandale d'Église. En lui le soleil brille de mille feux et sa joie glousse. Il se garde de le démontrer. Il omet de vérifier les affirmations d'Harold et son mouton mort, un confrère le fera; il a horreur des animaux.

D'ailleurs, se dit-il, ce jeune homme témoigne d'une telle spontanéité, qu'il ne peut mentir.

Pour cet homme l'hiver avait du bon.

La porte de cuisine refermée sur l'homme enquêteur, les Montpellier s'engueulent comme se répand la senteur du poisson pourri.

Berthold gesticule, l'énergie du désespoir en main, et l'impétuosité de son verbe le grandit. Ursule recule et se rassied, devant l'orage vocal virulent de son mari. Jamais il ne s'est montré dans un tel état.

– Qu'est-ce que tu as traficoté, Harold? Tu es tombé sur la tête! Nous traîner dans la boue semblable. Je ne te pensais jamais capable de faire une affaire de même! Méchant à ce point... Dans ma maison... Sous mon toit... Mon propre enfant... Je ne pensais jamais voir une telle saloperie de la part de mon garçon. Non! Jamais! Si tu continues, je ne donne pas cher de ta peau!

Ursule bouscule l'atmosphère surchauffée.

– Berthold, calme-toi! Je trouve que notre Harold fait preuve de courage. Savoir des choses et les taire est encore pire. As-tu songé à cela? Tiens. Bois un coup d'eau, c'est préférable pour ton coeur.

L'homme, ivre de frustrations, donne un grand coup de poing sur le verre, il passe près des tempes de sa femme et éclate en mille miettes sur le fourneau du poêle. Sa femme, en vociférant, se penche pour en effacer les traces.

– Es-tu devenue folle à ton tour, Ursule? Vous ne pensez pas plus long que le bout de votre nez! Les conséquences! Hein! Qu'en faites-vous? La paroisse entière sera contre nous. Accuser un prêtre! ... un chandail! C'est notre coup de mort! Il ne nous reste plus qu'à partir d'ici. Accuser les Lanteigne c'est tant bien que mal, mais un prêtre...! Là, je ne vous suis plus.

Harold, sans dire un mot, s'éclipse en douceur, laissant ses parents se vider le coeur jusqu'à la moelle ou l'épuisement. Soulagé, il savoure ses prouesses. Son plan s'est déroulé sans anicroches, il attendra la suite. Harold se dirige à la bergerie examiner vraiment la situation. Tenter de comprendre le comportement de son frère stupide l'occupera.

Stupide...? insiste une voix en lui.

– Tiens... Firmin. Tu es là?

Son jeune frère l'accueille tout sourire comme si de rien n'était. Il caresse entre ses bras un agneau gorgé de lait maternel chaud et le berce tendrement.

– Firmin compter les moutons. Pas de moutons morts, Harold. Firmin pas trouvé le mouton, Harold.

Harold pris de panique un moment, réfléchit en se grattant une oreille puis un doigt. Il se dirige vers la porte et scrute les environs et la route, il s'assure que l'officier de police soit vraiment parti bien qu'il l'ait vu s'éloigner de la fenêtre de cuisine avant de sortir. L'aîné revient vers son jeune frère, soulagé.

Demain il aura tout oublié.

– Tu ne sais pas compter.

– Firmin compter moutons.

– Qui t'a montré?

– Mamzelle.

– Adéline parle à travers son chapeau.

– Mamzelle dit, Firmin fin, fin. Regarde.

Le benêt compte ses doigts deux fois, jusqu'à vingt. Harold n'en croit pas ses yeux. Il pointe le troupeau de boucs à son frère.

– Firmin, compte moutons.

– Beaucoup, beaucoup de doigts, beaucoup de mains. Mamzelle dit pas lui. Lui, indique Firmin en montrant le parc des brebis.

Harold tressaille. S'il réussissait.

Firmin plisse les yeux et s'applique à faire le tour des mères ovines dont l'une vient d'agneler.

– Deux mains et un doigt.

Harold stupéfait ne cesse d'examiner les doigts magiques de son frère et oscille entre sa joie de le voir sortir de sa noirceur intellectuelle et sa crainte qu'elle soit trop hâtive. Firmin jubile de voir le sourire de son grand frère et l'imite. Harold se retient de prendre Firmin dans ses bras et de le serrer contre lui jusqu'à le faire péter. Il regrette de découvrir cette évolution en un tel moment. Il se désole à l'idée de ne pouvoir le dévoiler à ses parents.

Harold entame sa journée de travail, exténué, les tempes débordantes d'idées multicolores. Au centre, le portrait d'une jeune fille s'impose et s'imposera jour et nuit. Harold commence un étrange combat intérieur. Entre la culpabilité et la rapacité qui vaincra?

Son frère vient à lui en tournant un objet entre ses doigts.

– Firmin, seulement la queue.

Harold estomaqué s'arrête, fixe la fenêtre au bout de l'allée, censée faire sécher l'objet au soleil, regarde son frère et lui arrache la queue des mains. Il l'examine et constate que c'est bien une queue fraîchement coupée. La sienne, sa queue de mouton existe dans son imaginaire seulement. De vraie queue de mouton coupée, il n'en a jamais eue, hier. Il a simplement raconté cette histoire pour se tirer du pétrin, en attendant d'avoir une autre idée.

Où ce fou a-t-il pris cette queue?

L'air niais, Firmin le regarde, rit aux éclats et fait grandir la rage de son frère. Harold, prisonnier de ses appréhensions, et submergé par l'énormité de ses gestes, se retient de lui sauter à la gorge.

– Où l'as-tu trouvée, Firmin?

Le cerveau d'Harold en ébullition gonfle ses perceptions et les fausse.

Demain il ne se souviendra plus? Pourtant cette histoire de queue a été vécue hier et ce matin, il se souvient encore. S'il fallait que sa mémoire fonctionne. S'il se mettait à parler... ou à raconter comment il a trouvé Adéline.

Harold reprend sa pelle à récurer et continue son ouvrage, la cervelle hantée par cette nouvelle éventualité.

Firmin est fou et doit le rester, pour le bien de tous. Harold se met à chanter à tue-tête et répète au passage, des mots que Firmin doit ingurgiter absolument.

– Firmin est fou. Firmin est fou.

– Firmin, fou, Firmin fou, reprend l'idiot de son air débile.

Fou? Stupide? répond la voix interne tordue d'Harold.

Confondu par l'envers de cette hypothèse, il tourne le dos à Firmin et se dit que, peut-être, il commence à devenir fou lui-même ou le deviendra un jour, qui sait?

Lorsqu'ils reviennent à la maison, les deux garçons trouvent leur père au lit avec une forte fièvre. Ces émotions excessives ont eu raison de lui. Leur mère inquiète furète autour du lit, son regard sans cesse accroché à l'homme de sa vie. Harold l'interroge.

– Papa est malade?

– J'ai eu peur qu'il fasse une crise d'apoplexie.

– Il s'est trop fâché.

– Ce n'est pas le moment de parler de cela. Il a raison. Qu'est-ce qui va arriver maintenant? Personne ne le sait.

– Parle plus fort je n'ai pas compris.

– Si tu ne comprends pas, eh bien tant pis! Ton père a besoin de repos, c'est tout ce qui compte. Il a parlé de son bureau. Il demande si tu ne voudrais pas aller avertir son patron. Ce n'est pas très loin. Ils ont besoin de la clé qui est dans sa poche.

– J'y vais.

Le duo quitte la chambre où somnole l'homme exténué.

– En même temps, tâche donc de savoir comment va Adéline.

– On va être soulagé quand elle va revenir, celle-là.

– Si elle revient.

– Que voulez-vous dire?

– Après ce qui lui est arrivé, je ne donne pas cher pour sa santé.

– Je ne vous suis pas.

– Le salaud qui lui a fait ça ne mérite pas de vivre.

Harold vacille sous son socle.

– Ce n'est pas si grave maman. Elle n'est pas morte.

– Pas encore, non.

– Elle pourrait mourir?

– Tout est possible, Harold. Tout est possible. On a déjà vu la mort pour moins que ça.

Harold devient nerveux.

– Qu'est-ce que vous voulez dire?

– Il y a quelques années, une femme est morte de peur en se faisant attaquer par un vicieux de la pire espèce. Le choc ne pardonne pas mon garçon. Le choc est parfois pire que la maladie, nous disait le docteur l'autre jour.

– Le vicaire est un vrai vicieux!

– Tu penses qu'il a pu lui faire ça! Voyons Harold. Reviens sur terre.

– Vous n'y croyez pas? Pensez-y une minute! Personne d'autre que lui a pu l'attaquer de même.

– Je n'aimerais pas être dans les souliers de celui qui a commis un pareil crime. S'il m'appartenait je ne donnerais pas cher de sa cervelle.

– Maman. Vous êtes maligne! Il l'aimait peut-être beaucoup, beaucoup.

– T'appelles ça aimer?

– On ne sait jamais.

– Les bêtes sont mieux que les hommes parfois.

– Il l'a peut-être voulue énormément. Au point d'en devenir fou de désir.

– On dirait que tu l'excuses.

– Maman! Vous devriez lire un peu plus. Tout s'explique dans les livres.

– C'est tout compris mon Harold. La seule chose qui me console, c'est que j'ai des bons enfants et cela me rassure. Maintenant va faire la commission pour ton père. Passe devant le docteur et demande-lui des nouvelles de notre pauvre petite Adéline.

– Ne craignez rien, maman. Elle survivra.

– J'espère que tu dis vrai. Je me demande comment sa mère va prendre la chose. Pauvre Mme Lussier. Elle n'avait pas besoin d'une telle épreuve. Le curé disait que le bon Dieu éprouve ceux qu'il aime. Les Lussier et nous, sommes embarqués dans le même bateau à ce que je vois. C'est la sorte d'amour dont je me passerais, mon Harold.

Le jeune homme met sa dernière mitaine.

– Faites-vous-en pas maman. Tout finit toujours par s'arranger.

– Espérons que tu as raison, mon gars. Espérons-le fortement.

Le couple Montpellier atterré et fourbu ferme l'oeil au petit matin. Les démons de la vie avaient creusé une brèche large et profonde sur leur enthousiasme chancelant, laissant pénétrer des doutes insidieux.

Chapitre 14

Chez les Lussier du village voisin, la journée se relève de son cauchemar. Alfred et Albertine ont gelé toute la nuit car ils ont omis de chauffer la fournaise à bois, par crainte du feu. Le bon Alfred a revêtu ses sous-vêtements de cachemire et Albertine sa grosse jaquette de flanellette et ses bas de laine, ils se sont emmêlés l'un contre l'autre, ont fait leur prière du soir et dit leur chapelet avant de s'endormir, puis se sont usé la langue à parler de leur Adéline qu'ils souhaitaient voir bien au chaud chez les Montpellier.

— Et si elle décidait de passer la nuit à l'école, Alfred.

— Tu te fais des idées, Albertine.

— Ce serait épouvantable!

— Dormir dans son école est mieux que dehors. Elle a du bois et un bon poêle. Elle approche son lit près de la porte de sa chambre et le tour est joué.

— Vous autres les hommes, vous pensez seulement avec votre tête.

— C'est avec la tête qu'on pense, Albertine. Pas avec les pieds.

— Heureusement! Vois-tu Alphonse Dussault et ses petits pieds. Puis Origène Dumas et ses pieds grands comme des raquettes.

— Lui, du moins, s'il manque de cervelle ce n'est pas grave. Ses pieds font la différence.

Le vieux couple se tord de rire. Le bonheur bordé de sérénité et de tendresse les nourrissait. L'oeil usé tomba de fatigue sur l'inquiétude intuitive de la bonne vieille et la mansuétude illimitée de son bonhomme à ses côtés. Adéline avait entamé une page de leur sommeil réparateur.

Au matin, la nature avait étendu du blanc immaculé partout. Personne n'osait s'aventurer dans leur chemin de campagne. Amusés, ils surveillaient l'un par le carreau de la porte et l'autre par la fenêtre, quel cheval enjambera les bancs de neige et tracera la route.

Après dîner, leur longue attente fut récompensée. Enfin, au loin grossissait un point noir. Une voiture s'amenait les visiter.

– Connais-tu cet homme, Alfred?

– Non. Pas du tout.

– C'est curieux. On n'attend personne.

– Il a peut-être une chaudière percée à faire boucher. Alfred éclate de rire.

– Si cet homme vient nous voir pour un trou, on va l'encadrer.

– Puis, lui donner une canisse neuve.

La curiosité à vif du couple Lussier se morfond devant la lenteur de l'étranger qui met tant de temps à entrer. L'homme ne cesse de placer et replacer la couverture rouge sur le dos de sa bête attachée à l'anneau planté au coin de la maison.

– Voyons. Va-t-il finir de l'emmailloter, Albertine?

– Regarde comme la bête a chaud. Sortir sur de pareilles routes est un peu fou. Le cheval va avoir la gourme.

– La gourme c'est pas drôle et c'est sérieux. On dirait qu'il caresse une femme.

– Voyons donc Alfred. Les femmes puis les chevaux, c'est deux choses différentes. Mélange-les pas!

Albertine teinte ses joues en rose par l'agacement de cette réplique.

– Albertine. Je t'étrive. J'aime ça te voir pointue.

– Pointue, pas pointue! C'est pas une affaire à dire, Alfred.

– Bon, bon. Je ne recommencerai plus.

– Une promesse que tu ne tiens pas depuis trente-huit ans.

– Depuis si longtemps?

– Ne recommence pas de ce côté-là non plus. Sinon je te jette dehors, pas habillé.

– Du chantage que tu fais depuis trente-huit ans.

– Depuis si longtemps?

Le couple pince-sans-rire cherche par tous les moyens de se retenir, en vain, ils ouvrent grand leur coeur et la cuisine se remplit d'éclats de rire sonores.

L'homme frappe à la porte. Grand et costaud, chaudement vêtu, il se secoue délicatement tentant de circonscrire la neige qui tombe sur le tapis sous ses pieds. Un écusson, planté en plein milieu du chapeau en fourrure que l'homme tient dans ses mains, pique les yeux du vieux couple, émoustille leur curiosité.

Qui est cet étranger? songe les Lussier, à l'unisson. La voix d'Alfred trouble le silence inusité.

– Enlevez votre manteau et prenez une chaise.

– Merci monsieur, ce n'est pas nécessaire.

L'homme leur donne la main et se languit de meurtrir ces deux bons vieux.

– Sergent Philibert de la Police provinciale.

Albertine hébétée ouvre la bouche qui ne veut plus se refermer.

– Je viens vous donner des nouvelles de votre fille.

Des pieds frottent le plancher et des mains s'usent l'une dans l'autre d'inquiétude. Des mots chevrotants sortent entre les dents déformées d'Albertine.

– De notre fille?

– Votre fille se prénomme Adéline, n'est-ce pas?

La cervelle d'Alfred l'affirme et sa physionomie presse l'étranger d'en finir avec sa lente agonie de suspicion.

– Il est arrivé un malheur à notre petite Adéline?

D'un trait l'homme balaie de sa présence énigmatique l'atmosphère survolté et Albertine court à cent lieues dans le passé. La brave femme revoit sa petite au berceau, douce et belle, au sourire éternel, au babil jovial incessant, à l'allure enjouée. Sa matière grise revit le cauchemar du terrible accident de voiture de sa petite un printemps de son enfance. Elle sent dans son corps les mêmes souffrances de l'angoisse ressentie lors de ces nuits blanches à la surveiller et supplier le ciel de lui laisser sa fillette.

Albertine remonte le fil de son premier départ pour l'école. Elle se voit essuyer des larmes en la regardant s'éloigner, main dans la main, son frère et elle. Son bébé tournait une page de sa vie en même temps qu'une des siennes. Elle n'aurait plus d'enfant; le médecin était formel. Sa santé ne pouvait le supporter. Elle entend encore le gazouillis enfantin de ses deux marmots, heureux d'étrenner tant de beaux vêtements. Tout l'été elle avait défait son manteau rouge écarlate écourté par les ans, et l'habit bleu marin de son mari devenu trop petit, les avait tournés à l'envers, les avait transformés en de magnifiques costumes pour enfants. La joie resplendissante lue sur leur visage ce matin-là, l'avait émue aux larmes.

Puis il y avait eu la maladie de reins de son Alfred, le manque à gagner et la glissade vers la pauvreté inévitable. Il fut question de garder les enfants à la maison faute de sous pour les vêtir chaudement. Et le miracle. Le miracle de cet inconnu arrivé, un jour, de nulle part qui leur avait acheté la récolte de leurs fraises de champs à prix fort. Il disait s'appeler Pierre Bonneville. Il venait chaque jour vider leurs chaudières et remplir les goussets de leur mère émue. La récolte terminée, l'étranger était reparti sans donner d'adresse et personne ne savait ce qu'il en faisait ni à quel endroit il logeait. Albertine Lussier put acheter des souliers pour ses petits et sauver l'honneur de la famille. La visite de cet homme revigora l'espoir d'Alfred qui reprit du poil de la bête et vit sa santé s'améliorer. Le magasin général l'employa pour de menus travaux et la vie se colora de plus belle. Un jour, un homme se présenta au magasin à la recherche d'un employé; il était ferblantier. Alfred Lussier le suivit et apprit le métier qui fit vivre sa famille toute sa vie.

Alfred debout, le bras appuyé sur un cadre de porte, revoit sa petite fille adorée perdue dans son enfance. Radieuse, insouciante et docile, Adéline comble ses plus chères aspirations. L'acharnement de sa cadette le grandit. Jamais il n'a connu plus vaillante enfant. Au bout de la table de cuisine, elle déchiffre dans ses livres, les mots, les phrases et les nombres, de son petit doigt blanchi par l'effort. Son Adéline l'émeut profondément.

Il se souvient de l'affront fait à son honneur par le curé quand il fut question de faire sa première communion. Le prêtre avait questionné l'enfant et Adéline avait répondu en des mots si inintelligibles qu'il la retourna à la maison, une note en mains, annonçant la nouvelle à ses parents.

– Tu ne sais pas parler, toi! À ton âge!

Le curé découvrait une énigme jamais rencontrée.

Comment administrer les premiers sacrements à quelqu'un qui ne peut se confesser? Impossible. Pourquoi les Lussier ne lui en avaient-ils pas soufflé mot?

Non il ne pouvait outrepasser ses droits ni ses privilèges. Monseigneur ne le permettrait pas.

Adéline parlait une autre langue. Les mots qui sortaient trichaient ceux de ses méninges. Ils émettaient d'autres sons. Des sons incompréhensibles par personne, pas même par ses parents. Alors, elle résolut de garder le silence à tout jamais. À l'école, elle se racontait des histoires et récitait ses leçons à un monde dérivant dans sa tête et vivant pour elle, tout en apprenant à lire, écrire et compter. La maîtresse d'école comprit qu'Adéline serait une enfant à part et l'accepta. Elle l'oublia dans un coin et, sans regrets, s'occupa des futés, des normaux. Adéline saisissait les enseignements et les mettait en pratique. Si la maîtresse s'était occupé d'elle, elle aurait découvert une brillante intelligence sous le capot silencieux de la fillette. À la première communion, elle se dit que le prêtre comprendrait ce cas et passerait outre les règlements. Il en fut autrement.

Alfred essuie les pleurs de sa petite qui lui présente un bout de papier. Sa femme attend la suite. Alfred se gratte le cuir chevelu, c'est de mauvais augure.

– Le curé ne veut pas qu'Adéline fasse sa première communion.

– Quoi? Il ne veut pas!

– Il dit qu'elle ne remplit pas les exigences minimales. As-tu saisi quelque chose là-dedans, toi!

– Pas une miette, Alfred.

– On va voir ce qu'on va voir, Albertine.

– Qu'est-ce que tu veux dire?

– Je n'ai pas dit mon dernier mot.

– Ne te fâche pas, Alfred. Ça ne donne rien.

– Au contraire. Si le curé n'a jamais vu un Lussier en colère, il va être contenté.

– Qu'est-ce que tu vas faire?

– Je vais, de ce pas, au presbytère. Mets ton manteau Adéline.

– Rapporte la lettre à M. le Curé, nous n'en avons pas besoin.

Le père replie le document le met dans sa poche.

– Pense à ton affaire, Alfred. Réfléchir ne fait pas de tort à personne, tu sais.

– C'est tout réfléchi. Le curé va ravaler de travers, je t'en passe un papier!

Alfred s'amène au village un brin radouci. La douceur de sa femme l'avait un peu refroidi et la route avait semé sa réflexion.

– Monsieur le Curé, je n'irai pas par quatre chemins. Adéline est en âge de faire sa première communion et vous ne la priverez pas d'être comme les autres.

– Mon bon Alfred, ta petite ne parle pas. Ce n'est pas de ma faute.

Adéline jette un regard inquiet à son père et lui tient toujours la main fermement.

– Mon Adéline a un problème de bouche mais elle n'est pas la folle que vous pensez, Monsieur le Curé.

– Comment veux-tu que je juge ta fille, Alfred?

– Elle sait écrire. Posez-lui des questions, elle vous répondra.

Le prêtre ascétique et craintif se caresse le menton, va et vient dans le couloir et réfléchit.

– Bon. C'est une possibilité. Je verrai à l'interroger un de ces jours.

– Tout de suite, Monsieur le Curé. Tout de suite!

Le prêtre se frotte le ventre pour enlever les graines invisibles sur sa soutane et se rassied. Alfred sourit à sa fille, content.

– Je m'assois là, et vous lui parlez. Vous verrez. Vous en serez surpris.

Le curé invite la fillette intimidée à prendre place en face de lui. Le père se tient en retrait, satisfait. Adéline trace des lettres malhabiles sur le papier et se serre les lèvres. Alfred respire profondément, confiant que son Adéline passera l'épreuve haut la main. L'interrogatoire terminé, l'homme en soutane lit à haute voix les réponses de la gamine et sourit d'admiration. Elle a réussi. Le dimanche suivant, dans son banc d'église l'homme le plus heureux de la planète remerciait

Dieu de tout son coeur. En ce jour mémorable, il fit la promesse à son Créateur de toujours Le chérir et lui fit une ardente prière.

Seigneur, ma femme et moi nous sommes prêts à passer chaque soir de notre vie à montrer à notre fille comment dire les sons, si vous voulez bien faire le reste.

Il lui sembla que le crucifix lui fit un signe de tête affirmatif. Depuis ce jour, chaque soir que le bon Dieu leur apportait, le couple assis au bout de la table reprenait les sons sortis à l'envers de la bouche d'Adéline et les remettait à l'endroit. Après trois mois écoulés, aucun progrès ne semblaient poindre. Le couple épuisé perdait espoir et enthousiasme. L'amour de l'un et le courage de l'autre arrivaient encore, malgré tout, à tenir le coup. Mais une grande lassitude s'était emparée d'eux. On voyait éclore des parcelles d'impatience à travers les heures longues à l'infini. Curieusement Adéline ne manifestait aucune animosité, au contraire. Elle se montrait toujours aussi intéressée. Un soir, en faisant ses devoirs, elle lut *papa* en l'écrivant. Alfred au bord des larmes tomba à genoux devant sa petite et la flatta tout partout en appelant sa femme, occupée à nourrir de bois la fournaise de la cave. Adéline fit de grands progrès tout l'été et recommença l'école à l'automne en enfant normale qu'elle était devenue.

Ce matin, devant le policier, son Adéline était restée sa petite Adéline.

– Elle a eu un accident, madame.

– Un accident!

– Quel genre d'accident? Racontez, monsieur.

– Elle n'est pas...

– Non, Monsieur Lussier, rassurez-vous.

Le vieux couple un peu rassuré, relâche la pression. En silence ils attendent la suite.

– Votre fille a perdu son chemin hier soir.

– En retournant à sa maison? interroge la mère inquiète, accrochée aux lèvres de ce jeune policier visiblement très inconfortable.

– En quel honneur!

– Monsieur nous ne pouvons vous décrire les circonstances de cet événement pour le moment.

– Où est-elle?

– À l'hôpital, madame.

– Oh! disent deux voix estomaquées.

– C'est grave!

– C'est sérieux, affirme le docteur.

– Nous voulons aller la voir.

– Les chemins sont impraticables par cette tempête. Nous n'avons pas l'habitude, mais si vous le désirez je peux vous y conduire.

Le couple monte le ton, parle en même temps, cherche tout et rien, tourne en rond, empreint d'une nervosité excessive. Albertine Lussier se tient le coeur qui claque dans sa poitrine, Alfred, lui, est atteint d'une paralysie incompréhensible. Pourtant, des deux, il est toujours prêt et attend toujours sa femme en tout. Elle a la manie de retourner fermer les chantepleures maintes fois et les boutons du poêle, et les lumières, et...

– Préparez-vous, prenez votre temps.

Bien emmitouflés, les Lussier s'engouffrent dans la voiture du policier et l'homme harangue son cheval sur le point de dormir debout. Le matin blanc porte à l'infini sa teinte immaculée sur la plaine. Le fleuve endormi sous son manteau de neige agrandit l'horizon se confondant au loin dans l'azur clair de la voûte céleste. Seuls les maisons et les bâtiments sèment, ça et là, quelques coloris le long de la route et la couverture rouge de la berline gribouille la toile terrestre comme une fleur caressée par le vent. Albertine a encore en mémoire le pétillement de la neige sur les carreaux de sa fenêtre de chambre la nuit dernière, elle remonte la chaude et lourde peau de vache de la voiture, sur ses épaules. Le froid et elle se détestent.

En lui, le jeune constable ensemence ses pensées de compassion. Il prévoit la peine que ces braves gens auront, en apercevant leur fille au visage de glace et aux portes de la mort. Il s'imaginait pouvoir s'aguerrir à sa nouvelle carrière avant de côtoyer des drames dont le réalité dépassait la fiction. La vie le prenait d'assaut, dès la seconde semaine de travail constabulaire. Il devait s'y habituer, ce n'était que le début.

* * * * *

À l'hôpital, Adéline est accueillie comme une poupée de porcelaine. Les infirmières ont mis leurs gants blancs aseptisés et leur front se plisse en apercevant l'état de la malade. Les médecins se pressent et libèrent le bon médecin de campagne après avoir pris connaissance du traitement prodigué. Un conciliabule entre trois docteurs se tient sur les lieux de l'arrivée.

– Cette jeune fille porte les marques d'une agression ou d'un viol, affirme le médecin de campagne. Son sein a subi une morsure.

– Voilà pourquoi elle s'est enfuie dans la tempête et s'est perdue, dit le gros.

– J'ai remarqué son sein, dit un autre.

– Vous l'examinez à ce sujet, insiste le bon docteur.

– Nous nous assurons de toucher tous les aspects, assure le gros.

– Une enquête policière est instituée.

– Nous les assurons de notre collaboration, repartez sans crainte.

– Cette jeune fille doit être sauvée. Le sale poltron paiera l'ignominie de sa bêtise, entendez-vous!

– Rassurez-vous docteur Turmel, nous la soignerons comme la prunelle de nos yeux.

Après un bref examen d'Adéline, le bon docteur de campagne repart chez lui.

Le combat contre la montre de la mort débute. Adéline doit s'autodégeler. Un médecin ordonne les traitements appropriés et les infirmières se préparent à tenir le phare allumé.

Dans le petit village du *Plateau Doré* et dans le rang *du Brûlé* du village voisin une tempête verbale fait rage. Chaque demeure est secouée par des secousses profondes qui les font trembler sur leur base. Comment un tel drame a-t-il pu arriver. Qui a commis un tel crime? Des mots et des phrases redites et répétées à satiété dans la clameur de braves gens dont le grand fleuve retient dans son sein leurs réponses tant espérées.

Le lendemain, Adéline montre des signes de changement. La nuit entière, les dames, blanches vêtues, se sont affairées autour d'elle. Leur principale préoccupation consiste à garder la chaleur interne du corps de manière à le réchauffer de lui-même, lentement, très lentement avec une quantité de couvertures appréciable. Dans des conditions favorables, le corps se réchauffe normalement de deux degrés à l'heure. La pression, le pouls, les pupilles sont scrutés à la loupe. S'assurer que le flot sanguin se fasse en douceur est primordial. L'absence d'humidité du corps peut entraîner une déshydratation massive de l'organisme. Le médecin a prescrit du liquide et des aliments légers mais énergétiques à l'heure convenue, principalement des carbohydrates et des protéines.

– Jamais d'alcool, un vasodilatateur qui accroît la perte de chaleur, ni de café, un diurétique qui cause la perte d'eau et favorise la déshydratation, répète le médecin.

Depuis un moment, l'infirmière un peu grassette paraît songeuse. Immobile près d'Adéline, elle réfléchit. Une idée mijote sous son toupet. Sa compagne s'approche.

– Tu doutes?

– Je suis inquiète. Les résultats sont très lents. Trop lents à mon goût.

– Qu'est-ce qu'on devrait faire?

– J'ai une idée.

Sans hésiter, elle se dévêt, se glisse dans le lit d'Adéline et entre sous ses couvertures.

– Ma grand-mère, une indienne, a déjà sauvé une femme de cette manière, dans sa jeunesse. Alors, ne dis pas un mot et nous verrons bien.

– Comment feras-tu?

234

– Je me couche nue contre elle et je lui transmets ma chaleur. C'est aussi simple que cela.

– Si le médecin te surprend?

– Je m'en charge. Maintenant va travailler, j'ai sommeil. On aura besoin d'eau sucrée.

– Vilaine paresseuse! Je t'ai à l'oeil!

– Concentre-toi sur son coeur, ce sera suffisant.

L'infirmière dodue ferme les yeux, place le corps d'Adéline peau contre peau sur son ventre, frissonne au toucher de cette étrange sensation de fraîcheur corporelle et fait une intense prière aux dieux de son enfance.

Entre elles, les deux infirmières espèrent voir monter l'aube matinale sur une longue nuit en perspective.

Plus le temps s'étire, plus s'éloigne l'oeuvre de la mort.

Au matin, Adéline a bougé. Deux femmes exténuées étouffent une émotion furtive au passage, radieuses et lasses d'une si bonne lassitude nocturne. Elles ont gagné leur pari, leur protégée remonte à la surface des eaux glacées du gouffre hivernal qui a failli la manger tout rond.

Chapitre 15

Au village les mâchoires se font aller, elles salivent à en baver. Depuis trois ou quatre jours, la police traîne au presbytère. Le mystère s'infiltre dans chaque maison, sous chaque cuir chevelu. Le vicaire et le curé disent leur messe le matin, sans parler aux paroissiens. Mme Portelance a beau s'inventer mille et un faux-fuyant, sortir des centaines d'astuces de son panier de ragots, laisser tomber par les trous percés de sa réserve de graines de calomnie; des on-dit, des j'ai su, çà et là sur sa route tortueuse, rien n'y fait. Elle joue de malchance avec ces bons représentants de Dieu. Aucun ne veut s'ouvrir le clapet. Elle court chez le bedeau et s'informe auprès de sa femme au cas où elle en saurait davantage. Une certitude gruge son sommeil la nuit et l'incite à persister dans ses recherches. Il se passe des choses pas très catholiques au presbytère.

Son mari rit aux éclats et remplit sa pipe de bon tabac *Zig Zag* en la laissant se fatiguer le gosier jusqu'à en perdre la voix. Enfin, elle se tiendra tranquille et se remettra à coudre.

– Voyons ma vieille. Tu perds la boule!

– Si je perds la boule, d'autres l'ont déjà perdu depuis des lunes. Ce que je te raconte n'est rien avec ce que je sais et ce que j'ai entendu dire.

Armandine Portelance referme les côtés de son chandail d'où s'échappe la chaleur essentielle à ses membres effilés et brasse la soupe froide dans son chaudron sur le poêle.

– Armandine Poudrier, tu vas trop loin! Pense un peu plus long que ton nez avant d'ouvrir la bouche.

Augustin Portelance s'amuse. Cette fois, sa femme lui tord les boyaux. Vraiment elle se surpasse. Son imagination l'entraîne dans des dédales abracadabrants sans fin. Le pire! Le pire, dans cette histoire; elle les croit!

Armandine se redresse le dos et raidit sa posture. Sa colère grimpe de plusieurs crans. Quand elle est en colère, il en régurgite de plaisir. Immobile, il se berce et laisse courir la rafale gestuelle autour de lui; en fumant sa pipe, en faisant éclater d'autres bulles verbales, en frappant sur le clou de son amusement et en l'écoutant regimber. Puis, l'orage évidée, elle se calme et rit. Augustin jouit alors de cet intense moment de bonheur. Il le crée, l'espère, le souhaite.

– Augustin Portelance; je m'appelle Armandine Porte-lance! Je porte ce nom depuis vingt-huit ans. Tu devrais le savoir; c'est toi qui me l'as donné! Je me demande pourquoi tu t'entêtes, vieux gnochon!

– Vingt-huit ans que je t'endure! C'est pas croyable!

– Pas croyable que je tienne le coup depuis si long-temps, Augustin Portelance. Des fois je me demande...

– Qu'est-ce que je ferais si je ne t'avais pas, lance Augustin allongé par un gros rire gras.

Puis il se tape une fesse satisfait. Il a encore fait rugir sa femme si naïve. Sa vie entière il a pris un malin plaisir à la piéger de mille et une façons; un jeu appris par son père. Mais soudain, une peur furtive l'envahit l'espace d'un instant. Comment Armandine vaincra ce besoin insatiable de porter un jugement sur les autres, sans raison ni réflexion. Où cela va la conduire? Qui va-t-elle emporter dans son sillon? Sa propre perte? Pénétrer dans l'univers de la folie? Il revoit son père, un aliéné enfermé dans un asile pendant trente ans et la crainte s'impose en lui. Son rire se dilue sous l'inquiétude apparue. Se voir seul dans sa grande maison sans elle, le terrifie. Non. Il doit faire quelque chose, maintenant! Ce soir il lui parlera entre les yeux. Lui mettra les points sur les i et les deux points sur les trémas. Le délire a assez duré.

Au souper, elle a affirmé tant de choses qu'il est pris au piège et entre dans le tourbillon des commérages de sa femme. La laide Armandine, comblée, s'endort les poings fermés comme un jeune bébé.

Un matin, dans la cour de l'église du *Plateau Doré*, des curieux s'attroupent, d'autres s'agglutinent en cercle autour d'eux. Au centre, un jeune homme parle à voix haute et saccadée.

– C'est la police qui me l'a dit.

– La police?

– Quand l'as-tu rencontré?

– Chez lui, le matin de la tempête. Vous ne vous souvenez pas, Monsieur Alphonse? Je vous ai parlé en passant, pendant que vous faisiez aller votre pelle dans votre entrée.

Des murmures enveloppent un instant le jeune homme qu'une vieille femme fait taire. La voix d'Harold reprend l'antenne.

– Je vous l'assure. La maîtresse d'école portait le chandail vert du vicaire.

– Allez donc! lance la couturière.

– En quelle honneur? insiste le cordonnier.

– Ah, ça? Il faudrait lui demander, lance une autre.

– Tu veux dire que...

– Pas le vicaire, mon jeune. Tu déparles! désavoue un rentier réservé.

– Tu penses, toi, que le vicaire allait voir la maîtresse...

– Donneriez-vous votre chandail à la première fille rencontrée, vous, Monsieur Antonin?

Le bonhomme gêné regarde autour de lui pour s'assurer que sa femme n'entend rien de ces insinuations. Le regard de celui qui sait brûle dans les pupilles d'Harold et s'attarde dans les siennes en mastiquant cette monstruosité. L'homme infidèle s'empresse de nier.

– Bien sûr que non! C'est des choses qui se font pas.

Pierre Potvin renchérit.

– Pas à la première visite, en tout cas.

Une voix féminine courroucée s'élève.

– Taisez-vous bande de bons-à-rien! Vous êtes en train d'accuser le vicaire d'une chose qu'il n'a pas commise. J'ai honte pour vous. Je préfère m'en aller, vous me faites pitié!

La jeune femme étend un grand silence sur son départ et draine un flot de culpabilité. Les chevelures masculines laissent tomber leurs pensées affolées sur le bout de leurs bottines.

Harold n'en démord pas.

– Je vous laisse, je suis pressé. Je sais seulement que je vous ai dit ce que je sais. Vous verrez dans quelques jours, le chat sortira du sac. Le vicaire est un homme comme les autres.

– C'est honteux de penser de même! Jamais je n'oserais m'attaquer aux prêtres, comme il le fait, constate une femme offusquée, à sa compagne de route, en se retournant chez elle. Harold Montpellier attire son malheur.

– Je n'aurais jamais pensé entendre une affaire de même de mon vivant, Timothée. Jamais! affirme un autre en quittant la place maintenant vide.

Harold se retrouve seul au centre de nulle part, le groupe s'étant volatilisé aussi vite qu'il s'était créé. L'oeil rieur, le visage épanoui, il laisse en les regardant, se déverser le trop-plein de nervosité à travers ses chaussures et sourit à lui-même satisfait de sa performance. Le mal semé, le doute ferait son oeuvre. Il repart content.

Quelques jours plus tard, l'oeuvre d'Harold se transforme en réalité. Derrière des rideaux de cuisine, devant les badauds immobiles sur le trottoir, sur les oreillers des couples, sous le regard anéanti du curé; des policiers, toutes sirènes de leur auto allègrement tonitruantes, entrent au presbytère et en ressortent Simon Labrosse, leur vicaire, menotté comme un vulgaire bandit.

Le village emporté dans un ouragan de stupeur reste figé sur place, incapable de prononcer une parole ou de penser. Les gens foudroyés par la nouvelle pleurent à chaudes larmes, d'autres tremblent, certains grelottent devant les images invraisemblables dessinées sur leurs yeux. Des femmes sortent de leur maison, en souliers ou en pantoufles, bras nus et sans tuque, et courent çà et là à la recherche d'un visage connu, d'une oreille attentive afin de s'assurer si elles deviennent folles. La panique fait place à la stupeur et le monde court à l'église. Le curé dans un moment d'une froide, voire glaciale intensité, monte lourdement en chaire, habité par un profond anéantissement, une immense incrédulité, une parfaite absurdité. On entendrait les mouches voler si c'était l'été. Le tic tac de l'horloge égrène le temps sans s'affoler, invitant les gens à l'imiter, l'orgue se tait. Du regard il enrobe ses paroissiens ahuris, accrochés à ses prunelles et baisse pavillon. Seigneur aidez-moi, aidez-nous! implore le prêtre devant l'anéantissement de ses ouailles déboussolées et déconfites. Puis, il balaie son regard sur la foule compacte et attentive.

L'homme en soutane sent à cet instant toute la vulnérabilité de l'être humain devant les événements chocs tels qu'ils viennent de vivre. Il entend des pleurs, des nez remplir des mouchoirs, des gorges se nettoyer et il prie. Quoi leur dire? Il se tourne vers le sanctuaire et médite, la foule se lève, attend, avide d'explications.

– Mes biens chers frères, prions. Je crois en Dieu..., Notre Père..., Je vous Salue Marie.

Tout le monde se regarde incrédule. Le curé ne leur a donné aucune explication. Penauds mais résignés, ils quittent lentement l'église, emportant en eux la certitude grandissante sur leurs doutes. Ils auront à digérer cet événement et en attendre les résultats.

Le soir, le village entier s'endort une grande peine au coeur. Simon Labrosse, leur si bon vicaire, est écroué sous les verrous d'une cellule de police. On dirait que la fatalité a ouvert une profonde saillie sur la longueur du village d'où s'écoule une large trace de peine qui s'infiltre dans chaque foyer jusqu'aux entrailles de chacun. Personne n'a sommeil. Alors des prières ferventes s'élèvent silencieuses des âmes meurtries par le chagrin et coulent comme une vague de fond jusque dans la cellule du vicaire endormi, pour le soutenir.

– Innocent! crie les voix sur chaque oreiller, dans chaque lit de chaque maison. Ce prêtre est innocent!

– Nous le prouverons! insiste les irréductibles.

– Nous le sortirons de cette prison. Harold en sait beaucoup. Beaucoup trop, à notre goût.

D'autres oreillers sourcillent devant le silence inouï de leur curé. Si le curé se tait c'est qu'il y a anguille sous roches. Harold Montpellier a peut-être raison. Qui sait?

* * * * *

Le jour s'illumine sous un soleil d'hiver magnifique et accentue la douleur morale du vicaire menotté s'engouffrant dans la voiture policière. Les regards muets et pétrifiés de stupeur des gens forment une haie insoutenable au bon prêtre. Incrédule, il voit défiler la campagne, le regard absent et l'âme ulcérée. Un lourd silence enrobe les occupants. Simon Labrosse l'apprécie. En lui un ouragan, sans merci, fait rage.

Seigneur, est-ce possible? Je suis inculpé comme un vulgaire mécréant, sans avoir pu m'expliquer. Sans que personne ne me prenne au sérieux et sans avoir tenu compte de mes affirmations. Je suis donné en pâture aux charognes. Même le curé doute. Ah lui! Ce faible, ce timide, n'a dit mot devant les faussetés gratuites semées sur mon intégrité. Seigneur, réveillez-moi! Sortez-moi de cette horrible catastrophe.

À la ville, la longue randonnée silencieuse se termine sous l'oeil attendri de deux gendarmes désolés. La morne façade d'un édifice impressionnant accueille le prêtre et les policiers. Autour, tout est gris et sale. Simon Labrosse n'a jamais vu cet endroit sous cet angle. Ce lieu lugubre lui glace les veines. La joue tombante de l'homme traqué l'empêche de réagir. En automate, il se laisse guider, docile. Les longues marches alourdissent la pesanteur de son corps dont les jambes fléchissent à chaque pas sous son poids. Les bruits de pas des gendarmes dans le couloir le font tressaillir. Une senteur morbide en apparence lui monte au nez. Des murs noircis par le passage de l'ivraie suintent le langage de l'opprimé. Son coeur semble noyé dans l'eau. Ses tripes se tordent. Il s'assoit une seconde fois, devant un homme en uniforme qui commence son long interrogatoire qui remplira une fiche criminelle. Puis un gendarme le soulève par le bras et l'amène derrière des barreaux. Le cliquetis des clés dans le verrou de sa porte achève de le crucifier. La voix d'un policier s'élève.

– Compte-toi chanceux, le curé! Tu es privilégié au fond de ce couloir.

Dans sa cellule, Simon Labrosse dépose son corps pétri de fatigue sur le bord du lit, examine le décor, n'y décèle aucun privilège. La lourdeur de la vie ne s'est jamais fait sentir aussi impitoyablement. Les mains jointes et vides, il se demande ce qu'il deviendra. Au bout d'un moment, il relève le nez pour apercevoir le mur nu. Nu et froid. Un mur où il écrira des foules de souvenirs, des montagnes de sentiments divers, des torrents de raisonnements sur l'invraisemblable fourberie des hommes, des volcans d'incertitudes sur son sort et une constellation de doutes sur sa raison d'être.

Dehors, il sait que le soir se prépare à l'horizon, il n'en a que faire. Son crâne agité surnage dans des vapeurs grises, il n'aura pas sommeil. Une légion de pensées martèlent ses méninges fébriles. Ses tempes se creusent et sa gorge s'assèche. Dans quel pétrin insensé l'a-t-on fourré. La méchanceté des hommes lui saute aux yeux comme les rayons de soleil lui ont froissé les paupières sur son chemin. Harold et sa laideur se dessinent avec plus d'acuité derrière les barreaux qui le retiennent. Il a tout manigancé ce jeune homme diabolique. Est-ce possible une telle lâcheté?

Mais oui, répond son coeur meurtri par une si grande vilenie. Je suis lié par le secret de confession. Impossible de m'en sortir.

– Dieu! Oh! Dieu. Venez à mon aide! crie son être en rébellion.

Soudain l'incarnation du courage et de la force se fraie un chemin à travers les multiples dédales de sa mémoire. Le visage du Christ, pétri de douleurs par l'incompréhension des hommes au jardin de Gethsémani, monte à son esprit. Il le voit seul à lutter, pendant que ses amis dorment à poings fermés. Il le voit qui marche la nuit entière à travers les sentiers du jardin, en bute à de grands tourments intérieurs.

Si toi, Dieu, tu as eu ces angoisses, ces luttes, comment moi, un simple mortel, puis-je tenir bon? Comment garder ce secret?

Il implore ce Dieu d'amour, mais la colère et la haine se voisinent dans son coeur; il en a peur. Comment les faire taire. Comment supporter cette erreur, sans crier ni pleurer. Comment ne pas se révolter? Comment? Comment. Il tombe à genoux.

– Seigneur. Seigneur! Prends-moi, maintenant. Je ne veux pas. Je ne peux pas passer au travers d'une telle épreuve. Je n'ai pas mérité cette injustice. Je suis un homme faible devant l'adversité.

Le visage de sa mère surgit des profondeurs de sa misère. Simon grimace. Lui faire un tel chagrin c'est la tuer sur-le-champ!

Oh! Maman. Chère maman. Je suis innocent. Tu le sais toi, n'est-ce-pas! Tu leur diras, toi. Ils t'écouteront peut-être.

Une pensée maléfique lui traverse l'esprit. Elle pourrait en mourir. Son visage se crispe, se gorge se serre, ses mains moites s'humectent. Il perd patience et courage. Des cris terrifiants sortent de lui. La rage se trace un chemin.

– Harold tu me le paieras! Je vais sortir d'ici et tu verras ce qui t'arrivera.

Il frappe son matelas, désespéré. Un volcan de colère déferle en lui et au bout de son poing, puis éclate avec une telle violence qu'il en est effrayé. Il continue à frapper et frapper, le souffle court et saccadé, jusqu'à tomber d'épuisement. À la renverse sur son grabat, il écoute son coeur à la dérive en lui, chercher sa route. L'image d'Adéline douce et souriante le visite. Il se cache les yeux.

Adéline! Chère Adéline. Je pense à moi et tu es sur le point de mourir. Ce goujat t'aura tué. On dit que tu es gelée jusqu'aux os.

Simon Labrosse frissonne et se frotte les bras vigoureusement. Cette idée le momifie. Un survol de son environnement le surprend. Il est dans un lit, bien au chaud dans une bonne couverture et elle grelotte de froid au point d'en mourir; sans compter les douleurs physiques et morales à avaler.

Cette terrifiante idée le fait retomber à genoux.

– Pardon Adéline. Je suis égoïste. Comment te venir en aide?

Lequel des deux sauvera l'autre? Là se situe toute la question.

Le vicaire échafaude des plans et oublie sa situation un moment. Le bruit de pas dans le corridor le fait réagir. On lui apporte son souper.

– Merci, je n'ai pas faim. Rapportez votre assiette.

Tiraillé par ces images affectueuses venues le visiter, il s'émeut. Les genoux au sol, le dos courbé sur son lit, ses pensées entre ses mains, il affronte l'angoisse qui l'étreint.

– Non. Pas ça, Seigneur. Je suis innocent. Seigneur entends-tu? Innocent. Tu le sais. Je ne veux pas payer une faute que je n'ai pas commise. C'est insensé! Je n'ai pas mérité une telle méprise. Jésus, sauve ton fils perdu.

En larmes, il retombe sur son grabat. Le torrent de peine écoulé le vide de ses forces et l'apaise. Il revoit ce visage du Christ défiguré par la souffrance qui prie et tient le coup. Il l'entend implorer son Père de lui éloigner ce calice. Il ressent dans ses entrailles les mêmes souffrances et les mêmes appréhensions. Cette étrange sensation le comble d'un bien-être jamais éprouvé. Il se sent envahi par un profond apaisement, une grande paix. Ses larmes asséchées, il découvre que quelqu'un le supporte, le soutient. Il se souvient de l'histoire de cet homme tourmenté qui marchait sur la plage. Cet homme dit au Seigneur:

– Seigneur où es-tu? Je ne vois ta trace nulle part. Où étais-tu quand j'avais besoin de toi?

L'homme entend une voix lui dire:

– Tout ce temps j'étais avec toi. Tu ne voyais pas les traces de mes pas sur le sable car je te portais sur mes propres épaules.

Son être ressent un immense courant de chaleur bénéfique l'envahir. Simon Labrosse, le vicaire du *Plateau Doré* goûte une douce et profonde sérénité jamais ressentie, il ferme les yeux. Tout son corps se relâche, il s'endort. Un Être d'exception est venu le visiter.

Le lendemain, on le réveille. Frais et dispos, il mange son déjeuner, la confiance tranquille au coeur. Du coin de l'oeil, les gendarmes le surveillent. En le voyant en si grande forme, ils se disent que les curés sont aussi hypocrites que les hommes. Ils cachent leurs jeux avec plus d'astuces que les bandits. Ils seront sans pitié pour lui. Il a failli tuer une fille, il paiera.

Les journaux s'emparent de l'affaire Lussier, l'appétit des voraces en gueule. Simon Labrosse est gardé en prison, sans avoir pu ouvrir la bouche ni s'expliquer. Tant de fois, il aurait voulu se couvrir les épaules de son chandail vert irlandais. Un procès retentissant tient les Assises criminelles en haleine. On veut voir ce prêtre maudit au banc des accusés, le plus tôt possible. La meute journalistique n'a de cesse. Elle le cloue au pilori et le condamne sans vergogne; avant même qu'il ait ouvert la bouche. Chaque jour la presse entretient le malaise, la colère et brode sur le verdict dans les entrefilets de secondes pages. La justice a du mal à trouver des jurés sans parti pris. Finalement, le procès se met en branle. La foule de badauds curieux ou voyeurs se presse, certains ont campé sur la pelouse du Palais de justice afin d'avoir les premières loges. Les portes s'ouvrent sur un vent de quasi hystérie. Jamais les oreilles ne se sont ouvertes si grandes, jamais les idées se sont entrechoquées autant. Au milieu des Assises, deux procès se déroulent en même temps; l'un à l'intérieur, l'autre à l'extérieur des murs. Harold étale son discours, sans coup férir. Firmin se dévoile inapte à poursuivre son témoignage, dès qu'il ouvre la bouche. Harold respire de soulagement. Ursule Montpellier passe de longues nuits blanches à la pensée de devoir raconter devant tous, son quotidien si banal. Quoi dire et ne pas dire; voilà son défi. Berthold, son mari, se sent soulagé de réaliser que son absence ce matin-là, le libère d'un tel supplice.

Les Lussier, eux, les mains creuses de peine, regardent ce cirque et se demandent comment va-t-il se terminer. Ils croient en l'innocence du prêtre et cherchent parmi les hommes, qui a commis un tel crime.

Dehors, le procès des opinions se divisent en deux. Selon les aveux quotidiens révélés chaque jour, la vague déferle sur eux en un verdict favorable; le ressac reprend les eaux et renverse la vapeur. Bientôt la cacophonie s'installe, on ne sait plus qui à fait quoi, ni pourquoi; qui est coupable et qui est innocent. Essoufflée, la clameur cesse et les esprits rajustent leurs tirs. La ville, et les villes entières connaissent chaque brin de laine du chandail vert irlandais. Mais personne ne peut dire avec certitude qui a commis ce crime. Des rumeurs cultivent le suspense. Le procès traîne en longueur, on attend un témoin-clé.

– Adéline Lussier est sortie de sa léthargie et pourra venir témoigner, dit-on.

L'énergie de la bourrasque verbale maladive se revigore, prend de la force. La foule reprend le chemin du Palais de justice. Simon Labrosse, le vicaire et ami d'Adéline Lussier est-il coupable ou innocent. Enfin on saura!

* * * * *

À cette nouvelle, Harold se sent nerveux. Le suspense et la peur de la perdre se côtoient. Tout peut arriver. Comment contrecarrer cette éventualité? Une question s'agglutine en lui autour d'un prisme de contradictions. L'a-t-elle reconnue? Il passe la journée et la nuit à songer. Au matin, il a trouvé: gagner la confiance d'Adéline pour tromper sa perception de l'événement et créer le doute en elle; faire une diversion: lui offrir un cadeau.

La tenancière du magasin général le voit entrer en sifflotant.

– Tu es matinal à matin, Harold! Puis tu es habillé sur ton trente-six!

– Le printemps s'en vient, il nous donne des ailes sans nous en rendre compte.

– Eh oui! Après ce que l'on a vécu au *Plateau Doré*, il est temps que le soleil change les idées, nous réchauffe les veines et nous dégourdisse les jambes.

Le jeune homme bouge un tourniquet en examinant des cartes de souhaits. Il se penche et ramasse un petit carton orné de fleurs minuscules, offre des sous à la bonne grosse femme du propriétaire du magasin et se presse.

– Où vas-tu avec des habits du dimanche, Harold?

– Il s'est trompé de jour, notre Harold, hein? lance un homme qui entre et prend part à la conversation.

Harold sourit.

– J'ai affaire en ville. J'ai dit à maman, qu'aujourd'hui les moutons pouvaient attendre.

Les deux autres se regardent sans comprendre.

– Salut tout le monde.

– Salut jeune homme, porte-toi bien je payerai le médecin.

Harold sourit à l'homme, à travers la porte déjà refermée sur lui.

– As-tu compris quelque chose à son histoire Philémon,
reprend un employé.

– Pas une miette! Les jeunes d'aujourd'hui parlent en
parabole. Je me demande pourquoi.

– Ils ont de la misère à se comprendre eux-mêmes.
Comment veux-tu faire autrement?

Philémon sort, en songeant à la misère à comprendre.

Harold harangue son cheval et la bête prend son allure
au petit trot. Le jeune homme entre en lui-même, médite et
essaime ses idées au vent de sa folle témérité.

À la ville, il met le chapeau de Firmin et endosse la
veste de son frère. Il s'arrête devant un marchand de fleurs et
choisit une superbe rose rouge. Il la fait envelopper et griffonne des mots sur la carte achetée dans son village et se rend
à l'hôpital. Il rencontre un jeune garçon et lui demande une
faveur. L'enfant répond par l'affirmative. Harold le salue,
dépose un vingt-cinq sous dans une main et s'enfuit aussitôt.

Le jeune garçon s'arrête devant un numéro de porte de
chambre d'hôpital et prête l'oreille. Il frappe et pousse la
porte doucement. Une jeune femme pâle, surprise, l'invite à
s'approcher.

– Voici un paquet pour vous, madame.

La frêle jeune femme se redresse et prend le paquet.

– Je ne te connais pas. C'est toi qui m'offre ce présent?

– Non, madame. C'est un homme avec une veste brune
et une casquette pleine de moutons tout autour.

La malade sourit et déchire le papier fleuri. Le garçonnet veut partir.

– Non. Reste. Tu verras ce que tu m'as apporté.

L'enfant, retenant la porte, attend intrigué de découvrir le contenu de sa curieuse démarche. Une fleur magnifique apparaît.

– *Une rose pour Adéline*, lit à haute voix la jeune femme heureuse. Elle n'est pas signée. Une figure lumineuse surgit sous ses tempes. C'est de Firmin, jeune homme. Merci beaucoup. C'est le plus gentil garçon que je connaisse.

Elle en hume le parfum et savoure sa magnificence. Chaque détail, chaque aspect dévoile une telle perfection qu'elle ne cesse de la dévorer des yeux. La tige roule entre ses doigts; elle scrute les pétales avec une infinie précaution, comblée par un tel cadeau lui apportant une si grande joie.

Comment a-t-il pu m'apporter cette fleur? songe-t-elle intriguée.

Captive de ses pensées elle n'entend pas le garçon qui la salue et la quitte, subjuguée par le petit mot intriguant sur une jolie carte. Elle lit et relit la courte phrase enrobée d'un bouquet de pensées chatoyantes de plaisir.

Firmin a-t-il pu accomplir tant de progrès en si peu de temps?

Dans la vie tout est possible, lui affirmerait sa mère.

La rêverie court dans sa tête à la recherche de ces deux coquins de Montpellier et fait naître un sourire dans son visage émacié par le choc psychologique. Firmin n'est jamais venu la voir à l'hôpital, elle aurait aimé sa présence. La pureté d'esprit de ce garçon l'a toujours bouleversée. Harold est venu la visiter un jour avec sa mère à la bouche constipée, et renfermée à double tour dans son apparence récalcitrante. Harold timide, s'est caché derrière le dos féminin et s'est tu. Il l'examinait inquiet, le corps raide comme une barre, debout derrière l'épaule maternelle, ses yeux à peine visibles. Rassurée, Adéline le vit enfin se détendre un brin. L'arrivée de ses parents au même moment les a fait fuir, sans raison. Pourtant elle s'est ennuyée d'eux. Des nouvelles de son école lui auraient fait tant de bien. Connaître l'impression d'Ursule Montpellier sur sa remplaçante l'aurait amusée. Sa mère, rassurée par la convalescence de sa fille, avait tenu le plancher, sans laisser personne dire un mot.

– Tant qu'il y a de la vie, il y a de l'espoir, pas vrai! assure Albertine Lussier en tapotant affectueusement le bras d'Adéline.

Chère maman. Une éternelle optimiste, se dit la jeune fille.

Cet espoir augmente son bonheur. Longtemps elle a réfléchi sur son futur. Longtemps elle s'est demandée si elle devait, si elle pouvait continuer à enseigner dans ce coin de planète. Tant de souvenirs et tant de trous noirs restent agglutinés dans les méandres de sa mémoire, impuissante à les déloger.

– Tu reviens de si loin, lui a déclaré le médecin.

Lorsqu'elle réfléchit à sa mésaventure, son souvenir lui parsème des pièces détachées comme le plus fou des rêves. Sa ferveur à remailler cet événement défaillit à mesure que l'absence de souvenirs se dresse implacable comme un mauvais sort, un cauchemar qui ne veut prendre fin. Ses nuits sont pavées de murs infranchissables, d'autres, troués de toute part comme sa mémoire. Elle passe son temps à tenter de les escalader, sans jamais y arriver. Souvent elle s'accroche dans ces trous de murs mais ils se rapetissent ou s'agrandissent et la retiennent, alors elle reste prise au piège et se réveille en sueurs ou frigorifiée. Ses souvenirs emmêlés dans leur maison cérébrale se brisent comme des brins de laine trop étirés. Elle en parle au docteur.

– Donne-toi du temps, lui suggère le médecin. La vie rapièce souvent les pots cassés que l'impuissance des humains n'arrive pas à colmater. Tu es vivante et sur la route maintenant. Ton cerveau se restaure lentement. Tu as vécu un grand traumatisme, tu sais. Le réalises-tu vraiment Adéline?

Adéline ferme les yeux. La beauté de cette voix masculine se fait douce à son oreille, elle jette du baume dans son âme troublée.

La présence de ses parents, souvent endormis près d'elle dans leur fauteuil, fit jaillir cette chaleur dont elle est si avide. Que de fois elle les a regardés dormir, les traits tirés par l'angoisse de la savoir dans un tel état. La neige s'est infiltrée dans leur chevelure et l'a encore blanchie. Tant de fois, elle a laissé monter de tendres paroles pour ce vieux couple usé, aux mains généreuses comme la nature en automne.

Papa et maman, je vous aime. Merci d'être ce que vous êtes. Je vais mieux, partez vous reposer. Vous le méritez.

Des pensées égrenées dans le silence de sa chambre d'hôpital, agissent sur elle comme un doux et puissant somnifère. Adéline en était si friande.

Le visage de Laurier Lanteigne la visite parfois et lui crée un pincement au coeur. Elle le jette aux oubliettes, incapable de souffrir davantage. Pourtant, en elle persiste un souffle d'espoir de le revoir un jour et de connaître les raisons de son silence inexplicable. Adéline a mis en veilleuse ses sentiments envers Laurier Lanteigne; elle sait qu'ils sommeillent sous leurs tisons. Ne s'éteindront-ils jamais un jour? Elle en doute mais l'espère.

Une autre ombre au tableau se dresse comme un fantôme; l'absence inexpliquée de Simon Labrosse, son grand ami. Pourquoi fait-on tant de mystères autour de cette situation. Il n'a pas mis les pieds dans l'hôpital depuis son arrivée dans cette chambre antipathique. Pour elle, tout est brume à ce sujet. Quand elle s'informe, on étire d'étranges silences sur ses questions et les réponses évasives ne la satisfont pas. Quelqu'un lui cache la vérité. Tout le monde, au fond, se donne le mot pour jouer la conspiration du mutisme ou des fausses confidences. Parfois, elle rêve qu'il est mort et enterré. Ces moments la tracassent. Où se terre la franchise? Personne ne semble en détenir la clé.

– Maman? J'aimerais que tu m'apportes mon chandail vert, insiste un jour Adéline.

Albertine Lussier devient nerveuse, elle cherche comment s'en sortir.

– En as-tu réellement besoin, Adéline? Il fait si chaud ici.

– C'est vrai. J'aime tant ce chandail. J'ai des goûts d'enfant d'école parfois, hein maman!

Adéline change de sujet. Pourtant elle sent un mystère planer sur ce vêtement; comme quelque chose de louche et d'inexplicable à cacher à ce sujet. Elle se creuse les méninges sans trouver de réponses. L'obsession de ce chandail la bouleverse. Enveloppée dans les vapeurs de l'incompréhension, elle n'arrive pas à saisir pourquoi elle désire tant ce chandail. On dirait qu'il fait partie de sa guérison. Comme l'unique morceau d'un puzzle perdu et qui nous empêche de le ramasser et le ranger dans sa boîte.

Un jour, je saurai. Un jour...

Chapitre 16

Adéline hume l'air frais du printemps hâtif qui s'installe. Faible, mais heureuse de recouvrer la liberté, elle prend sa première marche sur la grande galerie de la demeure familiale et médite les bras enlaçant son corps.

– Où est mon chandail vert? a-t-elle demandé en arrivant chez elle.

Ni sa mère ni son père n'ont trouvé le moyen de lui expliquer sa disparition.

– Ton chandail est perdu, mon Adéline.

– Perdu! Je ne saisis pas. Avez-vous ramené tous mes vêtements du *Plateau Doré*, papa?

– Mais oui, Prunelle. J'ai tout ramassé.

– C'est étrange.

– Qui t'a donné ce chandail? On n'a jamais vu ce vêtement ici.

– Il appartient à Simon. Je devais lui rendre, car il l'avait oublié un jour qu'il est venu me visiter après l'école.

Le vieux couple se regarde incrédule. Devant l'énormité de cet aveu, Simon Labrosse, le vicaire s'enfonce dans la géhenne. Ils ne savent que répondre à leur Adéline.

– Votre imagination vous invente des histoires. Il n'y a plus aucun lien entre nous. Seulement de l'amitié. Comprenez-vous?

Le couple soulagé respire profondément. L'air de la maison s'est soudainement purifiée de ces insinuations nauséabondes.

– Bon. Qu'est-ce qu'on mange?

Un rire sonore et nerveux se répercute dans tous les pores de la demeure. Qu'il est bon de l'entendre, enfin! Le père d'Adéline frétille de joie exubérante.

– Alfred, que tu es pressé! Tu vas mourir avant les autres.

– Allez, je prépare le souper.

– Adéline, en es-tu capable?

– Maman, le docteur m'a ordonné de m'occuper. Je dois reprendre mes forces perdues. Trois assiettes à remplir, ce n'est pas la mer à boire, vous savez.

– Si tu le dis...

Adéline accentue chaque jour la coloration de ses joues. Six semaines écoulées depuis son accident lui ont fait perdre la notion de l'hiver. Déjà, mars aiguise des ardeurs printanières depuis un certain temps. Adéline, assise sous les chauds rayons de soleil, renaît lentement à la vie, malgré sa fragilité psychologique apparente. Elle s'amuse à écouter rissoler la neige fondue sur le solage de la maison; la nature l'énergise. Pourtant un rien la fait pleurer. Le médecin l'a rassurée et informé les siens. Un violent choc se résorbe peu à peu et très lentement. Elle se rassure. La confiance en ce médecin est inébranlable.

Seule en compagnie de ses pensées, elle songe à ses élèves et s'ennuie d'eux. Elle souhaite retourner à la barre de sa petite école à Pâques, mais le docteur lui en interdit l'accès, elle est encore trop fragile. Déçue, elle se résigne non sans peine. Il paraît qu'une grosse et vieille maîtresse d'école à la réputation peu rassurante la remplace. L'idée de concevoir cette femme rabougrie l'amuse.

Ils verront comme je suis fine envers eux. Ils m'apprécieront.

Le désir ardent d'être aimé, – le rêve de l'humanité – coulait toujours dans les veines d'Adéline.

* * * * *

C'est dimanche. Adéline se presse.

– Comment! Tu t'habilles, Adéline!

– Papa, je vais à la messe avec vous deux. C'est décidé!

Le couple Lussier bombe le torse. Quand c'est décidé, il n'y a rien à faire. Leur fille est têtue comme une mule! Ils envisagent ce moment, nerveux.

Que va-t-il se passer? Qui osera lui parler de l'emprisonnement du vicaire? Par bonheur, ils appartiennent à l'église *Saint-Clément* et non celle du *Plateau Doré*. En route, ils font une fervente prière à Dieu. Pourvu que le monde se taise. Ils passeront par la sacristie et ils arriveront en retard. Ils placeront Adéline au fond de leur banc d'église et elle devra attendre pour sortir. Ils seront pieux. Très très pieux. Leur prière d'action de grâces sera longue, longue... au point d'être les derniers à sortir.

Le tout se déroule selon leur volonté. Contents, ils reviennent volubiles, le pire a été épargné. Pour combien de temps? S'il avait fallu que Simon Labrosse desserve notre paroisse, songe Albertine soucieuse. Dans son coeur, la brave femme s'évertue à échafauder un monde où on évitera tout tourment à son Adéline. Une voix lui dit qu'elle fait fausse route, que la méchanceté existe et sème son fiel.

– Le postillon n'apporte plus le journal?

– Prunelle, on l'a discontinué. Tu sais, on passait tant de temps à l'hôpital qu'il était devenu inutile d'être abonné sans le lire.

La jeune brunette aux yeux verts joue dans ses cheveux allongés et paraît déçue. Pas autant que sa mère. Jamais elle ne l'a vue sans cette nourriture quotidienne.

– Vous, maman. Qu'en pensez-vous?

– J'avoue que le temps est long. Mais on s'habitue à tout, tu sais. Ce que ton père décide est bien.

– Je songe à vous réabonner. C'est si peu, en regard de ce que vous avez fait pour moi.

Accolés au pied du mur, ils cherchent une réponse sensée, sans succès. En attendant, Adéline découvre sa plume. L'odeur de l'encre la prend tout entière. Elle doit retourner enseigner, c'est une question de salut.

Quelques jours plus tard, une première copie du journal arrive dans la boîte aux lettres. Le trio assoiffé dévore les lignes du quotidien avidement. Les journalistes ne parlent plus de sa triste aventure.

Le soir, enfouis dans leurs draps de flanellette blanche à la bordure fleurie, nourris par leurs tourments intérieurs, le couple Lussier s'interroge, les mains nouées par leur chapelet.

– On doit lui parler de Simon Labrosse, Albertine.

– Est-ce le bon moment, Alfred?

– Notre silence va lui faire plus de mal que de bien. On est là pour l'aider.

– J'ai si peur. Comment lui raconter? Par où commencer?

Leur chapelet terminé, ils font une prière ardente à Marie de leur venir en aide et s'endorment nourris d'un mélange d'inquiétude et d'espoir.

* * * * *

Laurier Lanteigne est disparu de la vie d'Adéline depuis bientôt quatre mois et demi.

– J'ai vu le bonhomme Lanteigne qui transportait son bois de poêle près de sa maison, hier en allant au village d'en haut.

Alfred se lève et reprend une tranche de pain.

– Ah oui! fait Adéline piquée par la curiosité et qui cesse de manger.

– Je me demande s'il a reçu des nouvelles de son garçon parti quelque part dans le monde.

Adéline tourne sa fourchette dans ses aliments et trie ses pensées.

– Je ne pense pas, maman. On me l'aurait annoncé.

– Pas à ce que je sache, Prunelle.

– Ouais! Vous croyez, papa?

– Le monde ne raconte pas tout ce qui se passe chez eux.

– Ça c'est vrai!

– Si je le croise, je lui demanderai, mine de rien.

– Vous feriez cela?

– Beau dommage!

Adéline émue se lève, enveloppe les épaules de son père et dépose un chaleureux baiser sur sa joue rosée. Il frissonne de bonheur mélangé d'amertume. Son Adéline aime toujours cet évaporé écervelé, il vient d'en avoir la certitude.

Albertine soucieuse se demande encore, comment aborder le sujet brûlant qui empoisonne leur existence, incapables qu'ils sont, de lacérer le coeur meurtri de leur fille en convalescence.

La chance leur sourit. Quelques jours plus tard, Hilaire Lanteigne, le dos courbé, les cheveux blanchis, arrive une chaudière trouée en main.

– Tiens, bonjour mon Hilaire. Quel bon vent t'amène?

– Ma chaudière à clous a perdu son anse. Elle est trop pesante, je suppose.

– Les clous c'est comme les sous. Quand on en a trop ils font des trous.

Le père de Laurier rit de bon coeur.

– Veux-tu insinuer que j'ai les poches percées? Regarde!

Le fossoyeur amusé lui montre le vide de ses poches, sans aucune ouverture.

– Il y a toutes sortes de trous, Hilaire. Tu en sais quelque chose, toi qui es croque-mort.

– Eh! oui. Certains sont payés pour les remplir, d'autres pour les vider.

Au tour du ferblantier de s'amuser. Il prend le seau percé d'Hilaire et l'examine. En apercevant de gros trous à remplir, il se gratte une narine et songe.

Vaudrait mieux t'en acheter une autre, mon Hilaire.

– Je te la boucherai demain. Aujourd'hui je n'ai pas le temps. (Ni le matériel).

– Pas de problème. Ta fille viendra me la porter. On fera un brin de causette, si elle le veut.

Là tu parles, Hilaire! pense Alfred.

– D'accord! Demain après-midi. Et toi. Comment va ta route?

L'homme contrarié enfonce le reste du banc de neige sale avec le bout de sa botte.

– Alfred, les maudits gouvernements ne sont pas du monde! Un jour ils disent noir, le lendemain c'est blanc. Le damné Montpellier a donné l'autorisation pour la construction de la route entre nos terres, mais moi, je ne veux plus.

– Ah! Ah! Bon.

– L'affaire a trop traîné. J'ai attendu des années après Berthold Montpellier. Il se faisait un malin plaisir de me mettre des bois dans les roues ou de me laisser poireauter. Peut-être pour me mettre en rogne simplement. Eh! bien, aujourd'hui c'est à mon tour de le laisser pourrir sur son tas de fumier. C'est ce qu'il est, ce scélérat!

Alfred tente de le raisonner.

– Hilaire, cela n'en vaut pas le peine. La route sera un bienfait pour tout le monde. La paroisse d'en haut doit faire un détour qui prend des heures pour arriver ici. Si le monde passe entre vous deux, on récupère beaucoup de temps. Tu n'es pas fatigué de faire la guerre.

– Je réponds à la guerre, c'est pas pareil. Je me suis fait manger tout rond par cette charogne. Si je lui laisse un pouce de corde, il va en prendre un arpent.

– Tu as si peu confiance en lui? Pourtant... Il me semble...

– Pas une seconde! Il n'aura pas ma peau par ses manigances malhonnêtes.

– Demande à tes fils ce qu'ils en pensent.

– Depuis la mort de mon Eugénie, tout est changé. Plutôt me passer sur le corps que de céder à ce vaurien.

Voyant l'inutilité de sa démarche, Alfred Lussier le quitte et se met à brasser les outils. Il aurait aimé l'entendre donner des nouvelles de son fils Laurier, mais sa ligne a manqué son but; le poisson n'a pas mordu à l'hameçon.

Le lendemain, Adéline toute fière, enjambe la voiture, claque la croupe de son cheval et retourne la chaudière à Hilaire Lanteigne.

Le magnifique après-midi de printemps griffonne partout ses ratures. Elle sent la bienfaisante chaleur dans son dos et laisse la bête marcher au pas. Savourer ce moment de solitude lui est salutaire. La pensée de Laurier s'impose et suscite son espoir, mais elle ne se crée pas d'idées outre mesure. Ici et là, le sol brunâtre apparaît. Des plaques d'un blanc cassé fondent. Tant de nouveaux oiseaux arrivent d'un long périple en mer du sud et sortent de leur léthargie. Le babil de la gent ailée l'amuse. Certains, épuisés par leur folle aventure céleste se secouent, se nettoient, se restaurent sur les fils des clôtures ressurgies sous la neige. Boire aux mamelles de la nature la revigore. Elle se sent de mieux en mieux. Une paix fragile s'installe en elle, malgré les cauchemars nocturnes toujours présents mais plus espacés.

Au passage, l'absence de maison paternelle brûlée l'an passé chez les Lanteigne fait remonter une multitude de souvenirs heureux et troublants. Un moment elle s'attarde à ces réminiscences enveloppées de brume. Un beau visage masculin où elle se perdait dans le bleuté de son regard se clarifie et lui sourit. Laurier Lanteigne, le magnifique, a fait vibrer son coeur et s'est enfui avec ses sentiments. De tendres moments à jamais envolés et qui se font rares. Dans un champ en bordure de la route, une voiture abandonnée se colore lentement de rouille, comme sa vie. Adéline presse le cheval et passe outre. Il y a si longtemps qu'elle n'a pas revu ce paysage aux souvenances multiples, son coeur en est troublé.

La maisonnette où demeure maintenant Hilaire Lanteigne est en vue. Petite, proprette, en briques beiges au toit brun, elle contraste avec l'environnement plus vieillot des bâtiments environnants. Derrière le rideau, quelqu'un la surveille arriver. Il vient à sa rencontre, empressé, heureux de la revoir.

– Bonjour Mademoiselle Adéline. Comment allez-vous?

Le vieil homme se presse autour de la voiture rouge et du cheval noir puis l'attache à la rampe d'escalier verte. Cet homme remue les entrailles d'Adéline. Le portrait de Laurier, tout craché avec l'âge, lui crève les yeux. Même accueil, même sourire ironique, même regard, Adéline s'efforce de piétiner ses pensées. Aujourd'hui, elle veut avoir du plaisir. Comme autrefois avec le fils, elle veut revivre cette communion bienfaisante.

– Monsieur Lanteigne, voici votre chaudière. Est-elle à votre goût?

– Elle est parfaite. Parfaite! Ton père est sans pareil quand il s'agit de ferblanterie. Viens, entrons.

Adéline remarque l'intimité que le vieillard donne à cette rencontre. Tant mieux, elle en saura davantage.

Près de la porte, une page de journal maculée de saleté sous la paire de bottes du vieil homme, retient son attention. Elle dévie son regard vers la voix de l'homme occupé à accrocher ses hardes au mur, qui l'invite à prendre un siège. Mais quelque chose retient ses yeux sur le papier. Captive, la figure courbée sur les lignes, elle lit un bout de mot, distraite.

– ...brosse.

Réalisant sa grossièreté, Adéline se ravise, relève la vue et porte attention à son interlocuteur.

– Vous aimez cette maison?

– Je m'efforce de l'aimer.

– Mme Lanteigne vous manque.

– Énormément. Heureusement, j'ai deux petits-fils qui me divertissent. Sans eux...

– Les enfants sont si pleins de joie de vivre qu'ils nous contaminent malgré nous.

– Aimerais-tu les voir? Je vais chercher leurs photos.

Seule dans la cuisine, Adéline se penche et soulève les bottes de caoutchouc noir souillées, pour mieux lire le contenu de l'article du journal. Ce qu'elle apprend lui flagelle les tempes.

– Oh non! Ce n'est pas vrai! Est-ce possible? Non! Non!

Adéline crie à fendre l'âme en se tenant les méninges. Hilaire Lanteigne arrive inquiet, se plante droit devant elle pour comprendre et soustrait le papier de sa vue mais elle lui enlève et lit à haute voix l'ensemble de l'article. Son corps ploie sous la stupéfaction, elle s'écrase sur une chaise.

– Simon Labrosse en cellule! Simon Labrosse en prison! Dites-moi que je perds la boule, que j'ai mal lu!

– Tu l'ignorais?

– Tout, monsieur! Tout! Dites-moi que je déparle. Simon est le meilleur homme que je connaisse. Simon est en prison! Mais pourquoi? Qu'a-t-il fait?

Des larmes coulent à torrents sur ses joues et forment deux sillons humides qui font des cernes sur son chandail bleu clair et or.

– Et vous restez là, sans bouger! Personne ne l'aide! Je rêve ou je deviens folle! Racontez-moi.

Hilaire la prend dans ses bras et facilite la crue verbale. Elle tremble de tous ses membres, Hilaire a peur. Adéline ne doit pas vivre un autre choc émotif. Il lui parle et apaise l'effet brutal de la nouvelle, en lui tapotant dans le dos timidement. Des mots secoués de sanglots sortent en cascade de sa bouche. Elle prend les épaules du vieil homme et plonge son regard mouillé dans le sien.

– Nous devons le sortir de là. Simon est incapable de faire mal à une mouche. De quoi est-il accusé? Me le direz-vous à la fin!

Hilaire se tait, lui caresse la chevelure, incapable de lui avouer la teneur de ces accusations. Il ignore si elle se souvient de son terrible accident.

– Papa et maman qui m'ont tout caché. Je ne leur pardonnerai jamais!

– Adéline. Tu es plus raisonnable. Ils attendaient que tu sois en meilleure santé parce qu'ils t'aiment.

– Ils m'aiment! Vous voulez rire.

– Ils mentent parce qu'ils m'aiment. A-t-on vu pareille ironie?

Adéline, dont l'abcès est crevé, se mouche à répétition. Le choc initial passé, elle se calme. Le vieil Hilaire Lanteigne pris au piège, cherche un moyen de s'en sortir sans l'écorcher davantage.

– Nous savons tous que le vicaire est innocent. Mais que veux-tu, la justice doit suivre son cours comme pour tout le monde.

– Si tu veux, nous retournerons chez toi et tes parents t'amèneront le voir.

Adéline sent monter une lueur d'espoir. Elle remet son mouchoir de coton dans sa poche et se prépare à sortir.

– Vous avez raison. Je suis injuste. Mes parents m'ont tant aidé à me remettre sur pied.

– Tu vois que tout s'arrange. Il faut toujours espérer. Veux-tu que je t'accompagne?

– Non, merci. Ça ira.

Un sourire timide enveloppe son départ par une main nerveuse secouée, Hilaire pousse un long soupir de soulagement, se rassied sur sa chaise de cuisine songeur et triste; il a eu chaud.

En route, Adéline constate qu'elle a raté l'occasion de demander des nouvelles de Laurier. Des bonnes nouvelles lui seraient si salutaires en ce moment. Le visage des deux jeunes

Montpellier s'accrochent à l'écran de sa mémoire. Eux, non plus, ne donnent pas signe de vie.

Que font-ils? Comment vivent-ils son absence? La rose reçue à l'hôpital adoucie sa tristesse. Elle l'a sentie chaque jour, en pensant à Firmin, jusqu'à son flétrissement. Un mystère demeure à ce sujet. Comment est-il venu seul à l'hôpital? Il en est incapable. Quelqu'un a été de connivence. Qui? Harold? Un inconnu?

Elle cherche mais ne trouve pas. Une pluie de questions leur tombera sur la tête à ces deux-là, quand elle les reverra.

Adéline a accroché la petite carte sur un coin de son miroir de bureau et la regarde souvent. Personne ne lui a jamais offert une si belle fleur. Adéline rêve à cet inconnu qui a osé penser à elle à travers Firmin, et des châteaux fabuleux prennent vie dans son imaginaire. Qu'il fait bon rêver de moments affectueux.

Une avenue de sa pensée introduit le couple Montpellier. Le père court à l'évier, se lave les mains et se met à table. La mère examine pendant des heures un livre des records du monde entier. Deux gestes qui l'ont marquée. Berthold Montpellier, en homme réaliste, monologue avec sa femme échafaudant pour leur fils, des mirages qu'il trouve insensés. Adéline l'entend répéter:

– Tu verras, Berthold. Notre Harold te fera honneur. Tu ne me crois pas! Tu ne perds rien pour attendre.

Adéline revoit Berthold qui examine cet Harold pas aussi futé que sa mère le pense et continue à manger son repas en secouant ses idées, incrédule.

Le drame éclaté en plein visage reprend le chenal de son tourment. Son unique et véritable ami est en prison et M. Lanteigne n'a pas voulu expliquer davantage, elle le sait. La faute doit être énorme. De quel crime pourrait-on l'accuser pour l'écrouer de la sorte derrière les barreaux. Son séjour à l'hôpital lui a fait perdre un bout de vie important. Et on lui a caché cet événement. Pourquoi? Qui a intérêt à m'exclure ainsi d'une nouvelle si importante?

Adéline tourne et retourne le sujet, sans trouver de raisons valables à ce mensonge collectif.

Je dois tout savoir. Personne n'a le droit de me brimer de la sorte. En qui avoir confiance?

Deux visages connus se plantent droit devant elle et collent à sa pensée.

Elle lève les yeux, au loin, Adéline entrevoit deux êtres immobiles surveillant son retour au coin de leur demeure, elle retombe dans la réalité. Ses deux vieux parents l'attendent comme des sentinelles aux aguets et d'une fidélité inébranlable. Émue aux larmes, elle renifle et s'essuie la joue du revers de sa manche de manteau. Oui elle avait des parents uniques. Elle presse le cheval, désireuse de leur parler à coeur ouvert de Simon Labrosse.

Chapitre 17

Chez les Montpellier du *Plateau Doré*, le printemps s'installe. Une sorte de complicité latente les enveloppe depuis l'accident d'Adéline. Ses choses sont restées intactes dans sa chambre et l'attendent. Souvent, quand il est seul, Harold hume la senteur de ses quelques robes oubliées restées pendantes dans la garde-robe et s'en abreuve de fantasmes.

Firmin, lui, n'est plus retourné à l'école. Sa mère lui a dit que la remplaçante, une femme du rang, était une marâtre et qu'il valait mieux rouler de la laine. Sans capter le discours de sa mère, il s'est plié à ses exigences. Le jeune homme préfère pelotonner le poil des moutons que se geler les mains à chauffer le poêle.

Berthold Montpellier a ouvert la grande route tout l'hiver avec son énorme chasse-neige. Une nouveauté qui a fait basculer le monde dans l'euphorie. Tant d'ouvrage manuel est disparu en une seule fois. Il aiguise ses outils pour l'ouvrage du printemps. Partout la vie suit son cours normal. Jamais on ne parle du vicaire. Chez les Montpellier on le croit coupable, un point c'est tout.

La grande et rondelette Ursule étire son ennui en soupirant sur son sort de mère incomprise et de femme frustrée par ses ambitions démesurées.

Ce matin, Harold entre, une lettre du postillon en main. La grande Ursule frétille de curiosité, elle arrache la missive des mitaines de son fils et l'ouvre.

– Oh! Ah! Aaaaah! Oh oui! C'est enfin arrivé!

Ses deux fils attendent que l'euphorie aboutisse.

– Une bonne nouvelle, maman!

– Harold! Tu es le meilleur au monde! Tu as gagné. Entends-tu? Gagné!

– Montrez-moi la lettre.

Harold lit le précieux document pendant les palabres de sa mère qui se frappe dans les mains, au faîte du bonheur.

– Harold, nous avons gagné! Tu es le meilleur du monde entier. J'attends ce moment depuis si longtemps. Maintenant nous aurons notre revanche sur tout le monde. Personne ne pourra plus nous cracher dessus. Tu entends! Vous entendez!

Harold se touche mais il se sent le même et rien n'est changé en lui. L'exubérance maternelle le laisse froid.

Ursule, leur mère, les brasse pour les sortir de leur torpeur. Mais rien n'y fait. Ses deux fainéants de rejetons sont incapables de s'émouvoir. Froissée, elle prend le balai. Tant et tant de jours elle avait espéré ce moment inoubliable. Des montagnes de rêves échafaudés sur ses nuits s'effondraient le matin à son réveil et elle reprenait l'ébauche, le soir venu. Voilà que la réalité détruit tout sur son passage. L'apathie de ses fils l'ulcère. Son aigreur agite les fils du balai devenu fou. Ursule s'arrête et examine les deux têtes juvéniles, incrustée d'une profonde déception et perd tout espoir. Ces deux garçons semblent irrécupérables. L'idée de raconter à Berthold, son mari, les raisons de son emballement, la réconforte un peu. Lui saura apprécier l'honneur qui leur tombe sur les bras et entre à flots dans son coeur. Le précieux document brille sur la table, elle le déplie, le replie, le lit, le relit, l'étend, le flatte, le sent, le pèse, le soupèse, le lit en face de la fenêtre ensoleillée, le caresse des yeux, tout, tout! Silencieuse, elle classe ses pensées. Tant de moments passés à soutenir l'espérance, la volonté de réussite, la ténacité devant l'abandon de leur rêve insensé, maintes fois remis en questions par Harold. La persévérance à aligner sur les murs du corridor du second étage, toutes ces queues coupées, lavées, mesurées, cordées comme des damiers et plantées au mur comme de grands trophées de chasse. Les pans de damiers noirs et blancs entrelacés à l'horizontale et la verticale formaient un chaud manteau de fourrure enveloppant les murs du corridor du second étage et donnant un coup d'oeil unique à cette tapisserie inusitée et téméraire.

– J'ai hâte de voir la figure de votre père, au souper. Je vais écrire au journal. Tout le monde doit savoir que tu es le meilleur de la terre.

L'empressement du pinceau à long manche sur le plancher déplace la poussière plus loin au lieu de la circonscrire au centre. Ursule Montpellier, prisonnière de sa folie, court la saleté mille fois autour d'elle, perdue dans son emballement. Elle s'arrête et se parle, puis repart de plus belle.

– Enfin! nous avons notre revanche sur les Lanteigne. Enfin! le monde va nous regarder de haut. Tu verras, Harold. Ma mère disait toujours que j'étais née pour un petit pain. C'est dommage qu'elle soit morte l'année passée, je lui aurais prouvé le contraire. Quand on reste sur place, on recule. Harold, votre père, ne comprend pas ces idées-là. Il trouvait curieux de vous faire élever des moutons. Il verra qui de lui ou de moi est le plus étrange.

La mère, éblouie par ses chimères, reprend la lettre aux multiples reflets dans son coeur et relit la nouvelle.

– Que la journée va être longue aujourd'hui, les enfants!

Enfin Berthold se pointe le bout du nez. Comme il a un nez très long, le reste du visage s'estompe un peu. L'homme court et mince flatte sa calvitie avancée en âge.

– Te voilà, mon mari. Assieds-toi, puis avale un coup. Nous avons une nouvelle qui va te creuser l'estomac, en moins de deux, Berthold.

Le mari examine les physionomies des siens au sourire accroché jusqu'à cou et s'interroge. Que mijote Ursule? Il court se laver les mains à la hâte, frustré par le silence provocateur de sa femme, le sourire fendu jusqu'aux oreilles en lui versant de la soupe.

– Berthold. L'élevage des moutons, c'est fini!

L'homme fige, la bouche ouverte, une miette de pain lui pend sur le menton.

Ursule essuie son bol d'une tranche de pain et fait languir le suspense. Coquine, elle surveille son mari aux prises avec son embêtement et savoure son succès à satiété.

– C'est fini! Depuis quand?

– Depuis ce matin, Berthold.

– Je ne vois pas le rapport.

Ursule boit le visage impassible de son fils et insiste.

– Dis-lui Harold. Raconte à ton père ce que tu as reçu par la poste.

Harold se tait. Incapable de communier aux excès maternels et de soutenir l'ambiance lourde créée par l'entrée de son père, il plonge son inconfort dans son assiette et attaque son repas.

– Avez-vous fini d'étirer les nouvelles, sans raison.

– Berthold, mon Harold est le meilleur au monde. Il a gagné le concours. Apporte le papier à ton père pour lui prouver.

Berthold s'impatiente. Il se lève, s'étire, prend une tranche de jambon fumé et se rassied. Son fils lui présente un parchemin qu'il parcourt à la hâte, distrait.

– Ouais.

– Ton garçon est le meilleur au monde et c'est tout ce que tu trouves à dire!

– C'est pas la mer à boire. À quoi ça va servir?

– À nous mettre sur la mappemonde, Berthold. C'est pas suffisant? Nous sommes les parents d'un génie.

– Tu pousses fort, Ursule. Ramasser des queues de moutons et les piquer au mur pour en faire une collection c'est plutôt étrange.

– Formidable! Berthold.
Formidable! Voilà ce que c'est. Le livre *Guiness* l'a reconnu. Lis toi-même. On dit que c'est la collection la plus originale qu'ils aient reçue. T'entends!

Ursule gesticule et tourne dans la cuisine le livre en l'air, comme le vent en furie sous les yeux radieux d'Harold, la fourchette piquée dans son assiette qui attend, le sourire fendu jusqu'aux oreilles, la fin de la tornade d'effusion maternelle. Berthold Montpellier immobile se pose des questions.

– En as-tu parlé à Huguette?

– Notre fille est partie voir sa belle-mère malade, tu le sais.

– Qu'est-ce que tu vas faire de ce papier?

– Je vais aller voir le curé. Il va féliciter Harold en chaire dimanche prochain, puis on va l'encadrer et le mettre d'abord dans la salle paroissiale et ensuite dans le bureau du maire de la paroisse. S'il refuse, on l'accrochera ici sur le mur en face de la porte. Si le monde entier est au courant, le village doit le savoir. Tu verras. Plus personne ne va rire de nous maintenant.

– Personne ne rit de nous. Tu t'inventes des histoires, Ursule. Le pire, tu les crois.

Ursule ne prête aucune oreille attentive à son mari si monotone. Elle chantonne en apportant le dessert. Noyés de joie, les deux fils rient sans raison, jamais le bonheur n'avait engendré un tel débordement maternel. L'aîné regarde son père.

– Maman dit qu'on n'aura plus besoin de moutons à présent.

– C'est ce que tu crois! J'ai de petites nouvelles pour toi, mon gars. Élever des moutons c'est la seule chose que tu sais faire et tu vas continuer.

Sur ce, Berthold Montpellier se lève de table et sort précipitamment en saupoudrant sur son passage un nuage de mots inopinés ou acérés, tuant d'une seule phrase l'euphorie du moment et emportant derrière lui le ravissement de certains visages. Chacun retombe subitement dans ses pensées, la chimère s'était déjà envolée comme la balade des oiseaux arrivés récemment des pays étrangers.

Ursule déconfite digère sa déception, mais, entêtée, elle assaisonne son rêve d'atteindre la renommée envers et contre tous, surtout contre les voisins du sud.

Son mari hausse les épaules et réfléchit. Qu'est-il arrivé dans le passé de sa femme pour nourrir tant de hargne envers les Lanteigne? Trouver la clé de cette énigme assainirait le climat familial.

À moins que le mystère se trouve dans ses méninges.

Berthold froisse cette idée, il la rejette à l'instant, épouvanté de songer à de telles stupidités.

Une semaine plus tard. Berthold Montpellier arrive à son tour de son travail l'air enjoué. Ursule surprise s'interroge sur un tel engouement. L'atmosphère se tisse de singuliers mystères à mesure que le suspense s'étire. Le père au bout de la table de cuisine hume sa soupe fumante et gesticule heureux. Enfin! Il ouvre la bouche.

– Harold, tu commences à travailler demain.

Les fourchettes s'immobilisent.

– Hein! Où ça?

La mère s'inquiète déjà du départ de son grand, si longtemps couvé sous son aile.

– Un ouvrier de la voirie est malade, il ne s'en sortira pas. J'ai demandé au patron de le remplacer et j'ai offert tes services.

Harold frétille sur sa chaise.

– Je travaillerais avec vous?

– Pas nécessairement. Tu feras partie de la deuxième équipe et tu devras leur prouver tes capacités.

– Inquiétez-vous pas. L'ouvrage ne me fait pas peur.

– C'est ce que j'aimais t'entendre dire, mon gars. Les braillards et les paresseux n'ont pas d'affaire là.

Ursule se tait, son appétit s'est envolé. Se faire à l'idée de rester seule avec Firmin pesait lourd sur sa vie. Elle s'enfonce dans son passé loin des conversations joyeuses l'enveloppant en sourdine, une nouvelle tranche de vie ardue s'ouvre pour cette femme combative mais Berthold l'a devancée dans le détour; une gifle imprévue difficile à encaisser.

On frappe à la porte. Auguste, le mari de leur fille Huguette, entre préoccupé. L'homme, toujours un peu plus chauve à chaque visite, a maigri. Il s'assied devant la soupe offerte par sa belle-mère.

– Quel bon vent t'amène, Auguste.

– À une heure pareille!

– Huguette n'est pas avec toi?

– Elle est restée à la maison.

La famille se regarde, s'interroge.

– Ce n'est pas son habitude.

– Ouais. Elle n'est pas malade j'espère.

– Pas à ma connaissance, Madame Montpellier.

– Parle pour te faire comprendre, Auguste.

– Monsieur Montpellier ce qu'elle a ne s'appelle pas une maladie.

– Allons Auguste. Elle est malade ou pas. On ne peut être malade et pas, en même temps.

– Je le sais, s'écrie Harold.

Les convives s'accrochent aux exclamations du fils.

– Dis toujours.

– Elle va avoir son bébé.

Le monde relâche leur élastique intérieur et rit.

– C'est vrai, on le savait, Auguste, assure Berthold honteux!

On le savait mais on n'a rien fait! songe la mère contrariée; on t'avait oublié, ma fille.

Puis, on est même pas allé la voir une seule fois! réfléchit Berthold, le père honteux.

Le rire se transforme aussitôt en mutisme, chacun se sentant coupable de l'avoir froidement négligée d'une façon ou d'une autre.

– Oui. Mais elle est très malade. Le docteur dit qu'elle peut perdre le bébé.

– Je vais te donner des queues de moutons. Tu les mettras sous le matelas vis-à-vis de son ventre. Tu verras, c'est infaillible.

Le ridicule éclabousse l'atmosphère. La famille remplit la pièce de joie incrédule.

– C'est sérieux, madame. Elle ne se lève plus.

Toute joie a disparu du décor. Le couple Montpellier se regarde.

– Tu devrais aller lui aider, Ursule.

– Qui prendrait soin de la maison?

– Nous deux, maman.

– Papa et toi, Harold, tiendrez le coup?

– Sans crainte, Ursule. On va se débrouiller.

– Amenez Firmin, Madame Montpellier. J'ai de l'ouvrage à lui donner. Huguette sera contente de vous voir.

Le repas avalé, sans s'en rendre compte, Ursule fait ses valises et Firmin s'agite à l'idée de faire un beau voyage chez sa soeur.

– Si je n'avais pas montré à Harold à faire la cuisine, on serait mal pris aujourd'hui, hein Berthold.

Berthold courbe les épaules, sans mot dire, il désapprouvait cette manière féminine d'élever son fils. Il se rendit à l'évidence. Ceci leur rendait service.

* * * * *

Ursule ressasse mille et une pensées en silence sur sa route. Le soir printanier refroidissait et figeait chaque parcelle du sol d'une mince couche glacée vite fondue au lever du jour suivant. Un éventail de préoccupations trottinaient en elle. Harold prendra le chemin de son gagne-pain avec son père sous peu, la bergerie vidée de ses moutons est devenue inutile, le diplôme *Guiness* devra attendre son retour pour éblouir le monde entier contenu dans l'église de son village, la justice poursuivra enfin le procès du vicaire, le refus du bonhomme Lanteigne de céder une parcelle de son terrain et d'interdire la construction du chemin séparant leur village se poursuit, l'attente du retour d'Adéline à la petite école du *Plateau Doré* s'allonge, son mal de dents s'amplifie.

– Si tu attends ce sera pire Ursule, lui affirme Berthold, son mari.

Incrédule, elle s'abstient. Sa peur est plus grande que sa douleur. Lasse, la mère d'Harold se résigne. Il a suffi d'une courte visite d'un des siens pour tout chambarder ses plans. Pourtant, elle cède difficilement à ce genre de situation. Tout est planifié, ordonné, rangé dans sa vie. Le but fixé doit être atteint, coûte que coûte. Ce soir, sa fille revenait la hanter.

Ce mariage avait arrangé bien des choses chez les Montpellier. Elle n'aimait pas sa fille ni les filles en général et souffrait d'une terrible maladie; la jalousie. Tout était prétexte pour l'humilier, l'écraser. Ursule souhaitait parfois la voir partir au bras du plus laid mâle des environs. La face cachée de cette femme ferait trembler le plus brave des hommes. Ursule se gardait bien de montrer son vrai visage en public. On la croit la plus superbe des mères. En elle, le vomissement de sa laideur personnelle sentait le diable.

Huguette avait rencontré cet Auguste lors de la fête des pauvres et, un jour, il s'était présenté chez les Montpellier. Ursule vit tout de suite, en ce jeune homme, la planche de salut pour la sauver de ce milieu malsain. Elle encouragea Berthold dans ce projet d'union et amplifia les qualités d'Auguste, pour mieux le faire accepter par son mari récalcitrant. Le mariage consumé, Ursule retourna à ses chaudrons oubliant sa fille transplantée dans un village lointain. Enfin, elle aurait la paix.

Ce soir, cet Auguste insignifiant la replongeait dans son passé. Ursule constate que le temps et l'absence n'ont effacé aucun sentiment pour sa fille. Comme si son coeur avait cessé toute activité un moment et que maintenant tout revit. Elle réfléchit longuement sur sa manière d'agir.

Huguette doit être au bout de son rouleau pour lui quêter un service semblable, se dit-elle.

– Huguette nous attend, j'espère.

– Non. Elle ignore que je suis venu vous chercher.

Je vois, songe Ursule, devant le tableau imaginaire déroulé par son gendre.

– Vous comprenez, ma belle-mère ne pouvait nous aider, elle s'est cassée une jambe en grimpant dans son escabeau.

– C'est dommage.

– Mais elle va mieux.

– Peut-elle marcher?

– Avec des béquilles. Ne vous inquiétez pas. Quand elle sera rétablie, nous irons la chercher. Huguette l'aime tant.

Bon. Ça commence bien! Je vais prier pour la guérison de ta belle-mère, ma fille. Compte sur moi, songe-t-elle dépitée. Elle reprend, hypocrite.

– J'ai hâte de me retrouver avec Huguette. On se fait toujours une fausse image de la réalité. Quand je la verrai, je serai plus tranquille.

– La réalité est pire, madame. Le docteur dit que c'est grave.

Ursule se tait. Aucune émotion ne montait en elle.

– Les émotions c'était pour les poules mouillées, lui disait sa mère.

Elle l'affirmait. Auguste et ses sensibleries la faisaient rire du dedans.

– Firmin, pisser.

– Arrête ici Auguste, Firmin veut descendre de voiture un moment.

Le jeune garçon s'exécute et remonte en voiture. La nuit débute sa journée. L'astre se lève et perce de grands trous au firmament encombré de ouate.

– Firmin, content, arriver.

– Bientôt mon garçon. Très bientôt. Nous n'avons plus qu'une demi-heure et nous y sommes.

Ursule soupire. Huguette reste encore plus loin qu'elle se l'était imaginé. Pourquoi n'a-t-elle jamais senti la nécessité de la visiter? Bien malin qui oserait souffler une réponse. Auguste presse le trot du cheval.

— Tu vois, cette lumière, là-bas? C'est ma maison, Firmin.

Le jeune idiot étire le cou et surveille, entre les deux oreilles de la bête, l'étoile lumineuse tombée sur le sol. Le garçon se frotte les mains de plaisir.

— Firmin, content. Huguette, contente.

— Mais oui, mais oui! Allez, tais-toi et prie pour elle.

Firmin regarde sa mère, sans saisir le sens de son discours, baisse le toupet et le ton.

— Tu l'as laissée seule?

— Elle m'a promis de ne pas bouger de son lit, tant que je ne serai pas de retour.

Ursule trouve cette attitude téméraire mais ne s'en formalise pas davantage. Des femmes enceintes, elle en a vu dans sa vie, plus ou moins en santé; elle a accouché toutes les femmes du *Plateau doré*. Auguste, lui, devient nerveux.

Le cheval s'immobilise sous un nuage sombre de sueur, il a eu chaud. Ursule examine une première fois la demeure minuscule de sa fille unique et s'apitoie.

— Une autre mal mariée. Un fainéant de plus dans la famille. Je n'ai rien perdu de n'être jamais venu la visiter.

Auguste gravit l'escalier à la course, ouvre la porte à ses invités, fait jaillir la lumière, et crie.

— Minouche, c'est nous. J'ai de la belle visite pour toi. Ne te lève pas, nous allons te voir.

L'absence de réponse le surprend un peu.

– Elle doit dormir. Je vais dételer la jument et je reviens. Attendez-moi.

Ursule soulagée accepte. Rencontrer sa fille seule ne l'intéressait guère. Debout à la fenêtre, elle attend son gendre et dit des insignifiances à Firmin assis près de la porte pour meubler le temps et couvrir le silence de bruits.

De retour, le jeune mari s'inquiète de l'absence de réponse de sa femme à mesure qu'il se dévêt. Firmin malhabile rit nerveusement. Son inconfort en lieu étranger a toujours amplifié ses limites. Ursule se tait. Elle cherche comment rencontrer le regard de sa fille. Si dépourvue de sentiments, sera-t-elle à la hauteur de la situation devant Auguste cet étranger? Un bref survol de la cuisine étale un fouillis indescriptible. Sa propreté en prend pour son rhume. Un autre accroc dans le bagage éducatif légué à sa fille. Auguste saisit la pensée de sa belle-mère et explique.

– Vous savez, le docteur ne veut pas qu'elle travaille.

Et toi, Auguste! Tu ne le peux pas? songe-t-elle outrée de tant de relâche disciplinaire.

Le jeune homme inquiet détourne son regard de cette femme, incapable de le supporter davantage. Il avait tant eu peur de perdre son Huguette qu'il était resté prostré des heures, des jours à songer comment se sortir de ce dilemme et avait oublié la réalité. Huguette, désolée de vivre en compagnie d'un faible personnage, l'avait secoué et ordonné de se rendre chez sa mère. Ce qu'il fit. En ce moment, l'imposante personne envahissait toute la place, il se sentait relégué vers la sortie dans sa propre maison et ne l'acceptait pas. Cette situation nouvelle en compliquait une autre, tout aussi échevelée.

– Venez, allons la voir.

Auguste éclaire l'escalier où le trio monte et se retrouve en face d'une chambre non éclairée. Auguste s'approche lentement, doucement du lit et touche le bras de sa femme endormie.

– Huguette, c'est moi. Nous sommes arrivés.

Le brave Auguste tourne le bouton de l'abat-jour, un faible faisceau lumineux surgit.

La jeune femme ne répond pas. Il répète son geste et tapote son bras. Aucun son ne sort de la femme muette et immobile. Les deux autres, debout au pied du lit, ressentent un profond inconfort à la lueur de ce visage endormi, retourné sur le côté opposé à eux et noyé d'ombre. Auguste renforce l'éclairage et le drame leur apparaît dans toute sa laideur, sur le visage blafard aux yeux fermés de la bonne Huguette; une souffrance atroce incrustée dans ses traits. Un nuage de glace les parcourt tout entier.

– Huguette, demande sa mère?

– Huguette...? Huguette, réveille-toi! Réponds-moi, implore le jeune époux inquiet du sommeil profond de sa femme en lui tapotant délicatement le bras de la grande pimbêche d'Huguette.

Chacun la regarde et se regarde embrouillé; un sentiment horrible monte en eux à mesure que le silence s'allonge. Le bras inerte de sa femme crée une vague de chair de poule à Auguste. Il la sent parcourir tout son corps. Une terrible idée poursuit son chemin. Huguette est morte, songe le toupet dégarni et affolé d'Auguste aux prises avec des frissons incontrôlables.

– Huguette! Ma belle Huguette parle. Parle-moi! crie le jeune mari penché sur le visage de sa femme qu'il tient dans ses mains.

Il jette un regard affolé à sa belle-mère momifiée au pied du lit.

– Huguette est..., hurle-t-il incapable de prononcer le mot fatidique, le visage grimaçant de douleur.

Ursule recule et Firmin se sauve. Auguste soulève la couverture et aperçoit le corps bleu d'un bébé à demi sorti du corps de sa mère qui baigne dans une mare de sang, il tire la couverture et referme l'image horrifiante qui ne le quittera plus. Le malheur frappe le duo de plein fouet.

– Minouche, Ma petite Minouche! crie la stupeur d'Auguste qui enlace sa femme immobile. Il s'évanouit.

Ursule, qui s'est penchée près de la poitrine de sa fille crie et hurle, tourne en rond, cherche tout et rien qui aboutirait à un semblant de lucidité. Firmin s'est approché, timide et tremble.

– Firmin! Va chercher une serviette et de l'eau. Vite.

L'idiot tremble davantage devant la furie démentielle de sa mère qui le terrorise et le fige. Il ne bouge pas. Ursule court à l'étage inférieur, trouve l'eau et la serviette après avoir tout renversé et tout vidé les tiroirs rencontrés sur son passage. Le fouillis constaté quelques minutes précédentes épaissit. En automate, elle court vers Auguste et le lave. Par bonheur il revient à lui.

– Cours, va chercher le docteur, vite!

Le mari éploré dévale l'escalier et fuit vers le secours.

Firmin s'est assis sur ses fesses, recroquevillé sur lui-même dans un coin du corridor proche de la chambre de sa soeur et attend, perdu dans son monde, que la tempête cesse. Un jour on lui expliquera peut-être ce qui leur arrive. Entre l'horreur du drame et l'ampleur de sa stupidité, Ursule Montpellier oscille, impuissante à découvrir laquelle blesse davantage.

– Firmin suis-moi.

L'idiot descend derrière sa mère pressée. Ursule cherche un papier et un crayon puis griffonne un message qu'elle tend à son fils.

– Viens près de moi. Tu vois cette maison là-bas. Va chez ces gens, frappe à la porte, donne-leur ce papier et reviens ici. Répète ce que je viens de te dire.

L'idiot prend le papier, plisse les yeux sous l'effort à accomplir et répète, mot à mot, les propos de sa mère.

Ursule émet un soupir de soulagement et le pousse à l'extérieur de la maison. Elle le surveille s'éloigner aussi loin que les rayons de la pleine lune lui permettent, noyée dans son incertitude. Soudain, elle réalise sa solitude momentanée et la pensée de sa fille au deuxième étage se fixe à l'écran de son cerveau. Un mélange d'inquiétude et de curiosité l'assaille. Cette dernière lui tord les boyaux. Elle monte l'escalier et pénètre doucement dans la chambre d'Huguette, relève le drap bleu, se penche et examine le bébé mort-né resté coincé dans les entrailles de son enfant sous un lit de sang.

Il me ressemble, se dit-elle ébranlée. Huguette a reproduit mon image, malgré ce que je lui ai fait. Ce geste lui fut si pénible qu'elle en est peut-être morte. Ma fille est morte en donnant la vie. A-t-elle eu l'intuition que son enfant serait le monstre que j'ai été pour elle? Est-ce un garçon ou une fille? Impossible de savoir. Berthold a tant parlé de son ardent désir d'être grand-père. Comme il sera déçu. On dirait que la malédiction s'acharne sur nous.

Ursule se dirige du côté gauche du lit près de la fenêtre pour mieux voir le visage de sa fille. Elle lui touche timidement le bras... tiède, troublée. Le jeune mari debout près de sa femme pleure, sans savoir quoi faire. Elle ordonne à Auguste de rejoindre Firmin. Enfin seule, Ursule Montpellier se permet l'émergence de ses sentiments. Curieusement, le corps de sa fille n'est pas froid. Cette réalité la surprend. Combien de temps prend un corps à refroidir? Elle ne saurait le dire. Puis elle s'agenouille près du lit de son enfant, caresse sa joue lentement, nerveusement et sent monter une vallée de larmes si longtemps retenues.

– Pauvre petite. Partir dans de telles circonstances est horrible. Je ne t'ai pas donné l'affection, que tu étais en droit de recevoir d'une mère. Je ne t'ai pas aimée, parce que je ne m'aime pas moi-même. Ma mère nous a écrasées ta tante Justine et moi. Seuls ses garçons trouvaient grâce et valeur à ses yeux.

Tu fais la même chose avec tes garçons, crie une voix en elle.

Cette phrase venue des profondeurs la surprend. Elle grimace.

– C'est vrai. Je ne l'avais pas réalisé. Je répète les mêmes erreurs que je reproche à ma mère. C'est curieux comme nous sommes copieurs, nous les humains.

Ursule essuie ses joues arrosées de ses larmes et la regarde à travers le prisme embrouillé de sa peine et de sa vérité. Pour la première fois, Ursule se découvre telle qu'elle est. Soudain, elle voit soulever faiblement la robe de nuit d'Huguette sur son thorax. Ursule s'assied près d'elle et la prend dans ses bras pour la bercer tendrement. Un murmure, un faible son, une plainte sortent de la bouche de sa fille. Ursule Montpellier en est terrifiée, un frisson la parcourt tout entière. Elle relâche sa fille brusquement et se prend le visage, incapable de bouger. Les minutes s'étirent en éternité. Soudain, les yeux de la jeune mère bougent faiblement sous les paupières à demi closes, fixent Ursule et la terrifient.

– Huguette. Huguette! Tu bouges! Tu es vivante! crie Ursule déboussolée ne sachant que faire de ses mains.

À moins que ce soit l'effet de la mort. Ursule croit devenir maboule. Elle descend à la cuisine voir si quelqu'un revient. Personne ne se pointe à l'horizon sombre. Ursule songe un moment. Sa terrifiante frayeur lui broie les veines et lui coupe les jambes d'une soudaine lourdeur injustifiable.

Que faire? Rester ici ou remonter vers Huguette?

Cette question, Ursule se la pose, empêtrée jusqu'au cou dans son tourment. Pourtant, tant de fois elle a eu l'occasion de faire face à de telles situations. Tant de fois elle a foncé dans l'incertitude et la peur, sans coup férir. Tant de fois elle a sauvé la vie de mères enceintes. Tant de fois elle a accouché ces femmes en douleurs et dans de multiples difficultés. Ce soir, ainsi devant sa fille, son château de courage s'écroule. Le défi trop grand l'épouvantait.

Seigneur aidez-moi!

Prenant son courage à deux mains, elle remonte l'escalier et entre doucement, les yeux rivés sur le corps de sa fille qui a bougé. Sa fille Huguette revient à la vie.

Lasse de ces courses entre les deux planchers, soulagée, elle ouvre enfin la porte au médecin qui se dirige à la hâte auprès de la malade. Elle s'apprête à s'enfuir et lui laisser faire son boulot mais il l'interpelle.

– Madame, je vais avoir besoin de vous.

Le coeur noué, Ursule Montpellier refoule ses inquiétudes, apporte son aide et découvre de son courage, une facette d'elle insoupçonnée. Pourtant, tant de femmes lui ont donné du fil à retordre dans sa vie de sage-femme.

Les jours suivants, une procession de gens inconnus d'elle vont et viennent la soutenir et la seconder, on aimait cette jeune femme tendre et douce. Le bébé fut enterré dans un coin du cimetière de la paroisse; un garçon a affirmé le docteur.

La douleur d'Auguste le rendit un peu plus sympathique à Ursule. Berthold atterré déblatérait sur le mauvais sort qui s'acharnait sur eux. Harold songeur, ne disait mot. Firmin ne cessait de tenir la main froide de sa grande soeur.

Dans l'humble demeure d'Auguste les jours s'étiraient en une longue lutte pour la survie. Huguette était descendue si loin qu'elle semblait ne plus pouvoir en revenir. Seule une faible lueur tentait une timide percée. Le médecin la visitait chaque jour. Il repartait, tout aussi soucieux qu'à son arrivée. Les deux Montpellier, venus aux nouvelles, étaient retournés au bercail, inquiets. Ursule et Firmin veillaient ensemble quand Auguste était exténué.

Un bon matin, Auguste la trouve endormie pour l'éternité dans son lit de douleur. La grande Huguette n'a pu remonter la pente de la guérison.

On enterre la jeune mère près de son bébé et Auguste, disparaît dans les brumes de l'oubli pour la famille Montpellier. Ils engourdissent, puis endorment leur peine dans le train-

train quotidien et la vie continue son chemin. Harold et sa mère tirent de la patte, ils semblent touchés profondément. Ursule Montpellier, le regard absent, se conduit en automate. Trop de choses se sont passées en même temps, elle n'a pu mettre à exécution les heures glorieuses de son Harold; sa fille les a chambardées. Entre la gloire d'Harold et la disparition de sa fille, elle vacille comme l'épouvantail de son jardin par grands vents. Tantôt elle est heureuse, tantôt elle plonge dans la mélancolie. Ce terrible combat entre ces deux pôles ne semble plus avoir d'issu. D'un côté, sa revanche sur sa rude vie de misère, de l'autre sa haine de sa propre personne dans celle de sa fille oscille son pendule. Ces événements remontent en surface des facettes nocives de son enfance. Elle se sent un vase vétuste imbibé d'arômes nauséabonds. À travers la gloire d'Harold, c'est la sienne qu'elle façonnait avec l'acharnement du désespoir. Elle combat pour ne pas être anéantie par sa défaillante destinée. Sous la perte de sa fille, elle crie sa propre délivrance de son état de femme, maintes fois humiliée par son père. Être fille et femme c'est naître dominée, avilie, diminuée au niveau quasi bestial. Le visage condescendant de sa mère envers son père, l'a tant de fois blessée dans son amour-propre. Jeune mariée, elle s'était juré de contrecarrer cette fatalité et se promettait d'élever un piédestal à la gent féminine, si le bon Dieu daignait lui en faire le cadeau. Ursule brûle de regrets. Elle constate qu'elle a perpétué les valeurs maternelles à son insu, et, au contraire, elle s'est acharnée à détruire l'image d'elle-même à travers sa fille. Elle réalise que ses fils ont eu sa préférence, sans savoir pourquoi. La brave Ursule Montpellier découvre, une première fois, ses erreurs et se demande où cela l'amènera. Le corps froid d'Huguette le lui rappelle tant de fois par jour. Jamais elle n'a songé à cette situation imprévisible. Survivra-t-elle à ce nouveau combat? Qui pourrait le prédire.

Chapitre 18

La nouvelle de la mort d'Huguette Montpellier se répand dans la région comme la lumière diffuse d'un clair matin, enveloppant d'un trait, toute la plaine. Adéline l'apprend avec une réelle tristesse. Huguette avait été une jeune femme de passage mais mature et d'une grande écoute. Elle devine le chagrin intense des Montpellier et aimerait leur venir en aide. Sa mère intervient.

– Huguette est morte depuis un mois, Adéline. S'ils avaient voulu ta présence ils t'auraient renseignée. Les timbres-poste existent. Écrire une lettre est possible, ma fille.

– C'est vrai. Mais j'aimerais leur témoigner mes sympathies. Je suis plus qu'une simple étrangère. Tu oublies que j'ai presque fait partie de leur famille, tambourinent les mots sous son cuir chevelu, pour sa mère insensible.

Albertine Lussier ne le savait que trop. Elle refusait l'idée de sa fille de vouloir retourner chez ces gens.

– Ils ont été un paquet de troubles pour toi, Adéline. Ne l'oublie pas.

Adéline pensait le contraire. D'accord; certains jours plus vilains avaient existé, mais la vie parmi ces gens, s'était déroulée dans une relative amabilité. Lors de ces tempêtes, elle entonnait des chansonnettes connues et l'atmosphère s'apaisait. Maintes fois par jour, elle revoyait son école, ses marmots adorables et s'ennuyait.

Un jour elle décide d'en souffler un mot à son père, soucieux de la trouver si pensive.

– Tu es songeuse, Prunelle. À quoi penses-tu, toute seule dans le noir.

– Je m'ennuie papa.

– Tu t'ennuies!

– Des enfants du *Plateau Doré*.

– De ton école.

– Exactement. J'aimerais y retourner afin de constater, sur place, si je peux encore entrer revivre dans ce décor.

Le père songeur réfléchit.

– Ouais...

– Je ne peux passer ma vie à attendre ici, je ne sais quoi, papa. Je dois affronter mes démons.

– Ouais...

Alfred Lussier a peur. Cette éventualité le gruge, il se morfond. Quand il en parle à Albertine, sa femme, elle refuse carrément de laisser repartir sa fille dans ce coin perfide qui a failli la tuer.

– Partout! Mais pas là, affirme-t-elle déterminée à ne pas céder un pouce de sa décision.

– Je sais que vous avez peur pour moi tous les deux. Je le comprends.

– Avoir peur et la vivre, ce sont deux choses bien différentes, Prunelle.

– Je le sais papa. Mais je veux y faire face un jour. Sinon je serai incapable de vivre où que ce soit.

– Ta mère t'accompagnera, si tu veux.

– C'est une très bonne idée.

– Il reste à la convaincre. Ce ne sera pas facile. Tu la connais.

– Je pense que ton audience au procès de Simon Labrosse te donnera une foule de réponses.

– Je le crois. J'ai hâte d'en finir avec cette histoire. Cet homme innocent a assez subi d'injustice.

– Ton témoignage aura lieu lundi prochain?

– À onze heures précises.

– Te sens-tu assez forte pour ce combat?

– Combat?

– Cet endroit est une arène de gladiateurs, tu verras.

– Je n'ai pas peur. La vérité éclabousse toujours le mensonge.

– La proclamer et la soutenir demande du nerf, Adéline. On t'analysera sous toutes les coutures, tu sais.

– Sous toutes les coutures et dans tous les angles, je m'en fiche! Je vais leur montrer de quel bois je me chauffe.

– Le dire et le faire est deux choses bien différentes. Auras-tu la santé, c'est la question qui nous inquiète, ta mère et moi.

– Vous verrez. Je serai à la hauteur, n'ayez crainte.

– Si tu réussis, ce sera plus facile de décider ta mère à te laisser partir pour le *Plateau Doré*.

– Une chose est certaine. Saint-Jude sera du voyage.

Alfred se frappe la cuisse et rit aux éclats.

– Ta mère le frictionne, chaque soir, depuis qu'elle connaît la date de ta déposition.

– Le patron des causes désespérées sera présent. Maman s'en charge. Je préférerais celui des causes inespérées.

– Celui-là, je ne le connais pas. Faudra demander à ta mère s'il existe.

* * * * *

Adéline avale de la santé. Ses joues se colorent, son appétit grandit, ses jours s'animent d'une fragile gaieté, ses nuits se calment; ses parents respirent. Elle est allée visiter son frère aîné à Val d'Espoir, est revenue enthousiaste et a ramené son frère.

Depuis le retour d'Ulric, en visite au pays de son enfance, Adéline parle davantage et se confie plus facilement. Son grand frère fut certes une présence salutaire. Cependant un mystère persiste. Les Lussier n'ont pu percer la coquille des confidences, ils n'ont rien appris de cette affreuse nuit ni du mystérieux agresseur. Jamais elle n'en parle. Lorsqu'ils abordent le sujet, elle quitte la pièce ou fait une diversion. Les deux vieux se demandent comment elle affrontera le tribunal et jusqu'où sa mémoire a retenu le drame ou reconstitué l'événement. Une grande appréhension se lit dans leur visage, à la pensée de vivre ces moments pénibles. Il faut jouer le jeu, le sort en est tiré, elle n'a plus le choix; le médecin a affirmé au tribunal qu'elle était maintenant apte à témoigner. Le mois de juin sera pénible pour les Lussier.

* * * * *

De sa cellule, Simon Labrosse a presque tout chambardé la place. Des détenus jouent aux dames en sa compagnie, d'autres aux cartes. Certains se confient, d'autres apprennent à réfléchir sur leur existence. On le demande au chevet d'un malade, on désire manger à ses côtés. Après l'avoir ridiculisé à outrance et à l'excès, on le respecte et on l'appelle *Brother*. Il est le négociateur des événements graves, le volontaire des cas désespérés. Les prisonniers comme les gardiens trouvent en lui un confident et un ami. Certains songent comment il leur manquera quand il sera libéré. Car, on s'intéresse à son procès et on voudrait bien mettre la main au collet de cet écoeurant qui lui a fait une pareille sauvagerie.

    – Mieux vaut qu'il ne soit pas écroué, disent certains. Nous lui ferons la job!

    – Nous l'attendons d'un pied ferme, affirment d'autres. Ce sale toupet se souviendra de son séjour parmi nous.

    Simon s'évertue à leur répéter que ce n'est pas par la vengeance et la haine qu'on règle les problèmes, ils ne veulent rien entendre. Alors Simon prie pour eux, afin que la douceur et le pardon touchent leur coeur, endurci par les coups bas de la vie.

    Il pense souvent à Adéline. Sa mère lui a dit qu'elle s'en était sortie et qu'elle prenait du mieux. Simon respire, soulagé. Hier matin, on est venu l'avertir que son procès reprendra ses assises sous peu. Un témoin important peut maintenant témoigner. Son coeur se tourne aussitôt vers Adéline.

    Elle pourra enfin me libérer, se dit-il ému.

    Simon anticipe le moment où il la reverra dans la boîte aux témoins. Il aimerait tant la serrer contre lui et lui murmurer des mots de reconnaissance longs à n'en plus finir. Ce sera impossible. Il prie Dieu de lui donner la force nécessaire et la mémoire suffisante pour tout raconter. Simon Labrosse, le vicaire accusé d'agression sexuelle sur la personne d'Adéline

Lussier, songe à son futur. Il rêve éveillé à ce moment où il quittera cette prison et humera la liberté. Le curé du village où il était en fonction, ne lui a jamais payé une visite de réconfort. Seuls sa mère est fidèle au rendez-vous et le vieux cordonnier du village, devenu son grand ami. Par lui, il reste connecté à la réalité de la vie paroissiale.

Au printemps, il a eu très peur de perdre sa mère. Elle est tombée sur la glace en voulant le visiter et elle fut hospitalisée pendant trois semaines. Il a encore usé des chapelets pour sa guérison et fut exaucé.

Le brave vicaire a découvert dans les murs de cet enceinte, de véritables coeurs d'or, des hommes capables de générosité, sans égale, des hommes meurtris par la vie, des hommes victimes de rejets et devenus de véritables parias de la société qui les a rejetés. Il a connu des durs-à cuire corrompus jusqu'à la moelle, connaissant la seule loi qu'ils observent: celle du crime et ses répercussions. Il a appris à se protéger de certains criminels d'habitude. Il a accepté de ne pas tenter le diable inutilement. L'ivraie existe, il la côtoyait chaque jour.

* * * * *

Le jour tant attendu arrive. Au déjeuner, *ses amis bandits* lui offrent plein de bons souhaits qu'il accepte mais pour son repas, il n'a pas faim. Au passage, un détenu lui donne une barre de chocolat volée au magasin de la prison.

– Tiens *Brother*. Prends cela, tu vas en avoir besoin. Le temps est long dans le *box*.

Simon le prend et le remercie, sans s'informer de sa provenance; il la connaît. Chaque visage est présent, chaque main se donne à travers les barreaux de porte de leur cellule. Chacun, à sa manière, fait une prière fervente pour le *Brother* inoubliable.

Dans un silence de plomb Simon Labrosse, le vicaire vêtu en prisonnier, entre dans la salle et prend place près de son avocat, le col romain au cou. L'absurdité de la situation fait se nettoyer des gorges et tomber des larmes chez certains paroissiens sceptiques devant cette parodie de justice. L'air sérieux, le visage calme, les tempes en émulsion, il prie. L'accusé cherche autour de lui pour apercevoir celle qui le sauvera, en vain.

– Mesdames, messieurs, veuillez vous lever pour l'arrivée de M. le juge, ordonne le greffier d'un ton coutumier.

Le juge s'installe au banc de la justice et les procédures débutent. L'heure passe en balivernes légales étrangères à Simon Labrosse en méditation.

– Faites entrer le témoin principal, ordonne le juge.

Les regards se tournent vers la porte adjacente au tribunal et la horde de journalistes chauffent les crayons.

Adéline amaigrie et droite, vêtue d'un magnifique deux pièces bleu marin au cou dégagé par une belle chemise de soie blanche et de fine dentelle, marche l'allée centrale décidée et prend place dans la boîte aux témoins. L'espace d'un instant qu'elle voudrait des heures, elle jette un regard à son ami Simon le certifiant de ne pas désespérer.

Alfred et Albertine Lussier se tiennent les mains, angoissés. Que leur réserve ce tourment? Qu'apprendront-ils? Pourquoi ne leur a-t-elle jamais raconté ce qui est arrivé cette nuit-là? Tiendra-t-elle le coup?

Un avocat dodu s'approche de la jeune fille assise près du juge et l'interroge.

– Mademoiselle, dites votre nom, votre profession. Posez la main droite sur la bible. Jurez-vous de dire la vérité, toute la vérité?

– Je le jure, affirme une voix étranglée par l'émotion.

Les Lussier se regardent, inquiets. Adéline va-t-elle flancher.

– Mademoiselle racontez-moi votre emploi du temps.

– Je suis une maîtresse d'école qui enseigne au *Plateau Doré*.

– Vous enseignez depuis longtemps?

– Depuis quatre ans, monsieur.

– Vous aimez votre métier?

– Beaucoup, monsieur.

– Pourquoi avez-vous quitté votre dernier emploi?

Le plaideur adversaire s'objecte. Albertine Lussier respire. Une femme du village l'avait accusée haut et fort de favoritisme envers le garçon du commissaire.

– Monsieur le Juge cette question est non pertinente.

– Accepté. Reformulez votre question.

– Mademoiselle, aucune raison n'a motivé votre départ de votre ancien employeur?

– Aucune, monsieur.

– Vous connaissiez ce milieu?

– Pas forcément. J'en avais entendu...

– Répondez par oui ou non, mademoiselle.

– Non, monsieur.

– Chez qui demeurez-vous?

– Chez Monsieur Berthold Montpellier.

– Quel genre de personnes sont les Montpellier? Décrivez-les moi.

– Objection. Non avenue, Monsieur le Juge, affirme le plaideur se levant.

– Objection retenue.

– Ces gens vous paraissent convenables, mademoiselle?

– Absolument, monsieur. Il me...

– Oui ou non.

– Oui, monsieur.

Albertine Lussier cherche les Montpellier dans la salle, afin d'assouvir sa hargne par son visage austère. Elle découvre dans le dernier siège au fond du mur, une femme recourbée sur elle-même tentant de passer inaperçue. Ursule Montpellier très amaigrie la regarde, lui sourit. La mère d'Adéline lui tourne le dos.

Que vient-elle sentir ici à matin, elle! Écornifler comme toujours! se dit Albertine Lussier offusquée.

L'audience éclate de rire. Albertine Lussier a raté ce bon coup de sa fille qu'elle sent prendre de l'assurance à chaque réplique.

– Racontez-moi votre emploi du temps, le soir du 27 janvier, mademoiselle.

– Il faisait une grosse tempête de neige dehors. J'ai surveillé les enfants s'éloigner pendant un bon moment à travers les fenêtres de la classe avant de continuer, interrompt Adéline.

– Continuer quoi?

– La correction de mes travaux scolaires.

Une dame lui présente un verre d'eau. Simon Labrosse se languit de lui aider, tellement il communie à sa difficile expérience. Lui, il en a l'habitude maintenant. Depuis le temps qu'on le tabasse et le mastique sur tous les angles.

– Vous êtes restée longtemps ainsi à ces travaux scolaires?

– Je ne sais pas. Pendant une heure ou deux, je crois. Je ne puis vous l'affirmer.

– Vous étiez seule pendant ce temps?

– Jusqu'à six heures.

– Que s'est-il passé à six heures?

– J'ai entendu des pas sur le perron de l'école, j'étais après chauffé le poêle à ce moment-là.

– À qui pensiez-vous ouvrir?

Adéline regarde ses parents, elle va leur faire mal. La salle retient son souffle. Des journalistes griffonnent des mots pressés en examinant et décrivant le visage de Simon Labrosse. L'atmosphère suffocante a rougi plusieurs visages. Autour d'eux, la vie s'est arrêtée, sauf celle de cette salle compressée d'une énergie électrisante à en suffoquer.

– À mon père. Il vient habituellement me chercher le vendredi soir.

– Vous n'étiez pas un vendredi soir.

– Je sais. Mais je l'avais oublié à ce moment-là.

– Receviez-vous beaucoup de visite à l'école, Mademoiselle Lussier?

Le monde murmure son insatisfaction en maugréant à haute voix.

– Silence dans la salle, sinon je vais être obligé de vous faire évacuer.

Lentement le calme reprend ses assises, le duel continue.

– J'ouvre quand on vient me visiter.

– Vous ouvrez à tout le monde?

– Jusqu'à maintenant, peu de monde est venu me voir et je les ai tous accueillis. Je n'ai peur de personne.

– Pouvez-vous nous les nommer.

– J'ai peur d'en oublier.

– Répondez mademoiselle.

– Mes parents, le postillon, le bedeau, le fournisseur de bois, les voisins, le commissaire d'école, les prêtres de la paroisse.

Un autre murmure monte de la salle et se résorbe aussitôt. Des regards s'incrustent dans le dos du vicaire accusé. Le juge regarde l'heure.

– La séance est levée. Ouverture à neuf heures, demain matin.

Adéline pousse un soupir de soulagement. Elle plonge son regard dans celui de Simon, son ami, lui démontrant son affection avant de le voir disparaître entre deux gendarmes. Le coeur de la jeune fille fait double tour. Visiblement épuisée, elle se mord les lèvres pour ne pas pleurer.

La ruée de journalistes se presse à la sortie devant les nouvelles sensationnelles prononcées de la bouche de ce témoin-clé. On tire à la une:

Plusieurs hommes à l'école de la victime.

* * * * *

Le lendemain, Adéline se présente dans une mine superbe. Le choc initial résorbé, elle fait preuve d'une assurance grandissante. En route vers le Palais de justice, elle s'attarde à une chansonnette connue que fredonne un passant et sourit. Le témoin-clé doit expliquer ces présences insolites en apparence. D'abord ses parents; – on trouva que les interrogations de la part de l'avocat à ce sujet tenaient du zèle plutôt que de la justice – le postillon venu lui porter une lettre du gouvernement lui indiquant la visite prochaine de l'inspecteur d'école; le bedeau venu faire une commission un matin, de la part du curé qui voulait voir le père d'un élève; le fournisseur de bois. L'évocation de ce nom la fait sourire, sans que personne ne sache pourquoi sauf, ses proches et l'accusé Simon Labrosse, l'accusé.

– Il s'appelle Laurier Lanteigne. C'est un garçon fort gentil, possédant une très belle éducation et beaucoup d'instruction.

Adéline met tant d'emphase à décrire ce jeune homme qu'Ursule se recule sur sa chaise et se frotte les cuisses.

Mets-en pas tant, Adéline. C'est un Lanteigne, ma fille. L'aurais-tu oublié! songe Ursule Montpellier ulcérée.

Elle se demande pourquoi elle n'a pas parlé davantage de ses fils.

Tu voudrais qu'elle parle de ton Firmin! raisonne le tambour de ses pensées.

Non. Bien sûr que non!

Résignée et s'armant de patience, Ursule continue son calvaire alimenté par sa curiosité et l'intérêt soudain d'Harold pour cet événement qui n'avait eu aucun effet sur sa famille dans le passé.

Le récit des visites du fournisseur de bois terminé, les avocats esquissent un sourire complice; il y avait de l'amour dans l'air entre ces deux-là. L'avocat reprend son envol oratoire.

– Maintenant parlez-nous des voisins.

– Deux parents proches sont venus m'offrir leur aide en cas de besoin. Puis trois autres venaient souvent chercher leurs enfants en voiture parce qu'ils restaient très loin, surtout par temps froid et par tempête. Ces derniers ne sont jamais entrés dans l'école.

– Ce sont les seuls?

– Il y a eu Harold.

La mère Montpellier relève les yeux, son sang fait demi-tour en elle, sans savoir pourquoi. Elle prête l'oreille.

– Harold?

– Harold Montpellier, le fils aîné des gens chez qui je demeure.

– Ah, ah! fait l'avocat intéressé.

– Que venait-il faire? Et comment était ce jeune homme?

– Il venait comme ça, à l'improviste, pour parler. Il me prenait souvent par surprise. Il m'offrait sa compagnie au retour chez lui. C'est un jeune homme très savant en quelque sorte.

Ursule glousse de plaisir. Elle se gratte l'intérieur de la gorge bruyamment afin de le faire sentir aux Lussier et au bonhomme Lanteigne qu'elle a aperçu dans les premières chaises de la salle d'audience.

La joie sera présente ce soir au souper, se dit-elle épanouie. Cette Adéline a de l'oeil. Faudra y prendre soin.

L'avant-midi se dilue sur l'interrogatoire de cet Harold, scruté de long en large par l'avocat de la défense. À regret, l'audience est levée sur le passionnant témoignage d'Adéline en possession de ses moyens.

L'après-midi s'installe dans une nouvelle salle, puisque la justice est déménagée dans un local plus spacieux. La jeune vedette reprend son fauteuil de confidences.

– Le commissaire d'école? Parlez-nous de cet homme.

– Il venait une fois le mois et s'informait du déroulement de l'école. La dernière fois qu'il est venu, il m'avait averti du moment de la visite de l'inspecteur de l'Instruction Publique.

– Mademoiselle, vous receviez bien des hommes dans votre école. Aviez...

– À rejeter Monsieur le Juge. Cette question tient du jugement ou des suppositions.

– Retenu. Monsieur l'Avocat les faits, seulement les faits. Reformulez votre question.

– Des femmes vous ont-elles visitée?

– Des mères, mais très peu. Je leur écrivais quand il y avait un problème avec leurs enfants. Elles me comprenaient et tout rentrait dans l'ordre. Je dois vous dire que je n'ai pas écrit souvent car je n'avais que des élèves modèles. Certains connaissaient des difficultés comme Firmin et Pierre, mais je réglais tout avant de sortir de la porte de l'école, monsieur.

– Firmin et Pierre?

– Pierre ne peut parler, il a un défaut de langage, mais il est intelligent. Quant à Firmin...

– ...

– Ce jeune homme manque de capacités d'apprentissage. C'est le plus vieux de l'école.

– Quel âge a-t-il?

– Seize ans.

Le juge écarte les yeux. Les avocats l'imitent.

– Et vous le gardiez dans votre école!

– C'est un garçon très doux qui ne ferait pas de mal à une mouche, mais il est incapable d'apprendre comme un enfant normal. J'ai quand même réussi à lui enseigner comment compter jusqu'à vingt.

– Que fait-il dans l'école?

– Il ne dérange personne. Il chauffe le poêle, distribue les cahiers, fait sécher le linge mouillé des enfants, nettoie les tableaux; il est très dévoué.

– Ses parents ne s'occupent pas de lui?

– J'ai demandé de le laisser à l'école, j'espérais ouvrir un peu sa cocologie. Elle est souvent déconnectée.

La salle se gonfle d'hilarité. Par bonheur, Ursule Montpellier est absente.

Le jour se termine sur cette note d'humour et sur des procédures que la plupart des gens n'écoutent pas. Les journalistes aiguisent déjà leurs méninges pour trouver un titre génial sur cette nouvelle journée d'audience.

La nuit venue, Adéline se couche fébrile et exténuée. Dans la chambre d'hôtel voisine, ses parents, très fiers de leur fille, dorment à poings fermés comme des nourrissons.

* * * * *

Le troisième jour se lève pluvieux. Les premières averses de la saison tombent en cascades. Certains, heureux, se disent que la terre prend enfin un bon bain, puis d'autres, toujours maussades, déplorent le besoin de sortir avec un parapluie.

Comment sera ma montée au calvaire? se demande Adéline lasse.

La fatigue nerveuse de cette expérience unique la plaçant sur la corde raide à chaque instant, faisait son oeuvre.

– Vous nous avez raconté vos rencontres à l'école de gens qui vous ont rendu visite. En reste-t-il d'autres Mademoiselle Lussier?

– M. le Curé et le vicaire.

– Parlons d'abord du curé. En quelles circonstances l'avez-vous rencontré?

– À plusieurs reprises. D'abord à la première communion de mes trois petits, à la préparation du sacrement de confirmation, l'Évêque venait à l'église lors de cet événement. M. le Curé est venu nous voir à l'école, nous a parlé de cette visite importante, nous a entretenus de la première confession également et c'est tout.

– Et le vicaire. En quelles circonstances l'avez-vous rencontré.

– Simon est venu nous voir à l'école, une première fois, lors de la visite paroissiale à l'automne.

L'accusé grimace. Adéline l'a appelé par son prénom. La limpidité s'embrouille, comme le brouillard extérieur perceptible à travers la vitre enrobe la ville.

– Pouvez-vous identifier cet homme, mademoiselle?

Adéline hésite un moment, hantée par l'horreur d'avoir à reconnaître en public, son ami de toujours. Désolée, elle pointe un homme blême, assis entre deux avocats.

– C'est lui, Monsieur le Juge.

– Vous l'appelez par son prénom. Quelles familiarités!

– Objection! Une opinion, non un fait.

– Objection retenue. Reformulez votre question, Monsieur l'avocat.

– Vous connaissez bien le vicaire de cette paroisse?

– Nous sommes des amis de longue date.

La salle palabre des murmures de désapprobation. Les jugements précipités courent de tête en tête, en se bousculant dans la pièce surchauffée.

– Depuis quand connaissez-vous l'accusé?

Adéline se sent frémir. On l'a appelé l'accusé une première fois.

– Depuis toujours.

– Expliquez-vous.

– Il a été mon ami d'enfance, il était mon voisin. Nous sommes nés dans le même village, dans la même région, sur la même rue, nous avons été baptisés dans la même paroisse, dans les mêmes fonds baptismaux et nous avons été à la même école.

Tout le monde respire un moment avant d'avaler une évidence si pleine de clarté. L'avocat se redresse, se gratte le cuir chevelu, s'étire l'oreille gauche comme il le fait de multiples fois quand il commence ses phrases. L'homme de loi, jette un regard sur l'accusé imperturbable et confiant.

– Donc si nous résumons, le vicaire vous visitait souvent pendant les heures de classe et après l'école?

– Oui.

D'autres bouffées d'air aspirent la révélation et comble à souhait Ursule qui frétille sur sa chaise et ne peut plus tenir en place. Sa hâte de tout raconter au souper familial lui pique les fesses.

– Il venait parler aux enfants et m'aider à les bien préparer aux sacrements qu'ils devaient recevoir.

– C'est tout?

– Il est venu me visiter le soir.

– Souvent?

– Trois fois, si ma mémoire est bonne.

– Quel était le but de ces visites?

– De courtoisie et d'amitié.

– Expliquez davantage.

– Nous échangions sur nos souvenirs d'enfance, sur de multiples confidences.

– Et vous vous donniez des cadeaux.

– Parfois.

– Un chandail vert, entre autres?

– Simon ne m'a jamais donné de chandail vert.

– Précisez.

– C'est moi qui lui ai donné un chandail vert.

– Lors d'une visite à votre école?

– Lors de son anniversaire, lorsque nous étions étudiants.

– Pourquoi s'est-il retrouvé entre vos mains; je devrais dire sur vos épaules, la nuit du 27 janvier.

– Un soir, lors d'une de ses visites, il portait ce chandail. Il l'a enlevé pour prendre une tasse de café et l'a oublié dans mon école.

– Vous ne lui avez pas remis?

– Je désirais le lui remettre mais je retardais toujours ou j'oubliais quand je le voyais. Je ne l'avais pas toujours sur le dos, ce chandail, surtout l'été. Je ne suis pas une vieille fille, tout de même!

Simon Labrosse, l'accusé, retient ses éclats de rire, son Adéline battait tous les records de bravoure et de hardiesse.

– Donc, il s'est retrouvé sur votre dos ce 27 janvier.

– Oui, monsieur.

– Expliquez.

– Après qu'il ait oublié son chandail je ne l'ai pas revu. Puis l'hiver est arrivé. Comme je le trouvais très chaud parce que je l'avais payé un bon prix, je le mettais quand j'avais froid.

– Vous aviez froid ce soir-là?

– Oui, avec le temps qu'il faisait!

– Donc vers cinq heures trente le 27 janvier, en pleine tempête de neige, on frappe à la porte de votre école et vous allez ouvrir.

– Aux environs de six heures, monsieur.

– Rectifions. Vers six heures, Monsieur le Juge.

– C'est bien ça, monsieur.

– Qui se trouve derrière cette porte?

– Simon Labrosse, le vicaire.

Sous le chahut, le juge donne un second avertissement et le monde tombe sous la menace d'être expulsé, en cas d'une autre méprise.

– La séance est levée, elle reprendra à deux heures cet après-midi.

Le marteau du juge signe son ordonnance et la salle se vide, laissant la gent journalistique les bras chargés de phrases sensationnelles à écrire à la une de leurs papiers.

Simon Labrosse a rendu visite à Adéline Lussier le soir de l'agression sexuelle.

Avant de quitter la salle d'audience, Adéline stupéfaite jette un regard désolé sur Simon et l'implore du regard, elle n'a rien compris à cet ouragan de murmures suspicieux. Il lui dit dans le silence de son regard, de ne pas craindre, de continuer sa formidable odyssée, la vérité éclatera au grand jour.

Dans la salle, toute seule, une femme meurtrie à la chevelure de neige pleure; la mère de Simon est inquiète pour son fils. Adéline, une jeune fille jadis timide mais renforcée par son courage, vient vers elle pour la consoler.

Dans sa cellule, le vicaire analyse la journée, évalue ses chances. Le doute s'alourdit, sa confiance s'effrite. Cet avocat mène le bal et insinue, entre les lignes, une multitude de faussetés. Comment se sortira Adéline de ce combat inégal? Il ne saurait l'affirmer. L'âme agitée, il s'endort enfin sur une longue période de réflexions multiples parsemée d'incertitudes morbides. S'il fallait qu'elle échoue.

* * * * *

Le lendemain se déroule sur de longs palabres juridiques entre les deux avocats et le juge sur des procédures incompréhensibles à Adéline. Elle reste là, passive, les mains croisées à attendre que le cirque se termine.

Le monde ennuyé quitte la salle d'audience et se promet de récidiver le lendemain. Les journalistes imitent les gens et vont préparer leur baratin du jour.

Le soir tombe sur un jour exténuant chargé de confidences multicolores. Derrière les nues, un astre taquine la planète, on croirait qu'il rigole. La nature ne s'est jamais empêtrée des drames humains de cette planète bleue, elle continue de tisser son destin.

* * * * *

Les traits tirés d'Adéline montrent des signes évidents de fatigue. Tout le monde espère qu'on aura bientôt fini avec elle et qu'on la laissera tranquille. La cinquième journée d'audience débute en lourdeur.

L'avocat expose le résumé de ses dépositions précédentes et enchaîne.

— Ce 27 janvier au soir, il fait tempête, on frappe à la porte et vous ouvrez au vicaire, dénommé Simon Labrosse.

— Oui, monsieur.

— Décrivez-nous ce visiteur attendu.

— Impromptu, monsieur. Je ne l'attendais pas. Il me dit qu'il arrive de chez Mme Desbiens afin de lui donner les derniers sacrements car elle est très malade. Il arrête un moment pour se réchauffer, reposer son cheval et prendre des nouvelles de ma famille car il avait fait une longue route. Il se frotte les mains ensemble et les réchauffe par la chaleur du poêle. Je lui prépare un café chaud qu'il boit d'un trait. Je lui en verse un second et il repart, peu de temps après, il a peur de la tempête et veut arriver au presbytère.

— S'informe-t-il de vous?

— Il me demande si je désire me rendre chez les Montpellier avec lui en voiture, je lui réponds que je n'ai pas fini mes travaux et que je n'ai pas peur des tempêtes, je suis solide! Il me réprimande sur cet acharnement au travail et me suggère de monter avec lui, maintenant. Je refuse. Il s'inquiète de me voir dormir seule dans ma petite école, pas très chaude. Je le rassure, encore une fois, et il me quitte soucieux mais il respecte ma décision.

– Vous portiez son chandail?

– Non.

– L'avez-vous surveillé lors de son départ?

– Je ne pouvais pas, il faisait trop noir. À l'allure qu'il est parti, je savais qu'il se rendrait facilement au village.

– Quand avez-vous revêtu le chandail vert?

– Après avoir soupé. Je sentais l'air traverser les murs de l'école et je me demandais si c'était une bonne idée de rester à coucher à cet endroit. Je commençais à penser que Simon avait eu raison; j'aurais dû accepter de me rendre chez les Montpellier en voiture avec lui. Donc j'avais opté pour cette solution, vu la fureur grandissante des éléments. Mme Montpellier était avertie. Si je n'arrivais pas à une certaine heure, cela signifiait que je restais à coucher à l'école.

– Vous revêtez votre chandail pendant que vous réfléchissez.

– Exactement, monsieur.

– Oui ou non.

– Oui, monsieur. J'entre une quantité de bois suffisante, afin de pouvoir remplir le poêle sans difficulté pendant la nuit, car le hangar à bois est très froid.

– Puis, je me berce un long moment devant la porte du poêle, en regardant la flamme sautiller à chaque bourrasque de vent et je songe à toutes sortes de choses. Au bout d'une heure environ, je me lève, replace ma chaise et fouine dans mes livres. Un certain élève me préoccupe et je voudrais qu'il s'améliore à un rythme plus accéléré qu'il le fait. Je termine le calcul de mes bulletins scolaires que je leur remettrai le 31 du mois et j'analyse leurs résultats. Je vais voir les vêtements oubliés dans le corridor. Je regarde mon manteau en songeant à la tempête et au lit chaud chez les Montpellier.

– Quelle heure est-il?

– Aux environs de huit heures trente ou neuf heures, je n'ai pas remarqué.

– Qu'arrive-t-il, ensuite?

– La lumière s'éteint.

Adéline devient très nerveuse. Ses bras vont, viennent, ses yeux s'agitent, revivre cet événement lui est très pénible. Dans la salle on entendrait voler un papillon. Au coeur de Simon, l'accusé, un oasis de tristesse immense s'installe.

Adéline ne regarde plus personne quand elle répond. Sa mère se demande si on ne devrait pas arrêter cet interrogatoire afin qu'elle se repose. L'avocat continue et le greffier claque ses lettres sur sa machine.

– Poursuivez, mademoiselle.

– La lumière s'éteint. Je cherche un bout de chandelle dans l'armoire en coin près de la cuisine et je sens de gros bras inconnus me prendre par derrière.

– Des bras que vous avez reconnus, comme ceux de Simon Labrosse ici, par exemple? affirme l'avocat, le visage tourné vers l'accusé impassible.

– Non! crie haut et fort de brave jeune fille maintenant debout.

L'avocat de la Couronne se lève et gesticule.

– Affirmation non fondée, à rejeter Monsieur le Juge.

– Objection maintenue, continuez maître Dubuisson.

Une clameur multicolore monte de la foule dense attentive et intéressée.

Adéline pleure et répond en des mots hachurés et difficiles à saisir, tout en essuyant ses prunelles claires du revers de ses mains.

L'avocat lui fait répéter sa déposition, afin de s'assurer qu'il comprend exactement ce qu'elle veut dire.

– Bien. Ensuite? Continuez.

– Dans le noir, je crie: «Qui êtes-vous? Lâchez-moi»! Je crois que quelqu'un me joue un vilain tour.

– Que vous répond-on?

– Rien monsieur. L'homme respire très fort, comme quelqu'un qui a l'asthme.

Ursule au faîte de l'engouement se tient sur le bout de sa chaise, les méninges accrochées aux lèvres d'Adéline. Si elle avait été perspicace, elle aurait vu Harold son fils, blafard, le front en sueur qui se renfrogne dans son fauteuil de bois et voudrait se faire ombre à ses côtés.

– Connaissez-vous des gens dans votre entourage qui souffrent de ce même inconvénient?

– Non, Monsieur le Juge. Je ne connais personne.

– Que se passe-t-il, ensuite?

– Pendant que je crie, je m'agrippe au cadre de la porte, au passage.

– Alors?

Adéline se mord les joues, ne regarde personne. Le viol de ces gens avides de sensations fortes attendant ses aveux, la heurte aux tréfonds de ses entrailles. Elle se recroqueville sur sa chaise et voudrait disparaître. Mais les regards s'intensifient et le silence s'épaissit. Un nuage ténébreux l'enveloppe et elle ne voit plus personne. Elle doit passer au travers.

    – Il me jette sur le lit, tente de déboutonner ma blouse puis arrache mes bou... tons et passe sa bouche sur toute ma poi... trine com... me un porc.

    Adéline tord son mouchoir de papier devenu rond et raide entre ses doigts. Son corps crispé par la difficulté de ses aveux n'arrive plus à se détendre.

    – Parle-t-il?

    – Il grogne.

    – Reconnaissez-vous ces grognements?

    – Non.

    – Que faites-vous?

    – Je me débats comme une folle et j'essaie de me sortir de ce cauchemar. Il relève ma jupe et je le sens dans moi, il me fait très mal. Je lui arrache les cheveux et me débats en criant, puis je cherche un moyen de m'en sortir. Je songe à mon réveille-matin. Je le ramasse et je lui donne un grand coup sur la tête, de toutes mes forces.

    – Puis.

    – Je le sens mou, mou. Il tombe à mes pieds, j'ai du mal à me sortir de là, ma jupe étant prise sous lui. Avec la force du désespoir, je me déloge et je m'enfuis à la vitesse de l'éclair.

    – Dans la tempête?

    – Dans le seul endroit qui me protégerait de cet inconnu; dehors en pleine tempête.

    – Avez-vous découvert votre erreur?

    – Quelle erreur?

– Vous auriez pu mourir dans cette neige en pleine nuit.

– Mourir dans la neige aurait été mieux que faire face à cet inconnu. Je n'ai commis aucune erreur.

– Vous souvenez-vous de la suite?

– Le souvenir du froid sur mes joues me revient souvent dans mes rêves. Je pleure et mes cils s'épaississent par la neige qui tombe. Je sens mes larmes se geler sur mes joues et je cherche mon chemin. Il me semble que je tourne en rond et j'ai peur. Je pense que je vais mourir dans la tempête. Le froid me terrifie. J'ai beau refermer mon chandail, rien n'y fait. Je sens mon coeur se débattre fortement dans ma poitrine. Est-ce de froid ou de peur? Je l'ignore. Tout est si noir autour de moi! Le bruit du vent dans la nuit est terrifiant! Je l'ai entendu pendant des mois, même par temps chaud.

– C'est tout, mademoiselle?

– Je ne me souviens de rien de plus. La suite est un grand trou noir.

L'avocat laisse courir un long silence, fouille dans ses dossiers, consulte des papiers et s'apprête à lui faire un coup de jarnac pour la confronter. Adéline inconfortable se demande ce qui arrive. Elle, qui a repris un peu ses esprits, redevient inquiète. Elle jette un regard, une première fois, à son ami Simon anéanti par l'aveu inconcevable qu'il vient d'entendre.

La voix forte et spectaculaire de l'avocat rebondit dans la pièce et fait de l'effet.

– Mademoiselle Lussier, je ne vous crois pas! Vous avez monté ce scénario de toute pièce pour innocenter l'accusé, ici présent.

Adéline est rouge de colère. Elle fulmine. Debout, elle harangue l'avocat.

– Sachez monsieur que ce que j'ai vécu n'a pas besoin de fabulation. C'est trop horrible à vivre. Simon Labrosse n'a jamais commis une chose pareille! Même si je portais son chandail, cela ne signifie absolument rien.

– Le café, mademoiselle. Le café. Qu'en faites-vous?

– Le café? Expliquez-moi.

– Nous avons trouvé, près de votre lit une tasse, dans laquelle il y avait des traces de café et des empreintes.

– Des empreintes?

– Les empreintes de l'accusé.

– Vous vous trompez, encore une fois. Cette tasse de café était celle qu'il avait bu lors de sa visite, plus à bonne heure dans la soirée comme je vous l'ai expliqué. Au lieu de laver cette tasse, je l'aurais oubliée bêtement sur ma table de chevet par mégarde. Cela arrive à tout le monde il me semble.

– Vous avez omis de nous parler de ce café, mademoiselle. N'est-ce-pas?

– Je vous ai tout dit, monsieur, au contraire.

Le juge interrompt le supplice d'Adéline Lussier et suspend l'audience.

– Messieurs, la cour est ajournée jusqu'à dix heures, demain matin.

Le soulagement se lit sur les traits de la brave jeune fille exténuée et pâle.

Que lui réserve l'avenir?

A-t-elle dit la vérité, toute la vérité? songe le chroniqueur judiciaire.

Demain est un autre jour.

Que nous réserve l'avenir, songe Ursule Montpellier soucieuse. Le vicaire a-t-il vraiment commis ce crime? implore son coeur inquiet, désarçonné par ces révélations.

* * * * *

Juin se poursuit. La douceur de la saison donne des signes de ravissement. La plaine balayée par un vent lointain danse en tourbillon sur la terre ensemencée et fait place à des jours plus lumineux et plus longs. Le monde a attendu joyeusement ce changement climatique. Puis, souriants, les gens se réjouissent. Le fleuve leur lance l'hameçon et ils le mordent à pleines dents.

Le procès retentissant se termine en apothéose. La justice, selon les initiés, a été servie à souhait et le procès fut mené sous le signe du grand art lyrique, affirme la galerie judiciaire.

Adéline a subi un contre-interrogatoire musclé qui l'a fait flanchée, à maintes reprises. Maître Meilleur, le procureur de la Couronne, un plaideur redoutable, fut à la hauteur de sa réputation. Ses répliques, sans détour, ses soudaines volte-face, ses renversements de situations, ses affirmations biaisées, ses manipulations verbales ont eu raison de la pauvre Adéline Lussier. Le procureur a transformé des affirmations en doutes et incertitudes. Adéline n'ose plus ouvrir la bouche de peur de s'enfoncer dans je ne sais quoi et de plonger le vicaire dans le chaos infernal.

– Oui. Non, répondait-elle.

– C'est oui ou non?

– Oui et non.

– Si c'est oui, ce n'est pas non.

– C'est oui.

– Vous avez affirmé non, hier.

– Je me suis trompée.

– Vous vous trompez souvent, mademoiselle.

– Vous me faites tromper.

– Récapitulons. Nous verrons bien.

Adéline devient si confuse, si troublée par ces jeux insidieux, qu'elle en perd son latin. Plus elle affirme, moins elle convainc. Parfois elle a l'impression d'être la coupable qui a osé se faire violer en pleine nuit et qui a eu le culot de se sauver bêtement. Elle choisit de se taire. Alors on lui ordonne de collaborer, elle n'a pas le choix. Tout s'embrouille dans sa cervelle.

– Votre cerveau invente des histoires abracadabrantes, affirme le diabolique avocat.

Le doute s'installe en elle, les maux de tête s'amplifient. Sa raison flanche lamentablement. Adéline ne répond plus et est hospitalisée.

Dans le *box* des accusés, des heures sombres coulent sur un jeune prêtre innocent qui s'apprête à fouler les sentiers du pénitencier pendant un quart de siècle ou presque. Les yeux humides de désespoir, il assiste à la descente aux enfers de son amie Adéline, piégée par un génial despote. Par elle, il sera condamné sur preuves circonstancielles. Simon Labrosse, le coeur en lambeaux la regarde s'enfuir lentement comme une fautive, le regard absent, le cerveau craquelé par le combat. Il sait que tout est fichu. Elle a lamentablement échoué, là, où tout semblait si limpide. La puissance du verbe d'un homme, le procureur de la Couronne, avait transformé le cours de sa vie. Il se renverse sur sa chaise et grimace de douleurs. Demain, il devra affronter le calvaire et sa montée au Golgotha, car on annonce un dernier témoin.

Antoinette Philippon, son sac à main noir sous le bras, se présente tremblante à la barre des témoins.

– Vous jurez de dire la vérité, toute la vérité, rien que la vérité?

– Je le jure.

– Madame, dites-nous si vous connaissez l'accusé.

– Je le connais très bien, je suis la servante du presbytère.

– À quelle heure l'acusé est-il rentré au presbytère, le soir du 27 janvier.

– Plus tard que d'habitude.

– Vous a-t-il donné une raison?

– Il a dit que la tempête était épouvantable et les chemins impraticables.

– Avait-il quelque chose d'insolite dans sa démarche.

– Il marchait comme d'habitude.

L'audience pouffe de rire.

– Avez-vous vu quelque chose d'anormal chez le vicaire Labrosse?

– Il avait le visage rouge comme du feu et les oreilles blanches comme du lait ou du pain comme vous voulez.

Le monde se tord les boyaux. Cette Antoinette n'avait pas froid aux yeux.

– A-t-il salué le curé?

– Non, parce qu'il était absent. J'en ai profité pour m'asseoir à la table, en face de lui. Il se frottait souvent la tête.

L'avocat fronce les sourcils, une piste s'ouvrait.

– Il se frottait la tête? Je lui ai demandé pourquoi.

– Que vous a-t-il répondu?

– Il s'est penché pour me montrer l'endroit en me demandant de regarder s'il saignait.

Une long murmure s'étend dans la pièce, les gens sont rivés à leur siège, les oreilles à l'affût, l'oeil agile et le corps droit.

– Saignait-il?

– Il y avait une petite coupure dans les cheveux, pas loin de son toupet et elle avait saigné un peu.

Je me suis dit: vous allez avoir toute une prune demain matin, M. le vicaire! Je lui ai demandé qui lui avait donné cette raclée. Il m'a expliqué: «En descendant de voiture le vent a gonflé ma soutane, les deux pieds me sont partis et je me suis frappé sur le coin de la voiture. Heureusement j'ai eu le temps de parer le coup, mais je me suis presque tordu un poignet».

– Continuez.

– Il avait fini de manger sa soupe. Je lui ai apporté son assiette de patate. C'est tout. Je suis pas pour vous raconter ma confession!

– L'avez-vous cru?

Antoinette Philippon regarde l'avocat, estomaquée.

– Ben certain! Depuis quand les prêtres comptent des menteries? En avez-vous déjà vu, vous?

L'avocat esquisse un sourire et le juge se retient.

– Bien, vous pouvez disposer. Monsieur le Juge, j'ai terminé.

Simon Labrosse détendu, regarde descendre la brave femme dans l'allée; elle avait fait son possible et elle était crédible. Une grande lueur d'espoir dormait sous les braises.

Albertine Lussier jette un regard aux jurés aux visages préoccupés. Elle donnerait cher pour lire sous leur couvre-chef.

L'affaire s'obscurcit, écriront les journaux sur le procès, le lendemain.

Le Procureur se frotte les mains de plaisir. Une preuve supplémentaire s'ajoutait au dossier Labrosse; cette affaire tournait rondement.

Le dernier témoin, Harold Montpellier achève de cogner le clou sur le couvercle de son tombeau. Le secret de sa confession a immunisé son âme perverse de tout soupçon, l'a assuré du pouvoir de toute infamie, de toutes faussetés. Le regard de celui qui n'a rien à se reprocher, à qui on a tout pardonné, le jeune Harold Montpellier monte un cran dans l'ampleur de son forfait.

– Vous jurez de dire la vérité, toute la vérité, dites je le jure.

– Je le jure, énonce à voix forte le jeune Montpellier.

– Vous affirmez reconnaître ce chandail.

– Oui, Monsieur le Juge. Ce chandail appartient au vicaire, ici présent.

– Expliquez cette affirmation.

– Mlle Lussier, qui reste chez nous, m'a dit un soir qu'elle avait froid. En le cherchant partout dans la maison et dans ses affaires, elle m'a avoué que ce chandail appartenait au vicaire de la paroisse. Je lui en ai présenté un autre appartenant à ma mère en attendant qu'elle le trouve, mais elle ne voulait rien savoir.

Je tiens à ce chandail comme à la prunelle de mes yeux, Harold. Comprends-tu?

– Vous avez compris quoi, monsieur?

– Qu'il y avait anguille sous roche, comme maman le déclare en voulant expliquer les affaires louches.

– Avez-vous revu ce chandail par la suite?

– Dans la bergerie le matin quand je les ai trouvés.

– Les?

– Ensemble Firmin et elle. Mlle Lussier portait ce chandail vert.

Les Montpellier surpris se demandent pourquoi Harold parle d'Adéline en de si grands termes. Intéressés, ils prêtent une oreille attentive.

– Ensemble?

– Mon frère l'a trouvé dans la neige près de la bergerie, il l'a rentrée et l'a couchée entre les moutons. Le docteur dit que c'est ce qui l'a sauvée de la mort. Il manquait un bouton à son chandail vert, le deuxième du haut.

La foule pousse des sons d'étonnement. Ce jeune homme se souvenant d'un tel détail les saisit. Le monde apprend ce qui s'est vraiment passé la nuit du 27 janvier dans cet enfer de neige et de froid. Tous les regards se tournent vers les Montpellier et leurs pensées valsent entre les Lussier tristes et ce jeune homme libérateur de vérité. Ce Montpellier n'est pas aussi fou qu'il en avait l'air. Tant de détails, tant de précisions augmentent leur estime envers lui. De cette manière, la justice éclairée sera mieux servie.

Pas un instant, Harold ne soutient le regard du prêtre, il en est incapable, tellement une autre vérité éclate dans les étincelles de ces prunelles innocentes. Son témoignage terminé, il pousse un soupir de soulagement, l'avocat semble convaincu de la véracité de sa déposition. Fier de lui, il dormira tranquille, en rêvant à sa belle muse du désir.

* * * * *

Les derniers badauds disparus, on entend plus que le bruit assourdissant de l'immense porte de la prison qui recouvre les pas de Simon Labrosse marchant les mains menottées, et le visage livide. Vingt ans à méditer. À méditer comment pardonner à un système judiciaire vicié. Vingt ans à espérer prendre, encore, dans ses bras pour soulager sa douleur morale, celle qui a tout fait pour le sauver et qui lutte sur un lit d'hôpital contre les fantômes de l'absurdité. Vingt ans à souhaiter trouver le visage de Dieu dans les événements qu'il vient de vivre. Vingt ans à tourner en amour, une haine envers un jeune homme qui le consume et le détruit. En sera-t-il capable? En aura-t-il le courage?

Une sentence trop sévère, tirent les journaux à la une.

Les nuits suivantes, la voix étranglée par l'émotion du responsable du juré se répète à l'infini dans le sommeil des gens.

Dans la nuit blanche de Simon, les dernières scènes défilent des millions de fois comme un disque usé. Le procureur de la Couronne fait ressortir les faits marquants de ce procès, son caractère morbide, l'ampleur du crime commis par l'accusé dont les preuves circonstancielles sont irréfutables. La bassesse de cet individu, un homme de Dieu qui se sert de sa soutane pour corrompre au lieu de bonifier. Il revoit son avocat plaider l'absence de preuves évidentes et la faiblesse des pièces à conviction et des arguments énoncés par l'avocat de la défense. Puis, il entend les recommandations faites aux jurés sur la loi, les points à observer, les notions à retenir sur les plaidoiries entendues, sur le jugement à porter en leur âme et conscience.

— Notez que cet homme a pu se servir de son statut pour assouvir ses instincts. Est-il oui ou non coupable de ce crime qu'on lui impute? Jugez-le, en votre âme et conscience avec la sincérité qui vous habite et que vous confère votre titre. La blessure à son cuir chevelu, le soir du 27 janvier provenait-elle vraiment de sa chute? A-t-il dit la vérité à la servante du presbytère? Est-il victime d'un concours de circonstances défavorables?

Simon Labrosse, le vicaire accusé, envolé dans son monde, respire le silence du départ des jurés retirés qui délibèrent et son agonie continue.

Deux jours s'écoulent, sans avoir de nouvelles des jurés. Puis, le verdict est conclu. Le juge ordonne à la cour de reprendre ses assises. Le regard neutre posé sur l'accusé, il l'interpelle.

— Accusé levez-vous. Accueillons le juré.

Un silence opaque s'évapore dans la salle d'audience pleine à craquer. S'il le pouvait, Simon Labrosse verrait le visage défait d'Adéline et ses parents entourant une dame courbée aux traits déconfits: sa brave mère. Il constaterait l'absence d'Harold, qui a préféré se rendre au travail. Il lirait dans les yeux, une pensée commune de ses paroissiens; celle de l'acquittement. Sur un bout d'allée, il découvrirait Berthold Montpellier, un père de famille seul, qui jongle avec ses idées noires. Qui a commis le viol d'Adéline Lussier?

Le condamné no 20045, le regard fixé au plafond de sa cellule, enfile d'autres séquences entre ses deux tempes.

L'assistance inquiète se lève, regarde la file de personnes silencieuses reprendre leur siège de juré et examine le visage de l'homme élégamment vêtu qui reste debout, tandis que les onze autres personnes s'assoient dans un mutisme profond et troublant. Sous cette couche de protection mutuelle, certaines figures marquent des signes de grands combats intérieurs.

– Votre verdict, Monsieur le Responsable, demande le juge sérieux.

Verdict. Verdict. Ce mot raisonne dans le cerveau de Simon Labrosse, se perd dans ses sueurs nocturnes de son grabat et sur les murs de sa cellule de condamné.

Verdict. Il revoit la scène de cet instant. L'atmosphère électrisante de la salle du Palais de justice est à son paroxysme. On pourrait entendre respirer la foule compacte, à l'unisson. Comme si l'univers tenait à cet instant le destin de tout un village, les pauvres gens n'en pouvant plus d'attendre la fin de ce supplice.

Sur une chaise, la servante du curé, les mains en sueur attend angoissée. Au son du verdict, elle s'effondre dans les bras de son mari en sanglotant.

– Coupable.

Le juge se redresse et se recule dans son fauteuil visiblement contrarié. Une clameur de surprise s'élève et défie les coeurs, dénoue les gorges, répand l'angoisse diluée et fait trembler des hommes. Certains pleurent à torrent, d'autres secouent leurs pensées en regardant le prêtre aux traits blafards, des dames prises d'hystérie crient leur disgrâce à ce juré fantoche, d'autres se tiennent prostrés dans un silence inquiétant. Les regards se tournent vers une femme effondrée sur sa chaise qui verse un flot de peine parsemé de secousses de désespoir. La mère de Simon Labrosse se sent incapable d'accepter ce verdict inconcevable.

La servante répète la même phrase désespérée en se tenant la tête.

– Ils ne m'ont pas crue! crie Antoinette Philippon à son mari muet d'étonnement. Ils ne m'ont pas crue!

– Monsieur Simon Labrosse, vous êtes condamné à vingt ans de réclusion pour le crime que vous avez commis. L'audience est levée, ordonne le juge en jouant du maillet sur son enclume légale.

Simon, debout, perdu dans un monde inaccessible, les yeux vers le ciel prononce des mots inconnus au commun des mortels.

– *Deus, in adjutorium meum intende. Domine, ad adjuvandum me festina.*

* * * * *

Un mois plus tard, on lui apprend que sa vieille mère a quitté cette terre perverse. La permission d'assister aux obsèques et d'aller jeter quelques poignées de terre de son cimetière natal sur la tombe de sa mère a été refusée au détenu no 20045. Une autre peine a ajouté à son palmarès des saloperies de la vie.

L'opinion publique, remuée par l'ampleur de la sentence, commence sa profonde interrogation. Elle a peut-être poussé trop fort sur la gâchette punitive. Le monde journalistique se dresse en pourfendeur de l'opprimé. Une immense vague de sympathie s'élève des profondeurs des consciences, la demande de révision de ce procès, à la justice douteuse, se met en branle.

Dans sa cellule, le vicaire médite, à l'abri de ces discours à la culpabilité retardataire collective. Une vie nouvelle agite des pensées neuves et un monde à découvrir.Simon est décidé à y laisser sa marque. L'aurore lui en donnera les moyens et la force.

Chapitre 19

Une année a coulé mouvementée sur le *Plateau Doré*.

Un jour de printemps, Ursule Montpellier voit surgir une voiture au bout du rang. Intriguée, elle interroge ses souvenirs. Elle reconnaît celle d'Alfred Lussier.

– Ne me dites pas que des revenants nous apparaissent, Berthold. Regarde qui s'en vient.

Berthold étire le cou, tout en boutonnant sa chemise à carreaux. Ce samedi radieux et chaud lui donne des ailes butineuses. Tant de travail l'attend autour de la maison.

Le retentissant procès et la performance d'Adéline ont alimenté des jours et des langues, en un long fil de confidences et de ragots incongrus. La jeune fille, devenue presque une légende par son courage, sa détermination, son audace et sa fureur de vivre a ému le monde des milles à la ronde. Certains la surnomment la miraculée des berges. Puis, la vie aidant, la jeune fille s'est éclipsée des mémoires et s'est transformée en personne ordinaire.

* * * * *

Le vent de la bourrasque verbale retombé, Adéline se dit que la vie doit continuer. Sortie de l'hôpital deux semaines plus tard, ses parents la prennent en charge. Ils vont visiter la parenté éparpillée dans la vallée et changent l'atmosphère.

Chaque jour, depuis son retour à la maison familiale, Adéline harcèle son père de venir la reconduire à l'école du *Plateau Doré*.

– Plus tard Prunelle, lui répond Alfred Lussier rébarbatif. Attends la fin de l'hiver.

– Maintenant! rétorque Adéline.

Mais Alfred obstiné refuse. Sa fille a trop souffert dans cette mésaventure, elle n'y retournera plus. L'an prochain, elle trouvera une nouvelle école et construira sa vie sous de nouvelles assises. Chaque jour, il surveille sa fille à la fenêtre qui se morfond de voir se terminer la saison froide. Adéline s'ennuie. L'arrivée d'Ulric venu leur rendre visite à l'improviste, chambarde les données.

– Je suis si heureuse que tu sois là. Tu viendras avec moi au *Plateau Doré*?

– Bien sûr, Adéline. Quand tu voudras.

– Il n'en est pas question, ordonne Alfred, le père. Elle a assez souffert à cet endroit et a même failli mourir avec les moutons des Montpellier. Y as-tu pensé une minute, mon garçon! On ne veut plus revivre ce qui est arrivé.

(L'écoeurant qui a touché à notre fille court encore, Ulric! Tu y penses à ce vaurien!)

Une rancoeur sulfureuse sapant son bonheur qu'il ne pouvait lui décrire en présence de sa fille tant aimée mijotait dans son coeur.

– Je le sais papa. Mais je ne suis pas pour m'enfermer ici toute ma vie. J'ai seulement vingt-quatre ans, papa. Vingt-quatre!

– Tu n'es pas bien avec nous?

– Là, n'est pas la question, vous le savez. Nous en avons tant parlé. Je veux vivre. Vivre tout simplement. Travailler m'aidera à tout oublier.

– Elle a raison, papa. Le travail est le meilleur antidote qui soit.

– Nous ne voulons pas t'empêcher de travailler, Adéline, reprend Albertine, leur mère, silencieuse depuis un moment. Nous refusons cet endroit-là, c'est tout.

– Refuser de faire face à nos fantômes ne réglera rien, maman. Je crois au contraire que, si Adéline désire affronter ses peurs, c'est salutaire et bénéfique dans son cas. Elle seule peut dire si elle est guérie ou non. Le seul moyen de le savoir est de retourner sur les lieux de l'accident.

Adéline offre un sourire reconnaissant à son frère pour une telle compréhension de sa situation. Elle ne le connaissait pas sous ce jour.

Il a vieilli, a acquis de la maturité, fort heureusement, se dit-elle heureuse.

L'idée de faire ce pèlerinage en compagnie de son frère la grise de plaisir.

– Papa. Je ne veux pas vous faire de peine. Je sais ce que vous avez vécu, maman et vous.

– Un autre drame et nous y passons, ma fille. Le sais-tu?

– Je le sais. N'ayez crainte, Ulric et moi ferons très attention. Nous ne nous éterniserons pas. Si je vois que je suis encore incapable de tout voir, nous reviendrons.

– Vous promettez?

– Promis!

– Juré!

– Craché! s'exclament le duo filial enthousiaste comme des enfants qu'ils n'étaient plus.

Ulric, qui cherchait l'occasion de pouvoir parler longuement en tête-a-tête avec sa soeur, voit le moment propice à cette idée et s'en réjouit.

– Quand partons-nous, Adéline?

– Demain si tu veux.

Adéline habitée par la frénésie feinte de la matinée n'a pas sommeil. Au contraire, cette éventualité la terrifie. Les monstres imaginaires la visitent trop souvent la nuit et elle espère les dompter par ce voyage. Chaque fois qu'elle se remémore cette soirée de viol, son corps sue à grosses gouttes, sans savoir pourquoi. Souvent, elle se voit qui fonce et frappe des êtres immondes tapis dans la neige et qui veulent l'attaquer. Elle s'efforce de rationaliser son cerveau et lui parle, maintes fois par jour.

Un jour, se dit-elle, il changera ses images.

Elle s'imagine qu'elle reconnaît son agresseur et lui arrache la langue. Cette idée chemine en elle pendant des heures. Sa mère inquiète l'interroge.

– Allons, Adéline. À quoi penses-tu encore ce matin?

– À rien de spécial, maman.

– Tu jongles souvent, insiste sa mère.

– Je jongle? Je ne me rends pas compte, maman, lui répondait-elle insouciante, afin de ne pas la troubler.

Pauvre mère. Si elle savait ce que sa fille traverse. Elle en crèverait. Peut-être crèvera-t-elle, elle-même, si elle ne retrouve pas la quiétude essentielle à la vie. L'arrivée de son frère sera un exutoire nécessaire à son équilibre mental, elle l'espère ardemment.

Ils vont lentement, bras contre bras dans la voiture, sous un vent léger et un soleil ardent. Adéline a beaucoup manqué ce grand frère envolé trop rapidement du nid familial. Des amoncellements de souvenirs heureux se bousculent aux portes de sa mémoire prêts à renaître. Ils s'amusent à les raviver. Adéline sent en elle un immense bonheur la saisir, comme il lui arrivait de vivre si souvent autrefois. Hélas, tant de choses ont bouleversé sa vie. Puis le badinage se transforme en confidences sérieuses. Bien enveloppés de leur bulle affective, ils laissent courir les aveux et les questions comme bon leur plaît.

— Ulric, es-tu heureux?

— Je t'avoue que je ne sais pas ce qu'est le bonheur, Adéline.

La petite sœur ouvre grand les yeux. Jamais elle n'aurait songé que son frère puisse vivre de telles interrogations.

— Le sais-tu toi, ce qu'est le bonheur?

— Le bonheur ressemble à papa et maman. Une sorte de fusion complexe et complice du quotidien. Ils se devinent, sans se parler. Les as-tu remarqués?

— Ils sont d'un autre âge. La vie d'aujourd'hui a tellement changé.

— Tu trouves? Je ne le crois pas. J'ai connu un homme qui m'aurait donné ce bonheur.

— Puis...

— Il s'est volatilisé sans raison.

— Le mariage lui a fait peur.

— On peut avoir peur du mariage? Tu me surprends.

— Adéline, tu n'as encore rien vu. Là-bas, il se passe tant de choses.

– Tu es bien dans ce coin de pays?

– C'est si différent.

– Crois-tu que j'y aurais ma place?

– Tu y songes?

– Si je ne règle pas mon problème, oui. Mais plus tard.

– Explique-toi.

– Je te rejoindrai quand papa et maman seront partis, pas avant. Ils ne me le pardonneraient pas et ils en mourraient.

– Ils semblaient heureux quand vous êtes tous venus à Noël dernier.

– C'était de la comédie. J'aurais aimé que tu vois leur visage lorsque je leur ai annoncé que je désirais revenir ici. C'était triste et émouvant à la fois.

– Et moi! Je n'existe pas!

– Ulric! Ne fais pas l'idiot. Je sais que tu comprends.

Adéline sent le bras musclé de son frère lui couvrir l'épaule, sans mot dire. Il ravale son émotion devant la générosité de sa soeur.

– Tu devais te marier l'automne dernier.

– J'ai changé d'idée. Elle m'a trompé avec un autre, mon meilleur ami. J'ai décroché.

Adéline fige du regard. Dans son monde imaginaire féminin ces mésaventures n'existent pas. Du moins elle le croit.

– Ne dis pas de sottises, tu rencontreras une bonne femme un jour.

– Je n'espère plus.

Il la regarde et plonge dans le clair de ses beaux grands yeux verts.

– Cette histoire qui t'est arrivé. C'est le vicaire?

– Non. Pas du tout. J'ai aimé Simon, ce fut un amour adolescent mais ce n'était pas réciproque. À travers lui, j'étais amoureuse de l'amour. Je rêvais d'amour, sans le vivre.

– Lui, ne t'aimait pas?

– Il me l'a affirmé quand je l'ai retrouvé l'automne dernier. Simon est un ami formidable mais un prêtre et rien d'autre. Il m'a fait réaliser qu'il n'a utilisé aucun subterfuge à mes dépens. Au contraire. C'est l'homme le plus franc que je connaisse et un prêtre innocent que j'ai envoyé en prison.

– Adéline. Tu n'as rien fait du tout! Je ne veux plus entendre de pareilles sottises. Tu entends! On a jugé cet homme sur des preuves circonstancielles. Parfois, elles sont aussi évidentes que les authentiques.

– Tu oublies qu'il a toujours clamé son innocence.

– D'une voix si faible qu'il fut entendu difficilement. Il n'a pu expliquer tant de choses.

– Il avait peut-être ses raisons.

– Aucun motif valable ne doit obscurcir la vérité. On croirait qu'il se sentait à l'étroit dans son être. Comme une bête traquée par un braconnier invisible prêt à sauter sur sa proie à tout moment.

– Il voulait protéger quelqu'un?

– Exactement!

– Tu dérapes. Simon n'est pas le genre à vivre en catimini. Il adore la limpidité des entretiens et des relations humaines. Il a horreur des hypocrites. Crois-moi, je suis un témoin privilégié de ce que j'avance. Depuis le temps que je le connais!

Le duo poursuit en silence un bout tordu de la route, en méditation sur leur récente conversation. Ulric ose formuler la question qui lui brûle les lèvres.

– Adéline, qui t'a attaquée dans l'école?

– Si je le savais, il serait derrière les barreaux. Penser qu'il se promène à l'air libre est terrible.

– As-tu pensé aux Montpellier? On ne sait jamais.

– Ils sont incapables de telles choses. L'un est idiot, l'autre, timide au point de se marcher sur les pieds.

– Dans un moment de folie, tout peut arriver, tu sais. Espères-tu le rencontrer un jour?

– Si tu savais.

Le duo enveloppe la plaine du regard et savoure la splendeur du paysage aux couleurs printanières. Une volée d'oiseaux primesautiers valsent en farandole devant eux et gazouillent. Leur folle ivresse attise le sourire d'Adéline. Elle s'attarde à leurs ébats et communie à leur gaieté.

– Tiens, le *Plateau Doré* n'a pas changé, opine le frère.

– Tu trouves? En le survolant du regard c'est vrai. Mais en demeurant ici, c'est différent.

– J'ai presque oublié les couleurs du printemps.

– Ulric! Je ne te comprends pas. Comment oublier un si beau coin de pays!

– Vrai. Je m'efforcerai de suivre tes ordres, petite soeur. Comment vas-tu entrer dans l'école?

– J'ai encore la clé. J'en avais fait faire un double.

– As-tu le droit de poser ce geste?

– Pourquoi pas! Cette école est encore la mienne. La maîtresse me remplace, un point c'est tout!

Adéline se tait à mesure que l'école grossit dans son regard. Le coeur serré, elle se prépare à faire face à ses monstres intérieurs. Son frère le devine et prie Dieu de lui venir en aide. Un survol de la plaine lui redécouvre cette magnificence inégalée nulle part. Il envie Adéline de tant aimer cette oasis spectaculaire. Le fleuve dénué de manteau hivernal se pare d'une toile bleutée froissée par la brise légère. Au loin, à l'horizon un ruban de montagnes aux cimes douces plonge dans l'onde du grand chenal d'eau. Partout, la plaine renaît à la vie, si longtemps endormie sous sa pelure immaculée. Le soleil radieux de ce samedi matin redore le blason de la campagne, un moment oubliée. Seules quelques taches de neige sale et souillée tardent à fondre ici et là.

Sous la tension des cordeaux du conducteur, le cheval immobilise la voiture et le duo en descend. Adéline joue de la clé dans la serrure et la porte cède, pendant qu'Ulric attache la bête au crochet piqué au mur de l'école. Elle l'attend avant de pénétrer dans son univers, jadis, paradisiaque.

Ulric la sent fébrile et nerveuse. Il lui prend la main. La porte leur offre une senteur si familière à Adéline qu'elle sourit. La glace intime est cassée. Enjouée, elle scrute chaque coin du vestiaire en décrivant ses pensées à haute voix. Ulric ému découvre la passion de sa soeur pour l'enseignement. En effet, lui enlever cette raison de vivre ce serait la tuer à petit feu.

Adéline pénètre dans l'unique pièce tenant lieu de classe et fait le tour de chaque banc d'école en nommant des noms, décrivant des visages, racontant des anecdotes sur chacun, examinant certains dessous pour en évaluer le rangement ou la propreté. Ulric a l'impression de découvrir ces marmots, au point de les reconnaître.

Adéline s'assied à son pupitre, ouvre les tiroirs, hume la craie, la gomme à effacer, lit le contenu du tableau noir et est forcé de constater que sa remplaçante faisait du bon boulot. Ulric s'agite autour du poêle, en ouvre les issues, les referme, secoue le bruit pour amadouer le silence lourd. Il constate que sa soeur n'a pas encore posé son regard vers la cuisine et son lit.

– Je ne sais pas s'il reste encore du bois de chauffage?

Adéline se dirige au hangar, visiblement secouée. Il la suit et examine chaque coin et recoin. Chacun à sa manière apprivoise les lieux. Arrive le moment où tout est découvert. Ils se regardent et se devinent.

– Adéline, tout est en place, viens-t'en.

Adéline le précède et se rend doucement vers l'endroit fatidique, frigorifiée et en sueurs. Elle a attrapé la main de son frère au passage. Debout, immobile dans l'encadrement de la porte, les mains sur sa bouche, elle pose un regard sur les choses restées intactes dans la pièce. L'intensité de son regard incruste le moment à revivre et cherche une réponse à ses interrogations. Elle pleure.

– Comment c'est arrivé?

Adéline avance la chaise berçante près du poêle.

– Je me suis bercée dans cette chaise comme ceci. C'était le soir, il faisait noir dehors. Très noir.

– La porte donnant sur le hangar derrière toi n'était pas barrée?

– Jamais, ce n'est pas nécessaire. Tu vois, celle qui donne sur l'extérieur, par contre, l'est toujours.

– Comment est-il entré?

– Un mystère.

– Il s'est peut-être caché là, en attendant le moment propice.

– Tais-toi, tu me fais frissonner.

– Quand la lumière s'est éteinte, où étais-tu?

– Ici, comme ça. Je me suis sentie poussée vers la cuisine.

– Tu as résisté en t'accrochant au cadre de cette porte.

– Exactement. Oui, il m'a entraînée sur le lit, m'a poussée en arrière, je me suis débattue et je me suis enfuie en courant par la grande porte avant.

Adéline parle, soudain, sans retenue et verbalise ce qui lui passe par le ciboulot. Elle se penche et cherche un élément, un objet qui pourrait avoir été oubliée par les enquêteurs.

– La tasse de café était sur ce meuble?

– À cet endroit.

Adéline continue de renverser les couvertures, bouger les meubles, chercher désespérément un élément libérateur de son drame... en vain. Lasse, très fatiguée, elle et son frère replacent chaque objet comme à leur arrivée et quittent la petite école, sans réaliser qu'Adéline vient de franchir un pas de géant dans sa convalescence mentale et morale. En elle, la peur s'est envolée. Soulagée, elle monte en voiture et les Lussier vont payer une visite aux Montpellier.

Sa pensée se porte maintenant vers cette famille qui lui a sauvé la vie. La carte écrite maladroitement par une main inconnue surgit en mémoire: *Une rose pour Adéline*. Encore fixée au coin droit de son miroir, la petite carte trône sur son mystère enrobée de douceur.

Firmin, cher Firmin. A-t-il vraiment eu cette idée? Il faudrait éclaircir cet énigme.

Adéline appréhende le moment de retrouver ce grand gar- çon effilé, petit du crâne et si géant sur les rebords. Sa hâte d'évaluer ses progrès lui brûle les veines. Comme il sera bon de le revoir.

Ses méninges bifurquent sur un autre visage connu, Harold. Elle ne l'a pas revu depuis si longtemps. Autrefois il se faisait tache parfois, et surgissait sans crier gare au moment inopportun. Son étrange silence depuis son drame contraste avec ses anciennes coutumes. Ce mystère amplifie sa curiosité et son désir de le retrouver dans son coin, taciturne, renfermé et mystérieux. Au fond, un brave garçon qui demande si peu à la vie. Le contraire de sa mère, la grande Ursule Montpellier. Puis, il a aura Berthold le doux, l'aimable chef de famille. Elle les entend lui raconter les prouesses de leur gendre si ridicule, selon eux, et lui faire revivre le souvenir de la grande pimbêche d'Huguette, leur fille unique.

Autour d'eux, les senteurs connues émergent du sol et les nourrissent. Le refrain des oiseaux les accompagne en folichon. Adéline hume du regard et des narines ces images évanouies dans sa mémoire. L'air frais et salin du large lui rappelle son premier jour au *Plateau Doré*. Elle aime cette plaine rustre parfois aride dont la beauté sublime avait tant de fois alimenté ses soirs de rêveries, ses désirs d'évasion et de liberté. Que de fois elle s'est enfuie loin, là où la mer s'infiltre dans le voile brumeux de l'infini et a voyagé dans ses rêves les plus fous peuplés d'hommes fabuleux et de pays féeriques à la recherche du bonheur. Le duo s'abreuve aux mamelles regorgeantes du décor et se taisent. Ce silence nourricier les nourrit d'une profonde quiétude et la démarche lente de la bête déambulant au pas recouvre leurs pensées. Adéline referme son manteau et se replonge dans ses souvenirs immortels et vivifiants. Tantôt, on remaillera pour elle, la suite de son sauvetage dans l'univers immonde du froid.

– Wooo!

Adéline réagit. Malgré la lenteur de leur randonnée, elle n'a pas vu passer le temps.

– Nous sommes déjà arrivés!

La cuisine des Montpellier n'a pas changé une miette. Ursule, heureuse et nerveuse les accueille en expliquant.

– Mon mari est parti au village, il reviendra seulement au souper. Les garçons sont dans la bergerie. Comment allez-vous Adéline?

– Ça va.

– Tu as encore des choses dans ta chambre. Personne n'a pris ta place depuis ton départ.

Adéline sourit. Au fil du discours, Ursule Montpellier se révèle transformée. La jeune fille tente de cerner cette surprenante constatation, sans y parvenir. Elle remarque un diplôme en évidence, au mur central du salon. Elle s'approche.

– Qu'est-ce que c'est?

Ursule Montpellier, apathique, l'invite à examiner cette pièce unique. Ce geste devenu presqu'un rituel devant les gens qui foulent le sol de sa demeure, a perdu ses illusions avec le temps.

– Harold a gagné le prix *Guiness*.

– *Guiness*! s'exclame Ulric les yeux grands comme des prunes.

– Harold a gagné un prix!

– Oui. Notre Harold. Il a monté la plus grande collection de queues de moutons au monde.

– QUEUES DE MOUTONS! s'écrie de surprise le duo Lussier estomaqué, ils éclatent de rire bruyamment.

– Des queues de moutons. Il les conservait dans le corridor donnant à sa chambre au deuxième étage.

Ulric devenu volubile plonge dans l'étrange conversation de cette curieuse femme. Il apprend tout de cette histoire mais Adéline n'écoute plus. Des images s'amoncellent par milliers dans sa folle du logis et tournent légères. Elle se souvient de ces carreaux noirs et blancs verticaux et horizontaux posés au mur en face de l'escalier, en forme de damier. Ils étaient si curieux qu'elle s'aventurait parfois la tête en leur direction, à la recherche d'une explication mais la faible lueur de la petite fenêtre l'empêchait de voir les détails et elle n'avait jamais osé poser la question. Adéline songe encore à cette femme aux rêves démesurés pour ses garçons et son besoin d'affirmer leur talent, si limités, qu'elle les inventait.

– A-t-il encore cette passion?

– Non. Après son succès, son père a décidé de lui trouver un emploi sur la voirie. À l'été, nous vendrons probablement ces moutons.

(Sans queue) songe Adéline réprimant son fou-rire.
La paroisse avait certes fait les gorges chaudes devant une telle aberration.

– Et Firmin?

La femme vieillissante perd son débit vocal et marmotte des sons presque intelligibles, Adéline comprend, inutile d'insister.

– Si vous le permettez, nous irons prendre mes effets dans votre chambre.

– C'est comme vous dites, Adéline.

La femme se penche le tronc du côté de la jeune fille comme pour faciliter la confidence.

– Il paraît que vous revenez faire l'école très bientôt? Les enfants vous attendent depuis longtemps. Ils n'aiment pas la vieille Duchesnay. La pauvre femme fait son possible mais ce n'est pas assez.

– Je n'ai pas encore décidé, madame. Je verrai.

– Vous êtes retournée à l'école?

– Oui. Je voulais me souvenir.

– Avez-vous réussi?

– Hélas. Je suis déçue. Cette histoire est comme un grand trou noir, vide de son contenu. C'est étrange.

– En effet. Votre course dans la tempête non plus?

– Pas du tout. Je pense que vous seriez d'un précieux secours pour moi. Grâce à votre reconstitution des faits, il est possible que je me souvienne. Je le désire si ardemment.

– Autant que nous, Adéline. Nous en avons souffert. Tous ces racontars inventés sur notre compte. Il a fallu avoir un dos large pour tout accepter et oublier.

– Vous avez oublié? insiste Adéline inquiète.

– Pardonner serait plus juste. Mais oublier, non jamais!
Du bruit les interrompt.

– Voilà Firmin.

Adéline se lève, se dirige vers la porte et l'ouvre. Le jeune homme intimidé pique son regard sur ses bottes et laisse éclater sa joie bruyamment, permettant à Ulric d'évaluer l'ampleur des limites de ce garçon.

– Tu es grand, Firmin!

L'adolescent avait l'air d'un échalote secouée par le vent. Seul la pureté et l'innocence de son regard restaient intactes. Adéline sut à cet instant que ce garçon ne lui aurait jamais fait de mal. Elle voudrait se trouver seule avec lui pour lui démontrer de l'affection dont il était si friand et pour l'interroger mais ce n'était pas le moment. Dès cet instant, elle prend la décision de revenir enseigner pour élucider sur place sa terrifiante aventure.

– Firmin, je suis contente de te revoir.

– Mademoiselle, couché ici?

– Non, pas aujourd'hui. Un jour, peut-être.

– Harold est à la bergerie?

– Harold, voiture brisée.

– Il répare une voiture, si vous désirez le voir, il sera heureux de vous accueillir, reprend la mère.

Adéline interroge son frère du regard, il insiste. S'imprégner de la réalité et des détails lui est indispensable. Il repartira à Val d'Espoir de vraies images en tête.

– Alors nous acceptons, madame.

Firmin ouvre la marche puis s'esquive. Le duo attend siffler joyeusement et aperçoit un dos d'homme. Harold se retourne et blêmit. L'étonnement le laisse aphone. Adéline lui offre la main.

– Bonjour Harold.

– Mademoiselle Adéline! Si je m'attendais... (à une telle apparition!)

Le jeune homme enlève ses gants sales et se frotte les mains sur les cuisses de pantalon avant de les saluer. Il examine Firmin planté à côté d'eux qui lui sourit et sent un courant étrange lui traverser le corps. Très inconfortable, il essaie tant bien que mal de reprendre difficilement ses esprits.

– Bonjour monsieur, répond Harold à Ulric qui le salue sans ardeur.

– Harold, montrer moutons, soumet Firmin se dandinant joyeusement.

– Oui, Firmin. Nous voulons voir tes moutons.

Le groupe se dirige vers les brebis bêlant à haute voix.

– Ils sont à toi, Firmin?

L'idiot sourit, se tait, il n'a rien compris.

– Mademoiselle ici, montre soudain Firmin en pleine possession de ses moyens. Il se souvient, constate les visiteurs. Ulric profite de la surprise pour lui faire subir un interrogatoire en règle.

Adéline, les yeux grand ouverts, mange les paroles de Firmin qui décrit ce qu'elle ignore.

– Mlle Adéline était où, Firmin?

L'idiot les invite à le suivre.

– Ici, dans neige. Moi prendre mademoiselle, moi mettre moutons, beaucoup, beaucoup. Moutons fins, fins.

– Il l'a rentrée dans la bergerie et l'a couchée là parmi les moutons. Ce geste vous a sauvée.

– Les moutons ne m'ont pas écrasée?

– Aucun. Personne ne comprend ce qui s'est passé.

– C'est incroyable! s'exclame Ulric.

– Mais vrai, reprend Harold heureux de proclamer bien haut la bonté de son frère.

Adéline lui prend le cou et le serre contre elle, émue réprimant difficilement ses larmes.

– Mademoiselle, école?

– Non Firmin, je ne reviens pas à l'école. Pas encore en tout cas. Si nous partions maintenant, Ulric.

– Votre lit vous attend, reprend Harold son regard plongé dans celui de la jeune fille.

Adéline les quitte sur une incertitude quant à son avenir, ravivant le désir effréné et inavoué d'Harold pour cette femme.

Le retour s'entoure de douces confidences entrecoupées de réflexions. L'heure est à la méditation et au ressourcement. Adéline, enveloppée dans ses pensées échevelées, pousse un soupir de soulagement et se tait. Ulric, l'oeil aux aguets, n'ose exprimer à sa soeur l'étrange sensation d'inconfort ressenti près de l'aîné des Montpellier. Il s'efforce de comprendre l'étrangeté de ce regard posé sur Adéline, mais il se garde de lui en souffler mot. À la maison, il en parlera en tête-à-tête avec son père.

– Tu as entendu Firmin, Ulric! Pourquoi ne m'a-t-on rien dit de cette histoire?

– Parce que personne ne la connaît, sauf les Montpellier.

– La police doit être au courant.

– Mais oui! Tu le sais bien.

– On ne m'a pas souligné ces faits.

– Ils n'ont pas été retenus par la justice.

– Pourquoi?

– Firmin est trop limité pour être compris lisiblement. Je t'avoue que, sans toi, je croyais qu'il parlait chinois.

– Tu dois avoir raison. Le contraire serait absurde.

– Tu as aimé revenir ici, Adéline?

– Plus que tu ne le crois. Affronter mes diables intérieurs m'a redonné confiance. Ils ont diminué de grosseurs et de formes.

– Te crois-tu capable de revenir à l'école et y vivre toute seule, un jour?

– J'en suis certaine. En moi, quelque chose s'est transformé. Comme si une blessure s'était refermée.

– Je suis content pour toi.

– Je devrai convaincre papa et maman de ma décision et ce ne sera pas facile.

– Je leur en glisserai un mot, si tu le veux.

– Tu m'es d'un précieux secours Ulric. Je ne voudrais pas les faire mourir d'inquiétude.

– Si tu passes l'été en leur compagnie, ils seront rassurés. Ils verront comment tu prends des couleurs. Le temps arrange toujours les choses, tu sais.

– Je l'espère ardemment. As-tu remarqué comme leurs cheveux ont blanchi?

– En effet.

– Je leur ai donné une vilaine frousse, sans le vouloir. Je ne veux plus les voir dans une telle situation. Ils se sont épuisés à prier pour moi. Leur chapelet est usé à la chaîne.

– Ils ont eu très peur. Papa m'en a parlé et maman me l'a écrit. Tu nous as secoués, pas à peu près!

Adéline sourit à son frère surpris d'avouer ouvertement ses sentiments. Émue, elle lui frotte la tête et lui déplace le toupet. Il lui attrape les mains et les retient prisonnières dans les siennes.

– Fais-pas ta fanfaronne! Puis prends des résolutions! Pas d'homme dans ton école le soir. Compris!

Adéline relève le nez de défi.

– Tiens, tiens! Le frère qui reprend ses bonnes vieilles habitudes! Remplacer papa quand il est absent.

– En plein ça! Je plains le suivant qui va te toucher. Il va avoir affaire à moi.

– Tu oublies que tu m'écrases le pied en ce moment! Que vas-tu faire de celui-là?

Ulric constate que sa botte écrase celle de sa soeur et pouffe de rire.

Une nuée de plaisir remplit l'atmosphère ensoleillée.

– Lalalalala! chantonne Adéline sur un air connu.

Ulric l'accompagne en remplissant les vides, de mots d'enfance quasi oubliés. Deux hommes, réparant leur clôture, s'arrêtent à leur passage et leur sourient.

Qu'il est beau d'être jeune! songe l'un d'eux un peu triste. Il a tant mal aux jambes qu'il n'a plus envie de rire ou de s'amuser.

– As-tu vu Adéline comme il ressemble à Jos Lanouet-te!

Adéline se tord le cou vers l'arrière et scrute le vieil homme.

– Pourtant vrai.

– Je me demande s'il a le bras gauche aussi gros que lui.

– Il avait un gros bras? Je ne pige pas.

– Le bonhomme s'est tellement décrotté le nez, Adéline, que son bras a grossi.

– Ha ha ha hi hi hi hi!

Adéline se tord de rire.

– Pas seulement son bras mais sa narine gauche également.

– Ha ha ho ho ho ho! Arrête j'ai mal au ventre.

– Il mangeait ses crottes de nez.

– Eurk! Tu me donnes envie de vomir.

– Han han han han han han! Hon hon hon hon hon! Faut croire qu'il n'avait pas grand-chose à manger.

– Hi hi hi hi hi hi! Ulric! S'il t'entendait!

– Il ne comprendrait rien, il commençait à rire quand tout le monde avait fini!

– Hon hon hon hon hon hon hon hon hon! J'ai jamais tant ri!

– Sais-tu ce qu'on a fait?

– Non. Raconte!

– Un jour après la messe le dimanche midi, en attendant nos parents, les trois Pinson et moi, on est allé voir Albert, son garçon, qui l'attendait dans l'écurie et on lui a proposé un défi.

– Ulric, je te vois venir! Tel que je te connais, cela ne devait pas être drôle.

– On est allé derrière la grange à chevaux du grand Médé, là où papa dételle son cheval, tu sais!

– Je me souviens.

– Puis, on lui a imposé ce défi.

– Qu'est-ce que c'était?

Ulric étire le suspense, regarde sa soeur et s'interroge à haute voix.

– Je ne sais pas si je dois continuer. On n'était pas des enfants d'école. Tes oreilles vont peut-être frémir.

– Voyons Ulric! Me prends-tu encore pour une enfant? J'ai déjà vu neiger!

– Bon. On lui a montré une boîte de tomates posée assez loin de nous et on lui a dit que c'était un concours. Chacun de nous devait pisser le plus loin et tenter de remplir la canne.

– C'est comme ça qu'on voit si on est un homme, lui dit le grand Fabien.

– Le pauvre Albert, rouge comme une tomate, se tord et se demande comment se sortir de ce vilain pétrin. Chacun notre tour, on s'installe devant le bout de branche fraîchement cassée tenant lieu de mesure et on s'exécute. Arrive le tour de notre Albert. On le voit qui a mille misères à se déboutonner, parce que sa mère lui avait confectionné ses pantalons et avait cousu une quantité de boutons à sa braguette afin de bien cacher son membre. De gros boutons enfoncés dans des boutonnières trop étroites. Le cher Albert forçait et forçait pendant qu'on se roulait par terre de plaisir. Enfin il s'exécute. Il se plante les deux jambes biens ancrées au sol et tente de lancer son jet le plus loin possible. Mais le membre paralysé par la gêne ne veut pas obéir et tout ce qu'il réussit à faire c'est de mouiller le bas de son pantalon et éclaboussé ses beaux souliers vernis que sa mère lui avait frottés longtemps.

– Oh! Ulric! Vous n'étiez pas raisonnables! Qu'est-il arrivé?

– On a entendu son père arrivé et il s'est sauvé les

pattes aux fesses.

– L'avez-vous revu?

– Les dimanches suivants, il nous évitait en baissant la tête. On a jamais cessé de lui examiner les souliers, au cas où...

– Tu ne t'es pas vanté de ce coup-là, hein!

– Jamais de la vie! Le fun ça ne se partage pas, ça se vit!

Le bonheur avait saveur de miel, senteur de rosée et couleurs d'arc-en-ciel. Le duo fraternel heureux se remet à chanter à tue-tête comme dans le bon temps, tandis que leur demeure se montre le bout du nez. Leur fou-rire attire leurs parents amusés. Adéline a mille misères à descendre de voiture tellement elle rigole. Son frère ne cesse de l'alimenter de blagues connues d'eux seuls. Cherchant son souffle, elle s'écrase sur une marche de la galerie et regarde son frère disparaître avec le cheval. Il fera un grand trou de beigne dans sa vie celui-là quand il partira. Un très grand trou!

La nuit venue, le vieux couple Lussier s'endort ravi l'un près de l'autre, les bras chargés de joie et la chevelure fournie de sons mélodieux entendus dans le lointain de leur imaginaire sur la route enchanteresse de leur progéniture, aux prises avec le plaisir retrouvé. Une ondée de souvenirs radieux arrose le ruisseau de leur bonheur un peu décoloré. Ils ont, l'espace d'un bon moment, occulté leur angoisse incrustée dans leur coeur.

* * * * *

Quelques mois plus tard, c'est l'été. Une saison arrosée de nonchalance et de bien-être, essentielle aux os usés des têtes blanches et au coeur des amoureux éperdus. Ulric Lussier est retourné au travail sur des images de tendresse inoubliables. Le souvenir de ce trio parental, aux yeux humectés de tristesse le saluant à la gare du train, le poursuit par-delà les nuages immaculés. Son séjour a fait jaillir le bonheur d'antan. Les Lussier ont rajeuni. Ils gazouillent, chantonnent, étalent leur soulagement au grand jour, font couler leur enthousiasme retrouvé le long de leur route tranquille. Qu'il est bon de revivre!

* * * * *

Avant son départ, Ulric est allé visiter Simon Labrosse en prison, en compagnie de sa soeur Adéline. Elle a évité d'attiser les mauvaises langues et s'est abstenue de le rencontrer seul. Mais avec son frère...

– Ulric avant ton départ, j'aimerais aller voir Simon.

– En prison!

– En cellule, avec toi!

Le jeune homme réfléchit deux jours, la crainte de voir retomber sa soeur dans la peine l'obsédait.

– Alors Adéline. Ce voyage en tôle c'est pour quand?

Ulric se meurt d'envie de connaître ce milieu et de comparer ses idées sur l'endroit, avec la réalité. La curiosité aidant, il trouve que revoir ce personnage entrevu quelquefois dans son adolescence et dont on lui a tant parlé, lui plaît. Une histoire dont il pourra se vanter, une fois arrivé chez lui.

– Demain si tu veux.

Ils partent donc, la réprobation incrustée sur les visages de leurs parents et se rendent en ville.

– J'ai hâte de le revoir, tu sais. J'ai tant de choses à lui dire. Comment fait-on pour accepter de perdre sa liberté lorsqu'on est innocent. Le sais-tu Ulric?

– J'avoue que je ne me suis jamais posé cette question. Ce doit être épouvantable!

– Je me révolterais et je casserais la baraque!

– Oh! Oh! On ne te donnerait pas cette chance! Les gardiens en ont vu d'autres! Je n'oserais pas me coller à leur costume.

– En tout cas, j'ignore comment toute cette histoire finira.

– C'est simple! Par l'arrestation du coupable.

Adéline se retourne pour voir si elle n'est pas suivie. L'affirmation de son frère lui glace le dos.

– Ouais...! Je préfère penser à autre chose! Tiens nous y sommes!

Un immense quadrilatère entouré de barbelés les accueille. Un surveillant leur ouvre l'épais grillage verrouillé. D'étranges sensations traversent leurs pensées et leurs pas, à l'incursion dans cette enceinte aux murs épais, sombres et rébarbatifs. Ici la perte de liberté crève les yeux. Les constatations d'usage effectuées, on les conduit en face d'une grille où les attendent deux chaises.

Le coeur d'Adéline bat la chamade et celui d'Ulric tique d'inconfort. Mille visions de la réalité s'entrechoquent dans leurs pensées, la jeune femme a peur et s'approche de son frère.

– Comment vit-on dans un pareil univers?

Des croquis de Simon Labrosse se griffonnent à l'infini dans la cervelle survoltée de la jeune femme. Comment le trouvera-t-elle? Quel visage prend un condamné à vie ou presque dans cet endroit? Celui de Simon sera-t-il différent de sa réalité inventée? À qui, à quoi ressemblera-t-il? À un prêtre? À un bandit? Cette dernière illusion lui fait peur. Il ne faut pas! Il ne doit pas avoir changé. Elle le refuse! Dans son coeur, elle fait une ardente prière et implore son Dieu de le préserver de la corruption.

Pendant qu'elle se recueille, le condamné no: 20045 apparaît. Ému, au bord des larmes, il s'avance et infiltre ses doigts entre les barreaux, à la recherche de chaleur humaine dont il est si avide.

– Adéline! Tu es venue!

Adéline pose ses yeux humides sur son ami prisonnier, incapable de retenir davantage l'écluse diluvienne qui la noie et lui serre la gorge. Dans un geste de grande tendresse, elle lui touche les doigts et les embrasse. Il pleure, impuissant à se retenir. Ulric troublé se tait. Grand, maigre, les tempes grises malgré sa jeunesse évidente, cet homme trouble le calme de ses entrailles. La limpidité de son regard se glisse en lui jusqu'à son coeur, il ne peut s'en détacher.

– Adéline. Chère Adéline! Tu vas bien?

– Bien. Et toi!

– Comme tu vois, je suis à la diète sévère, assure-t-il en ricanant nerveusement pour expliquer la maigreur dont il est revêtu. C'est le meilleur endroit pour se mettre en forme!

Adéline esquisse un sourire complaisant. Son coeur déchiré accepte difficilement l'inconcevable. Comment arriver à le sortir de cette impasse? Des volcans de souvenirs font irruption en elle. Son grand ami, prisonnier de l'absurde, de l'insoutenable implore son affection. Elle voudrait se blottir contre lui, le serrer à le rompre dans ses bras, lui dire qu'elle regrette, l'assurer de son amitié indéfectible, l'entendre pleurer à chaudes larmes, pleurer avec lui et le consoler, écouter sa lourde peine, analyser son combat insensé, chercher une issue, lui témoigner la tendresse et l'affection dont elle est capable, mais elle en est impuissante car un mur les sépare, celui de la liberté.

Simon se calme difficilement. Comme il souhaite lui parler comme autrefois, de tout et de rien; lui ouvrir son coeur et son âme de prêtre sans retenue, une bonne fois, comme il l'a fait si souvent. Le vicaire réalise toute la portée de cette amitié profonde, plus pure et plus gratifiante que l'amour. Pourtant de multiples contraintes le gardent à l'écart. Il presse Adéline et lui parle de son frère qu'il recntonnaît.

— Ulric! Tu es revenu?

— Je suis de passage.

— L'air du Pacifique te va à merveille. Tu affiches une mine resplendissante!

— C'est plutôt l'air du pays qui opère cette transformation.

— Tu comptes rester longtemps?

— Je repars la semaine prochaine. Sur terre, rien n'est éternel, tu sais! Surtout les vacances!

Adéline se tait, boit ses paroles et reprend ses esprits. Sa voix est restée la même. Aucune rancoeur, pas la moindre haine ne filtre en lui. Elle l'interroge.

— Quelqu'un est venu te voir?

— On ne m'oublie pas. Sois sans crainte!

Lui dire que si peu de monde le visite serait inutile. Lui avouer que son calvaire n'a aucune mesure avec la plus vile réalité est superflu. Non! Il est indécent de lui avouer son brûlant combat intérieur. Elle le devine, il le sait. C'est suffisant.

— Les bandits te font du mal?

Lui faire mal? Qui plus que cet homme coupable courant impunément en toute liberté lui fait le plus mal? Ces mal-aimés cachent un coeur d'or sous leur carapace, il le découvre chaque jour.

— Tu sais, les bandits ne sont peut-être pas les hommes les plus dangereux sur cette planète, Adéline!

— J'ai de la difficulté à te croire!

Ulric saisit l'allusion. Il acquiesce du regard. Celui qui court sur les talons d'Adéline le frigorifie davantage. Il n'en souffle mot, puisque sa soeur a la tête ailleurs.

— Tu désires quelque chose?

— J'ai tout ce qui me faut ici. Crois-moi. Je suis surchargé d'occupation. Les bandits, comme tu les appelles, ont du vécu.

— Peux-tu dire ta messe chaque matin?

— J'ai eu cette permission il y a quelques semaines. J'en suis heureux. J'ai même une garnison qui me protège à la chapelle. Il paraît que l'atmosphère de la prison change.

— Grâce à toi! Rien ne me surprend. Tu es capable de transformer le diable en bon Dieu!

Un rire franc secoue les épaules du prêtre intimidé par les compliments.

— Tu charries pas mal, Adéline! C'est Lui en haut qui pioche le chantier. Moi je suis son espion!

– Les espions, en prison, c'est ce qui pullule. Pas vrai!

– Tout dépend de la cause! reprend Ulric amusé.

– J'ai entendu parler que l'on va reprendre ton procès de fond en comble. Paraîtrait qu'il y a eu des irrégularités, insiste Adéline heureuse.

– Des erreurs de jugement c'est certain! commente le frère d'Adéline.

– Ah! Je suis surpris de cette nouvelle. Il n'en a pas été question. Je suis tout à Son service. S'Il me veut ailleurs, je suis disponible!

– Tiens! Je t'ai apporté du sucre à la crème.

– Du sucre à la crème! s'écrie Simon, soudain redevenu comme un enfant à qui l'on fait le plus grand des cadeaux. Tu l'as fait toi-même?

– Non, C'est l'oeuvre de la mère Banville!

– La mère Banville est morte depuis des années.

– Tout ce qui est vieux est meilleur. Tu mangeras du sucre à la crème, macéré comme le vin.

Le vicaire rit aux larmes. Un rire saccadé et timide sorti des profondeurs de son âme blessée.

– Tu es généreuse! Adéline. Songer à me sucrer le bec me fait plaisir. Merci.

Une large porte claque, ils sursautent. Le plaisir prend fin. – Tu reviendras, dis?

– Si je le peux, Simon. Je refuse de te faire du mal avec mes visites. Le monde parle, tu le sais.

– Je me fis à ton jugement. Pour le reste, Dieu y pourvoira.

Le vicaire-prisonnier les salue de la main, ému et fébrile avant de disparaître derrière une énorme porte de fer qui se referme brusquement avec un bruit d'enfer. Le coeur du duo chavire dans leur poitrine. L'atmosphère de cet endroit maléfique imprègne irrémédiablement son parfum malodorant dans leur crâne mais au centre, un soleil lumineux se dresse en conquérant; le visage d'un singulier prisonnier en porte les stigmates.

Un matin, le train emporte Ulric Lussier vers son destin. Sur l'envol de ce frère unique, Adéline a incrusté dans sa mémoire un peu du passé et beaucoup d'elle. Il s'en souviendra toujours. À ses côtés, Alfred et Albertine Lussier les yeux embués le saluent, heureux et attristés d'avoir à revivre cet autre départ.

La vie égrène son quotidien et le meuble.

Chapitre 20

Une autre saison a enfilé ses aiguilles de laine et a tricoté un été aux couleurs irrésistibles, aux senteurs enivrantes, aux veloutés de roses chatoyants, aux caresses grisantes du vent du large, aux douces musiques de ressac et de marées, aux volutes matinales sorties des gorges d'oiseaux, à la complainte incessante des goélands voraces, aux paysages époustouflants et se prépare à lever l'ancre.

Adéline agitée fait ses bagages. Elle retourne au *Plateau Doré*, son école l'attend. La semaine passée, elle a reçu une lettre des Commissaires qui lui ont confirmé, selon son désir, son engagement pour la saison scolaire prochaine. L'inquiétude de ses parents évaporée, elle reprend sa vie en main.

Malgré son allégresse, une grande transformation s'est opérée en elle, sans pouvoir l'expliquer ni le réaliser. Elle sent seulement que le charme de sa jeunesse s'est brisé à quelque part. Une certaine résignation et un grand réalisme l'habitent. Cet événement l'a mûrie. Dorénavant, elle dirigera les situations au lieu de les subir. Quant à l'amour, elle n'y pense plus. Une page est tournée. En attendant, plein de questions coulent dans le ruisseau de ses méninges. Comment se comportera la famille Montpellier? Et Firmin? Puis Harold et son énigme? Des interrogations qui trouveront une réponse sous peu.

* * * * *

Dès l'annonce de l'arrivée d'Adéline, Harold jubile seul, à l'abri des regards. L'objet de ses convoitises se rapproche. Tout espoir est permis. Il échafaude des plans et se dessine des rêves les plus fous. L'avenir porte encore un nom: Adéline Lussier. Son emploi à la voirie se frottant au monde des hommes lui est salutaire. Ursule Montpellier, sa mère, ne le reconnaît plus. Il parle davantage et sort avec ses amis les fins de semaine. Cette constatation la console. Firmin, lui, passe des heures dans les bâtisses vides, à niaiser, elle s'affole.

– Avoir tué les moutons fut peut-être une mauvaise décision, Berthold. Firmin perd son temps à ne rien faire toute la journée. Je suis inquiète.

– Tu penses?

– Il aime tant les brebis. Des bêtes douces qui ne font de mal à personne. Puis il s'occupe pendant qu'il les soigne et les nettoie.

– J'ai entendu dire que le voisin des Lanteigne en avait à vendre. J'irai voir samedi.

Rassurée, Ursule tapote l'épaule de son mari en guise de remerciements.

– J'ai reçu une lettre d'Adéline ce matin. La deuxième. Elle nous apprend son arrivée la semaine prochaine.

Berthold devient pensif. Comment se déroulera cette nouvelle année? Bien malin qui saurait affirmer quoi que ce soit!

– On va la recevoir comme il faut!

– Bien comme il faut, Berthold. Bien comme il faut!

– Si elle parle de son accident, on la laissera parler.

– Si elle questionne, on répondra.

– Je me demande si elle a retrouvé la mémoire.

– Le docteur me disait que certaines personnes ont tout effacé dans leur mémoire à jamais!

– D'autres font le contraire. On verra!

– Je t'avoue que cela me fait peur, Berthold.

– Pourquoi?

– Les premières semaines vont être dures. On va la surveiller comme si c'était notre fille! Faudrait pas qu'un autre voyou lui touche une autre fois!

– Harold ira la chercher à l'école, chaque soir, après son retour.

– C'est une bonne idée à laquelle je n'avais pas pensé.

Ce qui fut décidé, fut fait.

* * * * *

Le jour prévu, Ursule guette une voiture au loin et devine que «sa» fille rentre au bercail. Un frisson de joie parcourt son échine. La femme de Berthold Montpellier se met à espérer toute seule dans son silence. Espérer des millions de choses pour son Harold. Derrière les lunettes voilées de la fenêtre, elle examine Adéline et son père rentrer dans l'école. Elle la voit qui fait le tour de son domaine comme autrefois avec la même ardeur, la même fermeté dans sa démarche, le même regard sur le littoral fluvial. Un vent de gaieté lui traverse le coeur. Se peut-il qu'elle aime vraiment cette fille?

Seigneur exaucez-moi! implore la brave femme occupée à ses chaudrons.

Les Lussier grossissent à travers les carreaux de la porte. Enjouée, elle place deux couverts, dépose une tarte aux

362

fraises, chaude, au milieu de la table et du lait, tire les chaises et surveille le thé fumant.

– Entrez! Faites comme chez vous! assure Ursule gênée.

– Bonjour Madame Montpellier. Vous allez bien?

Adéline est frappée par le changement physique de la mère de Firmin. Ses cheveux ont blanchi et sa taille s'est amincie pour la peine.

Serait-elle malade?

Camouflant ses soupçons, elle se dévêt, mine de rien.

– J'ai des tartes fumantes pour vous! Un long voyage creuse l'appétit.

Adéline jette un regard à son père ravie et cueille son acceptation tacite.

– Vous avez fait ça pour nous!

– Madame, vous me prenez par mon point faible, dit Alfred Lussier roulant sa casquette entre ses doigts, les yeux grands comme des trente sous, la bouche pleine de salive prête à digérer le délicieux goûter.

– Allons, prenez une chaise, je vous sers une bonne tasse de thé!

Les Lussier se font une oeillade complice et tirent la bobinette long là! Ursule les accompagne.

Restées seules, les deux femmes renouent connaissance comme si de rien n'était. Éreintée, mais contente, Ursule se couche, l'impression au coeur du devoir accompli. L'année scolaire sera palpitante! Elle le sent.

Adéline soulagée entre sous les couvertures en remerciant le ciel d'avoir tracé le parcours de cette journée avec tant de petits bonheurs imprévus. Elle formule une ardente prière à Dieu pour son ami en tôle, et s'endort profondément.

Alfred rentre chez lui, accueilli par une femme surexcité et nerveuse.

— Comment ça s'est passé, Alfred?

— À merveille! Albertine. À merveille! J'ai mangé une de ces bonnes tartes! Tu ne peux imaginer!

— Pour l'amour du ciel! Qui t'a offert ces gâteries, Alfred, tu es tout retourné!

— La bonne femme Montpellier!

— La Montpellier! Je ne te crois pas!

— C'était bon! Mais bon!

— Voyons Alfred! Reviens-s'en! On croirait qu'elle est la seule à faire des tartes!

Alfred, qui a piqué intentionnellement la fierté de sa femme, se reprend, un sourire au coin de ses commissures.

— Allons Albertine! Ne te fâche pas! Elles sont les meilleures après les tiennes, tu le sais bien!

— Je ne le sais pas, justement!

Le couple vénérable s'amuse à se taquiner jusqu'à l'arrivée du sommeil. Puis l'un marmotte et l'autre ronronne.

— Tu ronfles en plus! Alfred! On aura tout vu!

Albertine tire ses couvertures et s'enveloppe les épaules, soulagée de savoir que sa petite Adéline entame son défi sur le bon pied.

* * * * *

— Tu es déjà arrivé! Je ne t'ai pas entendu entrer!

— Je ne voulais pas te déranger. As-tu fini?

Harold, sur l'ordre d'Ursule Montpellier, se rend directement à l'école après son travail. Adéline apprécie cet intérêt de la part de sa logeuse mais lui a assuré que ce fardeau infligé à son fils était passager.

– Dans une semaine, tout rentrera dans l'ordre, croyez-moi!

– Deux semaines! s'exclame Harold surexcité.

L'inouï lui tombait dans les mains, sans l'avoir imaginé. Tant et tant de fois, il avait rêvé à un tel événement. Tant et tant de fois, il avait espéré se trouver seul en sa compagnie. La réalité dépassait le plus audacieux de ses rêves. Seul avec lui-même, il en pleure de joie et de contentement. Souvent, il ressent l'extase de son viol par le souvenir de sa pénétration en elle et la douceur de sa pelure corporelle. Son fantasme se transforme en éjaculation nocturne et le comble, rejetant l'immense vide intérieur qui l'habite.

– Bon. Deux semaines!

Harold lui sourit satisfait. Il sort retrouver Firmin occupé à corder le bois dans le hangar attenant la maison.

Cette attention de la part d'Harold crée une chaude atmosphère entre eux. Ils vivent lentement et se découvrent. Adéline décèle en lui des facettes secrètes intéressantes, des aspects inusités de ses connaissances. Un vent de confiance s'installe entre eux, les confidences naissent, peu à peu, et le bonheur prend peut-être forme, à leur insu. Harold se révèle gentil, discret, et parfois silencieux. Un silence tant apprécié d'Adéline, éprise de solitude, amoureuse de réflexions et pourvue d'une curiosité insatiable. Un point en commun qui les unit maintes fois. Un jour, quelqu'un lui a dit que les gens curieux sont toujours intelligents.

Ce peut-il qu'Harold le soit? songe-t-elle surprise. La vie me le prouvera.

* * * * *

Un soir particulièrement flamboyant, un voisin arrive à la maison Montpellier, une nouvelle étonnante en bouche.

— Philémon! Quel bon vent t'amène? Tire une chaise et assieds-toi!

—Imaginez-vous que la route va être construite entre vos deux terres!

— Hein! Où vas-tu chercher cette histoire-là?

— Le cousin de mon beau-frère qui reste dans le village du sud travaille au gouvernement. Il l'a annoncé à mon autre cousin qui est venu dîner dimanche dernier.

Berthold, pousse un soupir de soulagement et s'esclaffe à grands coups de klaxon vocal sonore. La réaction du chef de famille relâche l'atmosphère, soudainement tendue, et contamine la cuisine d'une gaieté communicative.

— Ha! Ha! Ha! Un tas de monde qui a répété bien des folies. Tu ne trouves pas!

L'autre se redresse sur sa chaise et reprend son souffle.

— Si tu le prends de même!

— Je n'ai eu aucune nouvelle à ce sujet. Comme je suis le premier intéressé, je vais attendre la suite des événements.

— Tu as entièrement raison, Berthold. J'ai pensé que cela t'intéressait.

— Je suis content de ta visite, Philémon. Si j'ai des nouvelles, je te les communiquerai... sur-le-champ!

– J'aimerais être mis au courant, tu comprends! La route va passer le long de ma terre et tout va changer dans notre vie.

La visite du voisin attire la curiosité d'Harold. Il en parle à Adéline.

– Si tu veux, Adéline, nous irons faire un tour dans la forêt dimanche prochain.

– Je préfère dans deux semaines. Le temps d'avertir papa.

Le jour convenu, le couple reprend le sentier où dort un immense boisé sauvage peuplé d'oiseaux chanteurs et de petits gibiers fureteurs. Adéline se souvient de son ancienne randonnée lors de son arrivée au *Plateau Doré*, en compagnie des fils Montpellier. Un sentiment nébuleux l'envahit; il oscille entre la joie, le regret ou l'incertitude. Harold marche à ses côtés les mains en poches, l'air comblé. Déjà le monde volatile les accueille en une frénésie de sons hétéroclites au loin.

– Écoute Harold! Les oiseaux s'amusent.

– Ils planifient leur départ.

– Tout le monde doit partir un jour.

Harold surpris par cet énoncé, plisse les paupières.

– Tu as l'intention de faire comme eux?

– Non, évidemment! Je pense à mon père, sa santé m'inquiète. Que deviendra maman sans lui?

– Ton père est malade?

– Pas vraiment. Mais c'est une éventualité existentielle, Harold. Les tiens ne seront pas éternels!

– Je sais. Changeons de sujet!

Adéline, insouciante au danger qui la guette, sourit à son compagnon de route et offre son beau visage aux derniers rayons de soleil automnal. Harold la dévore de désirs, troublé par sa beauté aveuglante. En retrait, il examine ce corps parfait, cette taille svelte, ces cheveux flottants au vent, ces yeux clairs et profonds aux reflets uniques, cette voix envoûtante comme les desseins du diable et désespère de la posséder de nouveau. Ses bas instincts gonflent sa volonté mise à nue qui fléchit. Il lutte contre ce désir brûlant de la coucher dans l'herbe et jouir en elle en touchant de nouveau le velouté de cette peau qui le rend fou. Mais il se parle et se calme. Une erreur chambarderait tous ses plans.

– Tu viens?

La robe sombre de l'horizon les accueille et se dissout à mesure qu'ils la franchissent. Ils marchent dans le sentier connu où une senteur insoutenable leur fouette l'odorat.

– Quelle puanteur, Harold! Qu'est-ce que c'est?

– Je l'ignore. Marchons nous le découvrirons.

Un amoncellement de moutons se découvre sous des buissons. Adéline frissonne à la vue de ces bêtes à moitié mangées par les charognards.

– Qu'est-ce qui est arrivé à ces moutons, Harold?

– Je l'ignore!

– C'est affreux! Qui a posé un geste aussi cruel? Tu sais d'où proviennent ces animaux?

– J'aimerais le savoir!

Harold ment. Il a tué une quantité de bêtes au printemps afin de brouiller les pistes, suite à l'accident d'Adéline et les a transportées ici, à l'orée de la forêt, prétextant que plusieurs moutons avaient été malades et il avait dû les tuer.

– C'était des moutons malades, papa.

Son père hocha la tête, incertain. Mais comme le mal était fait, il pouvait difficilement vérifier la véracité des affirmations de son fils. Sa mère ne posa aucune question. Il pensait que l'été aidant, les animaux se décomposeraient à la chaleur et disparaîtraient, subito presto. L'été lui a joué un vilain tour, puisque certaines bêtes sont encore entières sous des squelettes.

– Ton père devrait être averti, souligna Adéline.

– Je m'en chargerai.

– Si c'est un mauvais tour qu'on a voulu faire, c'est réussi!

Adéline parle en se pinçant le nez, incapable de respirer l'air putréfié.

– Partons, maintenant, j'en ai assez vu pour aujourd'hui!

Adéline revient sur ses pas et invite son copain à la suivre. Harold déçu, se tient immobile et regarde le creux de la forêt. Il espérait passer un bon moment en compagnie de la belle jeune femme. Sans l'attendre, Adéline rebrousse chemin et sort du sentier ombragé. Harold désolé la suit. Sur la route, elle croit entendre la voix de Simon qui lui dit qu'elle l'a échappé belle! sans saisir la portée de cette prémonition. Un accident est si vite arrivé!

D'ailleurs, son ancienne foulure au pied provient de cette forêt, se dit-elle soucieuse.

Le soir tombe à plat sur la plaine, la nuit revêt ses atours quand ils rentrent rafraîchis mais contents de leur randonnée. L'air de la campagne l'a toujours revivifiée. Adéline passe cet incident sous silence et se dit que ces affaires-là étaient du ressort d'Harold et son père. Elle s'endort du sommeil du juste.

Mais un jour de novembre, le chien des Montpellier revient à la maison avec un os dans la gueule. Un os drôlement étrange.

– C'est un os de mouton, affirme Berthold en examinant l'animal qui gruge goulûment son dessert.

Adéline qui arrive de la grève, s'immobilise près de son logeur et s'interroge.

– C'est un os pas mal long, il me semble.

– Probablement celui d'une patte.

– Je trouve que ce mouton a la patte longue, sans bon sens.

Berthold reprend cette idée et l'examine. Il ne trouve pas de réponse. En effet cet os ne provient pas d'un mouton, c'est impossible! Il donne un coup de pied avec sa botte sur l'os et le chien s'éloigne. L'os en main, il l'examine en silence et constate qu'il nage en plein mystère.

– Nous irons visiter le bois. Le chien nous conduira.

Hélas! L'hiver a pris d'assaut le *Plateau Doré* l'enrobant d'un épais manteau de laine blanche et personne ne songe à poursuivre cette excursion forestière.

L'os du chien et sa provenance alimente la conversation des Montpellier tout l'hiver. C'en est devenu une marotte.

– C'est dommage que nous n'ayons pas conservé cet os, réalise Berthold.

–Très dommage! renchérit Harold ennuyé par l'histoire, si souvent répétée autour de la table.

Adéline se demande pourquoi cet os revêt tant d'importance et n'arrive pas à en saisir le sens.

Le printemps rapportera la paix et la tranquillité dans cette maison quand tout sera résolu, se dit-elle pleine d'espoir.

Harold, lui, ment. Il a caché cet os bien enveloppé sous la galerie afin de le conserver intact. Cette énigme l'étonne et suscite sa curiosité au plus haut point. Ses moutons n'ont aucun os semblable, il le jurerait. Pendant que les cervelles des Montpellier se chauffent à blanc, Harold se meurt de voir filer la longue saison froide.

* * * * *

Adéline emballe dans ses cadeaux de Noël, une surprise de taille à ses parents. Son ami le prisonnier Simon Labrosse en fait presque une syncope.

Elle n'est pas retournée à la prison mais elle lui écrit souvent. L'ancien vicaire apprécie cette longue enfilade de nouvelles le retenant à la vie extérieure. Leur amitié indéfectible se renforce. Il constate une progression constante dans la vie d'Adéline: sa propension au bonheur. Laurier Lanteigne, son amoureux disparu mystérieusement, hante de moins en moins ses confidences et se fait plus distant dans son discours. Quand Simon lui demande si elle l'a complètement oublié, elle garde le silence ou répond par des détours qui n'échappent pas à ce psychologue des âmes.

– Tu sais! Comment savoir si on a tout à fait oublié un grand amour? lui écrit-elle parfois quand elle ose avouer le fond de son coeur. Je suis bien placée pour le savoir, moi qui t'ai tant aimé.

– Justement Adéline! Tu le sais. Tu es guérie, n'est-ce pas!

– Je le crois. Mais j'y ai mis tant de temps!

Simon reçoit cette réponse un pincement au coeur. Il était si doux d'être aimé, même si c'était à sens unique.

– Il faudrait le retrouver ou le revoir, Adéline.

– C'est le problème. Il est introuvable!

– En as-tu parlé à son père? Si tu retournais voir M. Hilaire Lanteigne?

– Je ne veux plus courir après cet homme qui m'a fait tant de mal. À quoi servira que je le retrouve, me le diras-tu?

– À boucler une relation non terminée.

– En ce qui me concerne, c'est terminé! Il s'est comporté en goujat et je ne lui pardonnerai jamais!

– Il faut s'abstenir de dire: *Fontaine je ne boirai pas de ton eau*! Tu ne pourras rencontrer un autre homme et être heureuse si tu ne pardonnes pas!

– On verra en temps et lieux! J'ai d'autres chats à fouetter de ce temps-ci que ceux de penser à Laurier Lanteigne si gentil, si aimable, si formidable fut-il!

Cette dernière affirmation rend Simon Labrosse perplexe. Une anguille sous roche dormait.

– Puis, j'ai une grande nouvelle à annoncer à mes parents aux fêtes.

Simon Labrosse mord son oreiller tant Adéline Lussier a le don d'étirer les surprises. Il doit attendre une autre lettre pour en savoir davantage. Mais le temps de Noël passe, sans qu'Adéline souffle un traître mot sur cette *heureuse* nouvelle. Plein d'autres événements lui sont annoncés dans ses lettres lui indiquant que l'anguille se réveille peut-être.

– Mes parents ne sont pas bien. Les Montpellier songent à vendre. Le curé Breton du *Plateau Doré* a été transféré.

Le cheval à Pierre Lebrun est mort noyé. L'imbécile voulait traverser le fleuve et la glace était trop mince. La femme du docteur Beaudoin a le cancer. On parle de construire la route entre les deux terres Montpellier et Lanteigne; le duel continue! Le chien des Montpellier a trouvé un os étrange dans le bois. On se pose des tas de questions. La femme du bedeau de mon village a eu des triplets. A son âge! Tout le monde en parle au village. Il est question de dire des messes le samedi soir qui compteraient pour le dimanche! Imagine! Le monde tourne à l'envers! Jos Bleau du rang du *Bout du Monde* s'est marié un samedi après-midi! Une autre nouveauté extravagante! Et moi je me marie à l'été!

Ces nouvelles se sont échelonnées sur une période de huit mois. Huit mois! songe Simon Labrosse aux portes de l'extrême nervosité.

Le visage d'un homme refait surface. Le curé Breton est parti dans une autre paroisse... Il revoit les policiers l'interroger à son sujet.

— Est-ce que le vicaire de votre paroisse a soupé au presbytère, le soir du 27 janvier?

Il entend le prêtre hésiter, chercher son emploi du temps dans sa mémoire.

— Le 27 janvier, je n'ai pas soupé au presbytère, j'étais allé visiter mon frère malade.

— Pouvez-vous nous dire quand il est rentré au presbytère?

— Je l'ignore. Nous nous retirons chacun dans nos chambres respectives après souper. Chacun ne tient aucun agenda du temps de l'autre. Donc, lorsque je suis rentré, je n'ai pas remarqué si le vicaire était entré ou non. Je peux vous dire qu'il sort très rarement le soir.

— Nous avons interrogé votre servante, elle assure qu'il est entré en retard et a soupé seul, tel que convenu.

— La bonne Antoinette est digne de foi, monsieur.

Cher curé! Toujours le même homme hésitant, fidèle à lui-même. Homme inquiet, couvert de doutes existentiels, il m'a regardé, une fois étant seuls, et a perdu sa foi en moi. En avait-il déjà eu? Puis il s'est retiré dans ses appartements. Pauvre homme! Il se sentira mieux dans un nouvel environnement paroissial. Mon histoire l'avait estomaqué.

Simon Labrosse va, vient dans sa cellule en bute à de graves sentiments échevelés. Il ne réalise pas qu'Adéline l'a tenu en vie durant toute cette période par cette correspondance riche et pittoresque. De l'intérieur, à travers elle, il puisait à même la vie des autres et se nourrissait. La dernière lettre tombe lourde sur le sol de sa cellule aride et froide.

Elle se marie et ne dit pas avec qui! La vlimeuse! Elle me tiendra toujours en haleine, celle-là!

Tu n'as pas à savoir, Simon Labrosse! s'écrie une voix en lui.

Je sais, mais c'est peut-être Laurier. Il est de retour et elle veut me faire la surprise. Ce serait une idée formidable!

Simon Labrosse tourne et retourne les nouvelles et aucun nom n'a filtré dans ses lettres. Il songe à ses parents malades. Ils sont peut-être en désaccord. Alors, les boyaux cervicaux de Simon Labrosse se mettent à brûler d'inquiétude, à mesure qu'il échafaude des hypothèses. S'il fallait qu'elle fasse un mauvais choix, qu'elle prenne une mauvaise décision! Elle seule en est responsable, Simon Labrosse! De quoi te mêles-tu? Serais-tu un peu jaloux, mon vieux?

Les tempes de Simon en éveil le font grimacer.

Moi, jaloux! Allons, tu veux rire!

N'empêche que cette avenue lui trotte sous la tonsure pendant une longue période, jusqu'à la réception d'une nouvelle missive. Il lui répond le lendemain.

– Tu te maries! Vilaine cachottière! Bravo! Qui est l'heureux élu?

Simon Labrosse doit se résigner pendant longtemps avant d'avoir cette réponse. Adéline étire son plaisir à la limite. Ce duel de lettres amicales le tient en haleine et remise loin, son aigreur larvée entre ses nuits de solitude et ses jours remplis de confidences lourdes de misères humaines.

– Simon! J'ai un marché à te proposer. Si tu acceptes de bénir mon mariage, tu sauras dans ma prochaine lettre le nom de mon futur mari.

Piqué à vif, Simon éclate de rire à la lecture de cette étrange marché. Le soir même il répond.

– Tu oublies où je suis! En prison! Comment veux-tu que je puisse bénir ton mariage quand je n'ai pu aller enterrer ma pauvre mère!

Adéline réfléchit et sa plume reprend la route du pénitencier.

– Je ne sais pas, moi! Si je demandais une dispense à l'Évêché. On me l'accordera peut-être. Comment savoir, si nous ne tendons pas la perche?

– Je veux bien appâter l'hameçon pour toi mais je suis incertain du résultat.

– Le bon Dieu doit pouvoir nous aider, non!

– Ce que femme veut, Dieu le veut! Tentons notre chance.

Alors, un bon matin, Simon Labrosse écrit à son évêque. Sa demande à l'épiscopat fait dresser les cheveux du supérieur. Comment un criminel, prêtre par surcroît, presque condamné à vie, ose-t-il implorer une permission pour célébrer un mariage, qui, en quelque sorte se veut un caprice de sa part. Qui plus est! Ce prêtre a ridiculisé et traîné l'Église dans la boue, en lui causant un tort énorme, par sa conduite ignoble avec cette fille!

– Ce jeune blanc-bec doit apprendre à vivre et surtout réfléchir! Qu'il mette Dieu au milieu de sa vie et cesse de se laisser corrompre les idées par les femmes. Écrivez-lui ces mots, dès aujourd'hui. Décrivez-lui le dégoût que sa conduite nous manifeste et qu'il paie pour son crime, qu'il se tienne tranquille et attende, dans la prière et la méditation, la fin de son séjour en prison. Dieu le veut ainsi! Rajoutez cela!

Le secrétaire particulier de l'évêque s'exécute et poste le message épiscopal, tel que prescrit. La décision finale et irrévocable suivra son cours.

Simon, la tête entre ses mains, relit la lettre et sombre dans de noires pensées. Son évêque marquait des points. Il se laissait emporter par les futilités de la vie et devait cesser ces frivolités. Son supérieur lui démontrait dans une longue missive de plusieurs pages que le but de son sacerdoce dérapait dans ce cas particulier. Sa méditation l'amène à douter de cette affirmation lourde de conséquences pour son équilibre mental. La fureur de vivre d'Adéline, malgré les mésaventures sur sa route, le remplit de grandes espérances et enfonce ses peurs profondes et ses angoisses existentielles dans son inconscient. Cet échange euphorique, sous certains aspects, pimente son vécu aux couleurs ternes à mourir. Cette amitié pure et limpide empreinte de tant de don de soi, le sort d'une longue léthargie morale et spirituelle qui l'ont mené au bord du gouffre. Ce plaisir incisif le nourrit et alimente en énergie, le mince fil le retenant à la vie. Son supérieur le ramène à l'ordre comme le berger surveille sa brebis, un moment à l'écart pour brouter. Il se parle, sans se soucier de ses préoccupations, pour se convaincre de la justesse de son supérieur. Dorénavant, sa légèreté sera matée, il se le promet.

– Adéline, on m'a refusé cette permission et j'accepte les raisons de ce refus. Je ne suis pas indispensable dans cet événement. Tu trouveras un prêtre dans ta paroisse qui te bénira et te souhaitera tout plein de bonheur. Je crois que je vais cesser cette correspondance, elle ne mène nulle part. Tu entres dans une nouvelle vie et tu seras heureuse. Tu le mérites. J'ai confiance en ton jugement et ton bon sens. Je suis certain que ton choix est judicieux. Alors croque dans la vie et sois une semeuse de joie. Sème ton sourire partout, il est gratuit et invite à la paix des coeurs et de l'esprit.

Adéline s'écrase sur sa chaise en recevant la lettre. Le ton sérieux la bouleverse, on dirait un enterrement. Elle préférait l'autre plus vivant et enjoué. Elle soupçonne que son évêque l'aura sermonné. Une vive colère monte en elle et l'empêche de raisonner, elle reprend la plume.

– Tu feras ce que tu voudras Simon, mais moi je t'écrirai autant de fois que je le voudrai. Que tu sois d'accord ou non! Je t'annonce que mon futur mari est Harold Montpellier. Voilà!

Simon Labrosse n'a pas dormi. L'impression que quelque chose ne tourne pas rond l'obsède. Il prie. Le visage d'Adéline le visite souvent, sans en saisir le pourquoi. Un matin, le gardien lui présente une enveloppe. Il l'ouvre fébrilement incapable de maîtriser son état d'excitation désordonnée. Déchiré entre les ordres de son évêque, le plaisir de l'amitié et le maintien de ce lien qui le vitalise, il lutte. Soudain il se jette sur sa couche.

– Ah! non! Ce n'est pas vrai! Seigneur dites-moi que je rêve! Que je ne sais plus lire! Elle le marie! Adéline se marie avec cet... homme!

Chapitre 21

Avril.

Le bonheur se mêle à celui de la nature enceinte de multiples façons. Du sol monte de doux murmures d'insectes indiquant le retour à la vie; de la mer les eaux miroitent de nouveau à la caresse du soleil; de l'horizon une flotte de papillons blancs en fer frôlent la pelure de l'onde, s'y glissent paresseux et confiants: les bateaux retrouvent leur chenal.

Adéline et Harold tissent leur nid dans un coin de la demeure Montpellier. Ursule a éclaté de joie à la nouvelle de ce mariage. Berthold a ouvert sa bouteille de gin. Firmin a ri à en perdre la voix. Les amoureux se sont regardés et ont arrosé la nouvelle de leur sourire radieux.

C'est arrivé, par surprise comme un cadeau inattendu, un soir de printemps lors de la visite d'Harold à l'école.

C'était un jour particulièrement favorable aux confidences. Adéline, assise sur la pointe du *Plateau Doré* en face de la mer brossait des rêves à satiété. La journée avait été un succès. L'inspecteur d'école avait noté dans son grand livre, ses excellents résultats et la qualité de son enseignement; il l'avait recommandée pour la prime de l'Instruction Publique. Un honneur très gratifiant, difficile à obtenir.

En chantonnant elle voit venir Harold, sa veste en main et le sourire aux lèvres. De loin, il la salue d'un geste large et répété. Elle lui répond la joie au coeur. Froidement, elle tente de le regarder comme il est, mais elle échoue, le sentiment qui s'est développé en elle depuis son retour chez cette famille, ne cesse d'augmenter. Heureuse, elle le laisse vivre et le savoure. La morte saison, lui a amplement procuré le temps de le connaître et le découvrir. En effet, Adéline allait de découvertes en découvertes. Son caractère inconstant lui plaisait, il créait une diversion sur la monotonie de la vie. Sa vive curiosité pour les sciences et la nature faisait de lui, un compagnon jamais ennuyeux, toujours à l'affût de nouveautés, d'explorations et de trouvailles. Il l'enrichissait.

Un jour, Harold ayant attisé la curiosité d'Adéline sur les bourdons, découvre que c'est la route pour la conquérir. Alors, il se met à avaler bouquins et revues trouvés au passage et agrandit son savoir. Il découvre la joie dans le regard d'Adéline, à mesure qu'il joue ce jeu. Le retour des oiseaux hivernés dans les pays chauds, accomplit le reste. Il boit à la source gonflée de certitudes, le plaisir du moment.

L'aîné des Montpellier rejoint Adéline assise sur son promontoire naturel et se tait.

La splendeur du couchant teintant de rose, de pourpre, de jaune pâle et d'une infinité de couleurs douces les noient. Un moment, immobiles, ils se laissent envahir par cette beauté évanescente et en goûtent les arômes. Une grande paix les enveloppe. Émue, Adéline le regarde ivre de douceurs ambiantes. Harold se penche, plonge dans son regard doux et le feu s'attise.

– Bonsoir, belle demoiselle!

– Bonsoir, coquin jeune homme!

Il se baisse à son niveau, s'approche d'elle, marie l'intensité de son regard au sien et pose ses lèvres doucement, très doucement sur les siennes. Adéline chavire et laisse la frénésie de ce toucher l'envahir tout entière. Elle ferme les yeux. Il recule et examine son effet. La luminosité de ses pupilles flamboie comme danse à leurs pieds le miroitement de la mer. Transporté, enhardi, il goûte de nouveau ce nectar à sensation d'immortalité, lui entoure l'épaule, le coeur dérouté, noyé de sentiments inconnus et fabuleux. Harold porte sa bouche à son oreille et dans un murmure il lui chuchote des mots.

– Belle Adéline! Je t'aime!

La jeune femme frissonne malgré la chaleur ambiante, elle chavire, attirée par une force irrésistible qui la cloue au sol. Adéline pose son regard dans le sien, l'heure est à la félicité.

– Je t'aime Harold Montpellier!

Il l'enlace, la renverse et boit dans l'herbe roussie l'élixir jamais goûté. Puis il s'étend sur elle, mais elle se relève aussitôt et court vers l'école.

– Harold ne recommence plus jamais! Oublies-tu ce qui m'est arrivé?

Harold penaud constate qu'il a gaffé.

– Je sais. Je ne recommencerai plus.

– Seulement si on se marie. Compris!

– Adéline Lussier, veux-tu m'épouser?

La belle célibataire vacille sur son socle, surprise et dépourvue de ses moyens. Il s'approche d'elle et s'enfonce dans ses prunelles rutilantes. Le moment unique trame leur destin.

– Oui. Je le veux.

Harold ravale, sa gorge se noue. Dépassé par sa hardiesse et les événements qui déferlent en heureuses bousculades, il la prend dans ses grands bras puissants, la fait virevolter et l'effleure de son souffle tout partout dans le cou en la bécotant. Effrayée par l'ampleur des forces magnétiques développées en eux et entre eux, elle se délivre et le quitte à la course vers la maison des Montpellier.

Dans un grand fou-rire, les tourtereaux entrent souper, le visage empourpré de ceux qui rayonnent, au summum d'un bonheur subit. Subit, fascinant et tout neuf. Leur route vient de se sceller pour l'éternité.

* * * * *

La bonne nouvelle de leurs futurs fiançailles ayant fait boule de neige, le quotidien monotone reprend son moule.

– Tu ne dois plus demeurer sur le même toit que ton fiancé, Adéline.

– Voyons maman! Il me reste trois semaines de classe. Inutile de déménager. D'ailleurs, nous ne dormons pas sur le même étage si tu veux savoir. Les Montpellier ont des langues sales mais ce sont des gens catholiques. Et je ne le permettrais pas.

– Tu nous rassures, Prunelle! Le monde parle tant et invente trop. Tu en sais quelque chose!

– Papa, que l'on fasse ou ne fasse quoi que ce soit, la terre va continuer de tourner.

– Tu mérites ce qu'il y a de mieux, Adéline. Est-il à la hauteur de tes désirs, cet Harold?

Adéline entre dans une longue réflexion. Certains aspects imprévisibles de sa personnalité l'intriguent mais elle ne s'en formalise pas outre mesure. L'inquiétude de son père doit être dissout.

– Papa, Harold ne ferait pas de mal à une mouche! C'est un garçon au coeur d'or!

Son père, non convaincu, revient à la charge.

– Du monde affirme qu'il lui manque des roues dans le chapeau à certains moments.

– Allons donc! Je le connais, il y a deux ans que je le côtoie chaque jour! Le monde est méchant! Inventer pareilles faussetés! Firmin, le pauvre, est démuni mais Harold a un coeur tendre comme maman!

Albertine soupire à demi rassurée. Alfred soulagé hoche la tête. En effet, personne n'a encore dépassé son Alber- tine! Personne! Le vent de la vie tourne de bord, ce mariage prend des allures d'ouragan. Ulric, parti aux USÀ pour un séjour temporaire de trois mois, apprend la nouvelle un brin de suspicion en retrait. Il n'oublie pas cet étrange regard porté sur Adéline lors de sa rencontre chez lui. Évitant de semer des nuages sur le bonheur de sa soeur adorée, il garde ses intuitions et les remise au fond de sa mémoire.

Les voisins apportent leur support, leur soutien, leurs félicitations et la vie des Lussier se promène entre le rêve et la réalité. Seul, Simon Labrosse a interrompu sa correspondance. Adéline se pose des questions, sans obtenir de réponses. Elle met ce silence sur le compte du détachement voulu par l'évêque. Elle respecte cette décision jugeant que c'est la meilleure dans les circonstances, elle et le vicaire devaient cesser de s'écrire. Au coin de son coeur un brin de mélancolie tatillonne. Adéline aurait tant aimé partager son bonheur avec ce si grand ami!

* * * * *

Hilaire Lanteigne se présente chez les Lussier un chaud matin de fin d'été, là où le soleil tourne à son zénith. Le père d'Adéline regarde cet homme devenu l'ombre de lui-même, il l'interroge.

– Pour l'amour du ciel, Hilaire! Qu'est-ce qui t'arrive? As-tu passé l'hiver à l'eau et au pain sec?

– Parle-moi s'en pas! C'est effrayant ce qui m'est arrivé!

– Hein! Raconte! Ça serait-tu l'ouvrage d'une femme? On ne sait jamais! Il y a des femmes qui font maigrir, puis d'autres qui nous font engraisser! À moins qu'on les engraisse nous-mêmes! T'en n'aurais pas engrossé une, par hasard!

Hilaire fait naître son gros rire gras d'outre-tombe et se met à tousser à fendre l'estomac.

– Ne t'étouffe pas par-dessus le marché! Ça n'en vaut pas la peine.

Hilaire Lanteigne boit l'eau qu'Albertine lui offre et il reprend ses esprits lentement.

– Si ma femme te frottait le dos!

– N'exagère pas Alfred Lussier! Je suis encore vivant!

– C'est bon à savoir!

– Figurez-vous que je me suis cassé une hanche en fendant du bois.

– En fendant du bois!

– En donnant un bon swing pour rentrer ma hache dans une grosse bûche, les pieds m'ont parti!

– Tu t'es retrouvé sur le cul, les quatre fers en l'air!

– En plein ça! J'ai essayé de me relever et paf! Impossible! Ma bru est venue m'aider et j'ai poireauté dans une chambre d'hôpital pendant un mois. Se casser un membre Alfred, ce n'est pas drôle! Pas drôle du tout!

– Ça dépend quel membre!

Hilaire éclate de rire en saisissant l'allusion sexuelle d'Alfred! La pauvre Albertine gênée se tient difficilement les lèvres closes tellement elle a envie de rire.

– J'ai été obligé de faire ce qu'ils appellent de la réhabilitation pendant deux autres mois.

– De l'habitation?

– Des exercices! Je marchais tout croche! Maintenant tout est redressé. Mais ça fait mal! Tu ne peux t'imaginer comment! C'était la première fois que j'allais à l'hôpital. La première et ce sera la dernière!

– Quand on se retourne pour voir passer les belles femmes, on perd les pédales!

– Je te demande bien pardon Alfred Lussier! Des femmes j'en ai pas besoin! Je vis dans un loyer accroché après la maison de mon garçon et je suis content!

Hilaire Lanteigne fait un tour d'horizon du regard en songeant à quelqu'un.

– Votre fille va bien?

– Très très bien, reprend Albertine heureuse de prendre la parole.

– J'ai su qu'elle a recommencé à faire l'école.

– Oui, mais c'est fini pour elle maintenant.

– Ah!

– Elle est mariée.

Hilaire ouvre les yeux. Il grimace de surprise et se tait.

– Depuis deux mois.

– Tu veux savoir à qui?

– Ce n'est pas de mes affaires, vous savez!

– À Harold Montpellier.

Hilaire glousse de rancoeur, puis se nettoie la gorge de déception et d'inconfort. Il a toujours espéré voir son fils au bras de cette superbe fille. La gifle est d'autant plus pénible à accepter qu'elle avait préféré son Laurier à ce mécréant.Car son idée fixe n'a pas bougé une miette depuis le temps. Il déteste toujours ces pestiférés et les détestera jusqu'à son dernier souffle. Les dernières péripéties renforcent ses convictions à leur sujet, fondées ou pas.

– Avez-vous appris ce que les Montpellier ont fait pendant que j'étais sur le dos à l'hôpital?

– Non! répond le duo piqué à vif.

– Ils ont comploté avec le gouvernement.

– Comploté!

– Exactement! Ils ont mesuré l'endroit où devrait passer la future route entre nos deux terrains.

– Ils sont d'accord, maintenant?

– C'est moi qui ne l'est plus!

– Pourquoi donc?

– Parce que! répond sèchement Hilaire Lanteigne comme un enfant buté heureux de contredire pour le plaisir.

– Ce serait une bonne idée, il me semble!

– Bonne ou pas, je refuse. Ils devront me passer sur le corps s'ils veulent continuer malgré mon refus!

Ton entêtement! songe Alfred silencieux.

– Tu as peut-être de bonnes raisons de refuser, toi seul le sais.

– J'ai mes raisons et elles sont excellentes, un point c'est tout! À propos, me réparerais-tu ce tube en tôle au bout de ma menoire? On aimerait prendre la voiture et on ne peut pas, le cheval est toujours dételé.

– Avec plaisir Hilaire. Suis-moi au hangar.

Le travail accompli, Hilaire Lanteigne repart avec son petit bonheur retrouvé, et l'âme soucieuse. La vie lui avait coupé une aile. L'annonce de cet horrible mariage l'avait estomaqué. Il aurait voulu leur parler de son fils mais ses plans en avaient été chambardés. Il leur lança simplement sur son départ, en les saluant de la main, une courte phrase renversante.

– Salut bien! Portez-vous bien, je paierai le médecin! Dis donc Hilaire. Savais-tu que mon fils Laurier est revenu?

Le couple Lussier se regarde, ébahi, ne sachant quoi dire ni quoi faire. Adéline aurait peut-être été trop vite en affaire. Repoussant cette redoutable nouvelle, ils rentrent à la maison réfléchir sur ce qui les tiendra réveillés pendant des heures et des jours.

Lui dire ou se taire? Voilà tout le dilemme qu'ils auront à résoudre. Qu'ait devenu cet imprévisible jeune fendant? Laurier était-il marié ou encore libre? Pensait-il encore à Adéline ou l'avait-il oublié? Son père aurait-il fait tout ce trajet, sans mûrir une idée préconçue? Tant et tant de questions à résoudre que leurs cheveux en blanchissaient.

– On est aussi bien de l'oublier, Alfred, conclut un jour Albertine.

– Tu as peut-être raison, Albertine.

388

– On doit prier au cas où elle le rencontre par hasard.

– Ce serait la solution, qui sait?

– Tout le monde en aurait le coeur net.

– Si on l'inquiétait inutilement.

– Je pense qu'on se fait du mal, Alfred.

– Oui. Elle est mariée maintenant. Albertine, quand on est marié...

– On est marié! Je le sais.

– Ta soupe est bonne, Albertine.

– En veux-tu encore?

Le soir d'un jour de septembre magnifique les accueille sur la tranquillité paisible retrouvée. Ils s'endorment profondément.

* * * * *

Hilaire Lanteigne assis dans sa voiture laisse la bête cheminer lentement et jongle. Tant d'espoirs déçus. Pourquoi a-t-il fallu que son fils revienne trop tard. Il aime encore et toujours Adéline Lussier. C'est la première chose qu'il a demandé en ouvrant la porte de la maison après l'avoir salué. Hilaire Lanteigne ignore pourquoi son fils Laurier est parti. Il parle souvent de sa mère et de *la chambre* quand il est seul avec lui. Il cultive une obsession sur cet événement secret de leur vie familiale et cette situation le mine. Des pulsions d'aigreur personnelle cultivent son mutisme envers son père qu'il croit responsable de la faillite de sa vie amoureuse. Comment prendra-t-il cette dernière nouvelle? Repartira-t-il? Si je savais...

Si tu savais, Hilaire. Que ferais-tu? songe un coin de son cuir chevelu.

Si je savais, j'agirais tout de suite!

Tant d'interrogations errent dans sa cervelle qu'il ne voit pas courir la route empruntée dans la forêt. Soudain, il aperçoit son terrain et la frontière entre lui et les Lanteigne. Il arrête le cheval, descend de voiture et se rend à la clairière. Un bref regard furtif sur les environs lui indique qu'il est seul. Il en est satisfait.

L'endroit sauvage s'est recouvert de végétation. Il médite à cet instant fatidique où il a enterré *la chambre* à cet endroit, en s'interrogeant comment il a pu le faire. Qu'est-ce qui m'a amené à poser un tel geste, moi le fossoyeur de la paroisse? La peur? La peur. D'être humilié, d'avoir à expliquer l'inexplicable: la malédiction naturelle que sa famille a porté sur ses épaules, sans jamais pouvoir parler. La crainte de comprendre pourquoi sa fille Monique a fui dans l'Ouest et est devenue psychiatre, sans jamais revenir fouler le sol de son enfance, les abandonnant à leur sort et leur secret. La douleur vécue par sa douce et pétillante Eugénie qui, en dépit de son calvaire, a mené la maison d'une main de maître, faisant instruire les enfants envers et contre tous, envers et contre l'adversité. La peine de constater qu'elle en a payé le prix, puisqu'elle est morte le même jour que *la chambre*: sa petite Julienne que sa femme a baptisé à la maison avec de l'eau bénite qu'il a prise, en cachette, du bénitier en arrière de l'église. Un prénom que personne n'a utilisé par la suite.

Où a-t-il puisé cette énergie, ce soir-là?

Laurier, son fils, insiste sur les raisons de notre silence.

– Papa, je ne comprends pas! Ce sont des choses qui arrivent dans la vie. J'en ai tellement vu de misères similaires dans le monde et des plus pitoyables. Vraiment, je suis complètement déboussolé! Autrefois je vous croyais sur parole, j'ai changé d'avis.

Le jeune homme effondré, du regard, supplie son père, buté dans son mutisme... sans succès.

Il se désole.

– La vie des humains est plus précieuse que tous les qu'en dira-t-on de la terre, papa!

Hilaire Lanteigne commence à le penser. Laurier porte dans ses bagages des interrogations qu'il a de plus en plus de mal à digérer. Les réflexions de son fils lui donnent la migraine et amplifient son insomnie.

Hilaire foule le lieu le coeur serré et l'âme triste une première fois, incapable de faire seul, ce pèlerinage dans le passé. Il laisse monter l'ambiance paisible et s'en abreuve. *La chambre* dort en paix, il le sent. Pendant qu'il médite sur ses actions passées, il aperçoit un bout de bois peinturé en rouge, planté dans un coin de la clairière, puis un autre et un troisième. On a arpenté le lieu en vue de tracer la route. Il enjambe à la course les hautes herbes cachant la clôture et se rend compte que tout le long de son terrain a été foulé, examiné et analysé. Fou de rage, il court vers le côté opposé de l'endroit où il se trouve et jette un coup d'oeil sur un point précis de la clairière. Oh! Surprise! La terre a été soulevée, exactement à l'endroit... interdit. Son coeur palpite d'effroi. Ses craintes le terrorisent. Il reprend son souffle, il a peur de perdre la boule. Il examine fébrilement les lieux et en effet, quelqu'un a appris quelque chose. Il cherche à l'aide de ses pieds de remettre le sol tel qu'il était à l'origine, mais y parvient difficilement.

Calme-toi Hilaire. Ta peur te joue un mauvais tour!

Je me calme! Je me calme.

Il reprend son souffle, se recule un instant. Tout est silence autour de lui. Rasséréné, il décide de rebrousser chemin et reprend la route de son foyer. En lui la peur a désormais élu domicile. Une grande lassitude l'envahit et courbe son échine, le parcours s'allonge au lieu de rétrécir. Le cheval poursuit son retour au trot vers la délivrance de cette abominable journée.

Hilaire Lanteigne trouve son fils endormi sur le divan.

– J'ai fait un songe étrange. J'ai rêvé que je mangeais du fromage rempli de trous énormes. Il y en avait partout, partout. J'aimerais savoir ce qu'il signifie.

Hilaire est si fourbu, qu'il tombe comme un éléphant dans son fauteuil. Laurier se lève et scrute son père, le visage blanc comme la nappe de table.

– Je me sens si fatigué, Laurier. Je pense que je vais aller me reposer.

L'homme, soudainement très vieilli, sort péniblement de son fauteuil et se dirige en vacillant dans sa chambre où il s'étend tout habillé. Son corps raide comme un ressort ne semble pas vouloir se détendre. Il ferme les yeux mais ils s'ouvrent aussitôt. Il scrute le plafond, tant de fois examiné, à la recherche d'un élément qui lui procurerait le sommeil. Hélas, son voeu ne trouve pas preneur. Une mer d'idées se perd à l'infini dans les dédales poussiéreuses et encombrées de sa mémoire. Le sol de ses pensées jonché de vieux souvenirs et entremêlé de gestes morbides qui s'entrecroisent et se fondent, en même temps, est si aride qu'il en perd la tête. Chauffé à blanc, sa raison explose. Plus il pense, moins il trouve. Plus il réfléchit, moins il se souvient. L'angoisse se saisit de lui et le torture.

Suis-je en train de chavirer sous le capot?

– Laurier, viens ici!

Son fils s'amène empressé.

– Tu sais, au sujet de la route. Je refuse de céder mon terrain. As-tu compris?

– Nous en avons discuté à maintes reprises. Nous sommes en désaccord, papa. Je ne vais pas recommencer la même discussion. Repose-toi, je prépare le souper.

Hilaire Lanteigne épuisé est forcé de lâcher prise. Il ferme les yeux et ne les ouvrira plus, la mort est au rendez-vous.

* * * * *

– Adéline, viens avec moi dans la forêt. Je veux te montrer quelque chose.

Harold est revenu hier soir et il a trouvé un os étrange, semblable à celui de son chien du printemps dernier. Cette idée l'a poursuivi pendant les longs mois d'hiver. Il se promettait de se rendre à la fonte des neiges et d'y inspecter les lieux, mais le travail a pris toute la place. Hier, enfin il a satisfait sa curiosité.

– C'est important? J'ai du travail.

– Le travail peut attendre.

Le couple emprunte donc, en ce bel après-midi de mai, le sentier qu'ils connaissent maintenant un peu mieux. Le chien les accompagne et se brasse la queue de plaisir. Enfin, on ne le prendra plus pour un animal imbécile!

Au passage, Adéline découvre que le tas de squelettes de moutons s'est considérablement aminci. Les loups et les renards se sont gavés de bonne viande tout l'hiver. La senteur a fondu avec le temps, fort heureusement.

– Viens par ici, encore plus loin, signifie Harold à sa femme.

Ils aboutissent à une clairière recouverte de bosquets en reconstitution, de broussailles, et de hautes herbes. L'endroit semble avoir été nettoyé de tous ses arbres.

– C'est tout ce que tu veux me montrer? Tu m'as fait perdre mon temps.

– Surveille le chien. Suivons-le.

L'animal, en suivant une piste au bout de son museau, se rend à un carré recouvert d'herbe courte et tendre. Il gratte le sol de sa patte et déterre un os d'une longueur identique à celui qu'il avait apporté à la maison à l'automne précédent.

Adéline, estomaquée et captivée par la découverte, regarde Harold et se penche sur l'animal qui gratte toujours ardemment. Un os de moindre grandeur surgit dans sa gueule.

Au comble de la stupéfaction Adéline s'adresse au chien.

– Lâche ça! Lâche cet os! ordonne-t-elle intriguée.

La bête obéit aux ordres et s'éclipse un peu. Harold se penche et soulève le sol écorché par le chien et trouve des ossements. Adéline a froid dans le dos, elle tremble.

– Harold! Touche pas à ça! Viens, allons-nous-en! Quelqu'un est venu enterrer un animal mort, ici. Il était probablement malade et tu vas attraper des maladies.

– Adéline, ce ne sont pas des ossements d'animal.

– À quoi veux-tu en venir? Tu m'intrigues!

– Je pense qu'une personne a été enterrée ici. Les ossements des animaux ne sont pas faits de la même façon ni de la même longueur.

– Harold, tais-toi! Tu me fais peur!

– Tu as raison. Laissons ces os à leur place et retournons chez nous.

Le retour se remplit de silence entrecoupé de questions de part et d'autre. Le mystère est à son apogée.

Les jours suivants, tout rentre dans l'ordre mais la trouvaille du chien obsède Harold. Un mois plus tard, il résolut d'en avoir le coeur net. Lors d'une journée de congé, il se présente chez le docteur. Le brave homme, qui le reconnaît, l'invite à entrer chaleureusement. Si Harold le pouvait il verrait sous cette amabilité une grande peine: la perte de sa femme cancéreuse. Le brave médecin a entendu parler de son futur mariage et le félicite. Il demande des nouvelles d'Adéline, sa protégée qui lui a donné plusieurs sueurs froides et de nombreuses nuits blanches.

– De ce côté, tout va pour le mieux dans le meilleur des mondes, docteur!

– Voilà qui est intéressant. Et toi. Tu es malade?

– Non. Je me porte à merveille.

– Alors! fait le médecin qui pianote sur son stéthoscope.

– Nous avons trouvé quelque chose dans le bois et nous voulons avoir votre opinion.

– Dis toujours.

– Le chien nous a rapporté un os étrange un jour, nous avons cherché où il aurait pu prendre cet os et nous l'avons trouvé.

– Dans la forêt?

– Exactement. Dans une clairière entre nos deux terres.

– Explique.

– Notre terre est bornée par celle des Lanteigne. Il y a une clôture à cet endroit.

– Ces os. En quoi sont-ils étranges?

– Ils sont longs et minces comme... des os humains.

Le médecin se gratte le bras ne sachant quoi penser. Cet homme a de curieux passe-temps.

– En as-tu parlé à quelqu'un?

– Pas encore. Vous êtes le premier.

– À ta place j'en glisserais un mot à la police.

– La police!

– Je suis impuissant à t'aider mais elle, c'est son boulot. Tu n'as rien à perdre et tout à gagner en sécurité. Avoue que c'est bizarre. Si on a besoin de mon expertise, je suis à votre disposition.

Harold hésitant, se demande s'il a bien fait. Il songe à Adéline lui implorant de laisser tomber cette découverte, sans conséquences. Un jour ou l'autre il trouverait l'explication.

– Le monde parle et rien ne reste secret bien longtemps, finalement.

Harold ne prise guère cette dernière affirmation de sa femme mais se garde de l'exprimer. Maintenant qu'il a annoncé sa découverte au médecin, il ne peut plus reculer. À regret, il entre dans la station de police.

– Qu'est-ce qu'on peut faire pour vous, jeune homme? demande un officier aux commandes de son crayon.

– Nous avons trouvé des ossements près de chez nous.

Le policier le regarde par-dessus ses lunettes et attend des explications.

– De curieux ossements, hésite à déclarer Harold inconfortable, soudain incertain du bien-fondé de sa démarche ridicule.

– Quelle sorte d'ossements?

– Je pense que c'est des ossements... humains.

– Ah? ah! Des ossements humains! As-tu déjà vu des ossements humains, toi, dans ta vie!

– Non monsieur.

– Puis tu prétends que tu as découvert des ossements ... humains!

– Le docteur le pense.

– Tiens, tiens! Le docteur est dans le coup! ridiculise l'officier au volant de son humiliant interrogatoire.

Harold voudrait se voir à cent lieux de cet homme. Il regarde partout, au plafond, le bout de ses chaussures, le bout de ses ongles rongés sauf, soutenir celui de cet homme justicier.

– C'est lui qui m'a suggéré de venir vous en parler.

Le policier frappe nerveusement son crayon jaune sur le pupitre, ennuyé. Il a d'autres chats à fouetter, que celui d'écouter des sornettes aussi folichonnes!

– Oh! Oh! Oh! Le docteur a vu ces os?

– Non monsieur.

– Qu'est-ce que tu fais dans la vie?

– Je suis manoeuvre.

– Manoeuvre! Bon! Bon! Pour qui?

– La voirie.

– As-tu déjà vu des carcasses d'animaux par hasard? Les habitants en laissent pourrir en grand nombre dans les bois.

– Je sais. Ce fut mon cas.

– À la bonne heure! Tu vis sur une ferme?

– Pas vraiment. Mon père avait une bergerie.

– Ouais... Ouais! De plus en plus intéressant, constate le gendarme reculé sur sa chaise en cuir brun.

– Tu as déjà vu des moutons en décomposition?

– Souvent!

– Alors!

– Ces os étaient étranges.

L'homme répond à un collègue subitement entré dans la pièce qui retourne à son bureau.

– Étranges, hein! Étranges comment? incite l'homme debout près d'Harold la main sur son épaule les pupilles dans le regard du jeune homme.

– C'est difficile à expliquer.

– Han! Han! Difficile, tu dis! Tu me fais perdre mon temps, mon ami. Je n'ai plus envie de rire du tout! insiste la voix forte du policier.

– J'aimerais mieux aller vous les montrer.

Le gendarme se rassied impatient et incite, par son silence et son regard, le jeune homme à changer d'idée. Mais le mari d'Adéline ne bouge pas. Alors, l'homme costumé prend un papier et remplit les blancs de la feuille de mots restreints. Harold a chaud et espère ardemment sortir de ce guêpier infernal. On ne le reprendra plus, il se le jure.

– Signe ici.

Harold hésite. C'est rendu très loin. Sans que rien ne soit encore accompli.

– Tu n'es pas certain de toi! Tu fais mieux de ne pas me faire une farce. Ici, ce n'est pas la place!

Harold appose son nom au bas de la feuille et se prépare à sortir prendre l'air, il étouffe.

– Pas si vite, mon ami! Je te rejoindrai lundi chez toi.

– Je préférerais cet après-midi ou jeudi prochain c'est mon jour de congé. Vous comprenez, je ne peux m'absenter à la suite d'une histoire pareille.

– Tu as entièrement raison, mon ami! Ton patron te trouvera un peu singlé sur les bords.

Harold ignore le vrai sens du mot cinglé mais se garde de lui démontrer. L'homme tourne les pages de son agenda et noircit une ligne.

– Bien. Tu as gagné! Je vais chez toi jeudi prochain. En attendant, garde tes os bien au chaud!

Harold confondu par ce langage bizarre, opine du bonnet et se précipite à l'extérieur. L'atmosphère devenue irrespirable a asséché sa gorge. Il revient chez lui navré et se demande comme tout cela va finir. Adéline l'accueille et s'informe.

– Voyons, Harold! As-tu rencontré le diable? On dirait que tu vas perdre connaissance, tu es blême comme une vesse de carême!

– Parle-moi s'en pas! J'aurais jamais dû aller voir la police au sujet de cet os, affirme le mari d'Adéline en buvant son second verre d'eau.

Devant l'état déconfit de son mari, Adéline éclate de

rire. Elle imagine la scène et devine ce qu'il a vécu.

– Le diable était la police!

– Oui! Et il reviendra jeudi prochain. Nous devons nous rendre ensemble dans le bois.

Adéline perd sa gaieté subitement. Une pensée inconfortable traverse son esprit.

– Aurai-je besoin de te suivre?

– Tu devras nous montrer le chemin, Adéline.

– Tu le connais mieux que moi.

– Attendons, nous verrons bien!

* * * * *

La vie s'égrène sous l'ombre éventuelle de cette randonnée. Adéline, retenue à la maison, se morfond de solitude malgré l'attention que lui porte sa belle-mère. Elle se tient à la fenêtre pendant de longs moments à jongler avec ses pensées et vivre en imaginaire dans cette petite école-là, au faite de ce plateau surplombant la plaine qui la regarde et l'invite comme autrefois. Ce n'est plus possible, elle a perdu son emploi de maîtresse d'école selon la coutume; on n'engage pas de femmes mariées.

Ursule Montpellier, sa belle-mère, s'est transformée depuis son retour au *Plateau Doré*, songe Adéline en la regardant par le reflet de la vitre de fenêtre. Est-ce son accident? La mort d'Huguette, sa fille? Un autre événement dont elle n'a pas été témoin? Elle l'ignore.

Le combat contre les Lanteigne s'est éteint en douceur, parfois la mère d'Harold tente de le raviver, mais personne ne mord à l'hameçon. Lasse, la pauvre femme retombe dans une sorte de léthargie nébuleuse endormant ses effervescences orageuses d'autrefois.

L'indifférence crasse, croit-elle, des gens de son milieu lors de la glorieuse sortie de son fils Harold dans le *Guiness* a achevé de tuer ses idées de grandeur.

Ils n'ont rien compris. Personne n'a jamais rien compris!

Elle tait la réalité tellement laide à ses yeux, tellement fade qu'elle a failli en chavirer.

Le monde a ri! Pensez donc!

Cent milles à la ronde, le monde s'est moqué d'eux. Partout, on a fait les gorges chaudes. Certains se sont étouffés, d'autres ont inventé les pires insanités. D'aucuns ont créé des ritournelles sur le sujet. Un beau futé les a rebaptisés; peu à peu ils sont devenus: *Les moutons sans queue.* Les baveux osaient les interpeller ainsi:

– Tiens, tiens! Si ce n'est pas les moutons sans queue qui arrivent!

Berthold honteux baissa les yeux, s'enferma chez lui, et mangea de la rancoeur envers sa femme. Les nuages s'amoncelaient au-dessus de leur maison. Pendant six mois, la gloire les avaient recouverts d'un lourd manteau d'affliction et de honte.

Ursule, dépassée, cherchait désespérément à sortir des ténèbres, mais dès qu'elle ouvrait la bouche, elle s'enfonçait davantage. Depuis, elle vit en sursît, dans une sorte d'indifférence brumeuse envers eux, qui tranche avec ses anciennes prises de bec et ses humeurs colorées et intempestives.

– Le monde, Adéline, ne vaut pas grand-chose!

– Voyons Madame Montpellier!

– Je sais ce que j'avance, ma fille. L'important c'est d'écouter la nature. Elle ne nous trompe jamais!

– Et le bon Dieu!

– Et le bon Dieu, reprend Ursule, sans ferveur, aux prises avec de terribles doutes à ce sujet.

– Parlez-moi de votre Huguette.

La femme de Berthold Montpellier, le ventre proche du poêle, dépose sa cuillère à pot sur le bord de son grand chaudron à ragoût, courbe l'échine et se dirige vers une chaise.

Va-t-elle enfin pouvoir me raconter ce qui s'est vraiment passé! se dit Adéline curieuse.

– Huguette est morte, Adéline. Morte en donnant naissance à son bébé. C'est épouvantable!

– On m'avait dit qu'elle avait survécu à son enfant.

– Elle a vécu quelques jours pour la forme. C'était une morte-vivante. Moi je dis qu'elle est morte à la naissance de son bébé, elle n'a jamais repris goût à la vie après avoir appris sa mort. Le petit est resté coincé entre ses jambes. On l'a trouvé à moitié sorti de son corps. Dire que j'ai mis tant de bébés au monde et que j'ai été incapable de sauver celui de mon propre sang.

Adéline se prend les joues de surprise.

– C'est effrayant!

– Oui effrayant! On pensait avoir un petit à bercer Berthold et moi, mais c'était un mauvais rêve. On ne doit jamais faire de mauvais rêves!

– C'était un grand souhait au contraire! J'espère qu'Harold et moi, aurons plusieurs enfants. Je les aime tant!

Ursule, au bord des larmes, pose ses yeux humides devenus très grands et lumineux par le reflet du soleil, dans ceux d'Adéline envahit par une sorte de vertige provoqué par le vide de ceux de la dame aux épaules effondrées. Adéline frissonne. Ursule se tait. L'atmosphère s'alourdit.

À quoi songe-t-elle? Que voit-elle dans mon regard? Peut-elle connaître l'avenir?

— L'avenir pour moi, c'est fini!

— Madame Montpellier! Reprenez-vous. La vie a encore du bon! Songez à Firmin qui s'est tant amélioré. À Harold qui gagne bien sa vie. À votre mari encore en bonne santé.

Ursule hoche la tête incrédule. Adéline ne comprenait pas. Ses rêves étaient d'un autre ordre. Ils sont tous morts ou évanouis dans une réalité aride, si loin de son vaste monde imaginaire aux grandeurs démesurées. Captives un moment de leurs pensées, les deux femmes se taisent. Ursule s'envole près de sa fille qui la visite si souvent la nuit et se revoit froide et distante envers elle, sans savoir pourquoi. Elle aimerait refaire la vie et pouvoir se reprendre. Elle agirait différemment et lui accorderait toute l'attention dont sa fille était en droit d'avoir. Elle reprendrait le temps de l'écouter et l'aimer. L'aimer. A-t-elle déjà pu aimer?

Tu es si détestable que personne ne t'aimera Ursule Bertrand! affirmait sa mère courroucée.

Ce souvenir lui pince le coeur. La copie conforme de sa mère se décuple et se pose sur l'image de sa petite Huguette. Elle sursaute. La clarté de sa découverte la surprend et l'attriste. Sa honte remplit tous les replis de son coeur et laisse un goût aigre. Une phrase s'élève en elle.

Je me suis comportée avec ma fille, comme ma mère envers moi.

Elle grimace de déplaisir et se frotte vigoureusement les bras en les regardant, dans l'espoir de faire disparaître sa découverte. Mes membres n'ont-ils pas servi à accomplir ces gestes hideux envers Huguette! Elle déplie ses manches vivement et attache chaque bouton à ses poignets, silencieuse. Adéline observe ce manège étrange, sans pouvoir en saisir la signification. Un mystérieux silence les a recouvertes un moment.

Le tocsin de l'horloge grand-père sonne l'heure et ramène les deux femmes sur terre, la dame mûre se lève.

– Je pense que le ragoût est près, Adéline.

– Madame, je m'en charge!

Adéline, coincée aux portes verrouillées des confidences muettes d'Ursule Montpellier, retourne dans son monde garni de parcelles intimes de son univers jamais dévoilées. Chacun jardinait ses états d'âme et les enterrait profondément dans son terroir intérieur verdoyant, loin des quolibets du monde.

Chapitre 22

Deux ans se sont écoulés.

En prison, Simon Labrosse trouve un sens à cette double vie. La lettre de son évêque reçue un peu avant le mariage d'Adéline, l'a repositionné dans son rôle de prêtre. Il a résolu d'oublier Adéline. Dorénavant, il se consacrera à ses compagnons d'infortune, tant pis! Si elle a fait un mauvais choix; elle en portera les conséquences.

Son quotidien carcéral se vit sous un continuel recommencement. Autour de lui, des visages nouveaux se pointent; d'autres disparaissent et prennent leur envol sur les ailes de la liberté. Ce continuel va-et-vient l'ennuie un peu, il lui permet de survoler seulement les blessures du coeur, quand il préférerait creuser en profondeur. Et pourtant...

Après s'être lié d'amitié, il doit rompre. Ce lieu de débauche et de souffrance s'incruste en lui comme la lave se marie à la paroi de la montagne et la remodèle. Si on scrute son visage et son cou, on découvre des traces de violence: signes tangibles de cette transformation. Son âme et son coeur sont si loin de son passé qu'il se demande pourquoi il a perdu tant de temps à l'extérieur. Dans cette enceinte, les guérisons du coeur éclatent chaque jour. Des changements inéluctables chez certains les éblouissent et ébranlent les fondements du crime, macérés profondément chez d'autres. Le miracle de l'amour fait son oeuvre, envers et contre tous, contre tout.

Un soir, après l'heure du gymnase, un homme vient à lui.

– Demain matin, tu déménages! lui dit le responsable d'une aile carcérale à sécurité maximum.

– Pourquoi?

– Les ordres sont les ordres!

– Je suis bien ici parmi mes amis. Je préfère rester, si vous n'en voyez pas d'inconvénient.

– Avec ce qui t'es arrivé mardi, tu récidives! insinue l'homme ironique lui tapant l'épaule.

– Si les ordres sont les ordres, opine Simon consentant.

– Là tu parles!

Le détenu 20045, ancien vicaire condamné à vingt ans de réclusion pour un crime qu'il n'a pas commis, se soumet et se souvient. Des profondeurs, d'autres souvenirs macabres souillent sa réalité, submergent ses pensées.

Il se revoit qui joue aux dames en compagnie d'un prisonnier, quand un colosse l'interpelle.

– Aie, le *Shnouf*!

Simon sent un éclair traverser son cuir chevelu. On vient de le traiter de *Shnouf*. Le plus vil des mots utilisés entre eux. Un vaurien, un mou, un minus, un ver de terre, un paillasson; aucun mot n'existe dans le dictionnaire et dans la langue française pour décrire cette vomissure. Il doit y faire face. Simon calme lève son regard en tenant une dame dans sa main, puis continue à jouer.

Le *Totou*, le sobriquet du mécréant, pose le pied sur l'orteil du prêtre et met du poids, tout en manifestant de la nervosité étudiée.

– *Totou*, tu m'écrases le pied!

– Ah oui! Où ça?

Le bandit augmente la pesanteur.

– Je te demande, une deuxième fois, d'enlever ton pied sur le mien.

– Les *Shnoufs* ont des pieds?

Simon se lève lentement et pose son regard dans le sien.

– Je ne suis pas un *Snouf*!

Le *Totou*, beaucoup plus petit de taille que le grand Simon, fouille dans le regard du prêtre.

La pression s'intensifie et la colère grandit. Simon tire sur son pied, sans succès. L'autre rit gras.

Simon pousse l'autre qui s'étend par terre. Le groupe, maintenant formé, rigole et le regarde.

En un éclair, le *Totou* est debout et Simon s'est rassi, tranquille. Le *Totou* met son talon sur le pied de Simon.

La douleur hurle en lui que son visage impassible masque totalement.

– *Totou*, tu recommences! Tu es vilain!

– Moi, vilain!

Le crapule insulté grimace, se tourne et lui tord les méninges.

Simon ferme les yeux et cherche où respirer. Il prend l'homme, le bouscule et le renvoie au plancher.

– Qui est *Snouf*? lance une voix.

Simon, droit comme un hêtre, se tient debout près de son visage et lui parle.

– Tu veux la bagarre et je ne suis pas intéressé. Tu m'as dérangé mais je te pardonne. Lève-toi maintenant, cette histoire est finie.

Simon lui présente la main pour l'aider à se relever. L'homme l'accepte, insulté, humilié, et se retrouve sur pied par la force physique de Simon.

– Ça va, n'en parlons plus.

Le *Totou* vexé, vif comme l'éclair sort un couteau et entaille une joue et le cou de Simon qui s'écrase dans une mare de sang.

– Appelle ton gourou! Il va te sauver!

Le groupe, surpris de la tournure des événements, voit émerger deux ou trois durs de durs qui étouffent littéralement le *Totou;* un délateur, une couleuvre de la pire espère, tandis que le groupe forme un cercle instantané pour les cacher des gardiens. La sirène claque les tempes et les gardiens entrent, leurs armes de prévention en mains. Le groupe crée une distance, laissant apercevoir Simon dans son sang et le *Totou* mort étouffé par des mains mystérieuses. Simon, que l'on amène à l'hôpital sur une civière, cherche des yeux le *Totou* et l'entrevoit inerte sur le plancher dans un brouillard s'épaississant. Il devine des silhouettes silencieuses autour de lui et sombre dans l'inconscient. Dorénavant, il pourra leur parler de la loi du milieu, il vient d'en vivre une facette signifiante et nébuleuse.

Le bruit pressé de la sirène du véhicule ambulancier fuyant vers le secours, retient l'attention du groupe de prisonniers que l'on renvoie dans leur cellule respective. Ils font d'une commune pensée, une fervente prière pour leur ami, le *Snouf* blessé. Un surnom qui changera totalement de signification pour eux.

Les jours ont passé, les semaines se sont étirées et, un jour, le *Snouf* est de retour au pénitencier. Outre les longues sentences comme la sienne, le groupe a encore changé de visage. Les vieux ont certes raconté son passage en tôle car on chuchote sur son passage.

– Tiens, c'est lui la soutane!

– Tu rigoles! Il fait de la tôle pour quelle chanson?

– Viol.

– Ouin! Il est rigolo, le curé!

– Rigolo et correct! Tu verras. Le dimanche à la messe, c'est du *jacpot*!

Le jeune frais moulu du crime est incrédule.

– Donne-lui la main, tu sauras de quoi je parle.

Simon fait la rencontre du jeune bandit, grand voleur de banque devant l'éternel et pénètre dans son regard. L'autre faiblit et baisse les paupières, incapable de savoir ce qui se passe en lui. Il sent la main qui écrase. Écrase de réconfort et de sympathie. Une main qui cherche et qui donne, une main ferme et douce à la fois, une main franche et entière, une main chaude et généreuse; il en est renversé. Longtemps, dans la solitude de sa cellule, il analysera les effets de cette rencontre, sans pouvoir en saisir le sens.

Simon Labrosse était simplement un passionné de Dieu et des êtres souffrants. Il se mettait, tout entier, à leur service en toute humilité. Il leur offrait un peu de baume, du bouche à oreille. Il les écoutait et leur donnait de l'importance. À tous ces mal aimés et non aimés, il leur faisait découvrir le vrai sens de la liberté et de l'amour; celle de l'intérieur. Il leur apprenait à se découvrir. Il les amenait à polir les joyaux que tous possédaient enfouis au fond de leur détresse et leurs souffrances morales. Simon Labrosse découvrait le vrai sens de sa vie et sentait en immense bonheur séjourner en lui.

Un matin, un gardien l'interpelle.

– Tu déménages. Dorénavant, tu occuperas un bureau attenant à l'infirmerie. Tu feras partie de l'équipe interdisciplinaire. C'est une décision risquée que nous prenons, en toute connaissance de cause, même si le D.G. n'a pas été mis au courant. Cette prison a changé de couleur, grâce à toi! Il est temps de le reconnaître. Ton charisme naturel et ton sens de la justice t'honorent. Tu porteras d'autres vêtements.

Oh! Non! Pas encore! se dit Simon déçu. Vous n'allez pas me sortir de leur milieu? Je suis si bien avec eux!

Visiblement désolé, Simon insiste.

– Ai-je le droit de refuser?

– Non. C'est un privilège que nous t'accordons.

– Je vous demande de garder mes vêtements de prisonnier. Car ils croiront que je les ai trahis.

Le supérieur, surpris par cette demande insolite, réfléchit un moment.

– Bon. C'est accordé.

Médor Philippon, le bedeau et le cordonnier Lalancette trouveront un immense changement dans l'attitude de leur ami, le prêtre-détenu, lorsqu'ils iront le visiter. Un nouveau mystère à élucider pour ces paroissiens chaleureux et attentionnés hantera leurs pensées baladeuses.

* * * * *

Un bon matin ce cher Médor, à l'instar du cordonnier Lalancette, décide de reprendre la route de la grande ville et rendre visite à son ami, en prison; histoire de le mettre au courant, à son tour, de l'activité du village. Sa femme trouve qu'il est une machine à potins et cette vilaine habitude distribue seulement du vent.

– Un jour, cela te rapportera des représailles méritées. Qui sème la mésentente récolte la tempête, mon mari.

Médor crâne et rigole le menton pointé vers le ciel. Même s'il a pensé au vicaire un peu tardivement, il sait que le prêtre apprécie ses visites.

– Voyons donc! Je ne bavasse pas du monde, j'informe le vicaire de ce qui se passe.
C'est différent.

– Des nouvelles inutiles! Penses-tu qu'elles vont changer le cours de sa vie! Absolument pas!

– Tu te trompes, Antoinette! Tu te trompes royalement! Il est si content de me revoir. Il jubile chaque fois. Il insiste pour m'entendre raconter, tout et rien, qui me trotte dans la tête.

– Tu vois! Il veut que tu le désennuies, c'est tout!

– Il me questionne sur les uns, les autres; il demande qui est mort. Tu vois bien que je lui apporte du réconfort! Avoue que je le maintiens en vie, Antoinette! À mon idée, il ne reçoit pas grand visite en dehors du cordonnier.

– M. le curé doit le faire, voyons! Le contraire n'aurait pas de sens!

– Ah oui! As-tu déjà entendu notre ancien curé nous parler de lui? Ne nous a-t-il jamais informé de sa santé? De ses sentiments, de ses peurs?

– Le nouveau en parle beaucoup, Médor.

– Il m'a promis de lui rendre visite un jour. Entendre ça, va lui faire grand bien. T'imagines-tu comment ce doit être de vivre en prison.

Le bedeau enlève sa casquette et se gratte le ciboulot. En effet, il ne s'est jamais posé la question.

– Terrible, ma femme. Terrible! La première fois que j'ai dépassé les énormes portes de fer, j'ai eu un grand frisson dans le dos. Je me suis dit: «Je ne mettrai jamais les pieds dans cette maison!»

– Je l'espère, Médor!

– Bon. Tiens, apporte-lui ces carrés au chocolat. Ils adouciront son palais.

Médor sourit, satisfait. Chaque fois la même rengaine se produit. Sa femme rechigne. Puis elle cède et, au fond, son coeur espère lui rendre cette parcelle de leur bonheur tranquille qui est le leur, car elle aime cet homme juste et bon.

– Tu prendras le temps qu'il faut, je sonnerai l'Angélus pour toi, ce soir!

Médor envolé, Antoinette est envahie par les demandes farfelues des paroissiens, en l'absence du curé. Souvent, elle regrette de s'être installée si près du presbytère. Être la servante des prêtres et la femme du bedeau, ce n'est pas une mince affaire! S'il n'y avait que cela! Mais elle doit jouer le rôle de secrétaire, plus souvent qu'à son tour! Remplir les cartes de messes, les noter dans le grand livre sur le bureau du curé, accepter le paiement de la lampe du sanctuaire, répondre à la porte, écouter les doléances des paroissiens, accepter les grognements de certains grincheux, retoucher le nettoyage de l'église fait par son mari, laver les linges sacerdotaux servant à la célébration des messes, s'occuper du jardin, à la salubrité du serin du presbytère, suivre les conversations du curé et se montrer intéressée, malgré tout. Parfois, elle se couche fourbue et se demande pourquoi. Une voix dans le silence lui répond mais elle n'y prête aucune attention. Le drame qui s'est déroulé dans leur paroisse n'a aucune mesure dans l'histoire de leur église. Il a profondément marqué le village, au point qu'on ne le reconnaît plus. Une sorte de léthargie latente et corrosive les ronge à petit feu. Le doute de leur foi s'est installé comme l'éruption soudaine d'un volcan.

Comment un prêtre avait-il pu accomplir une telle vilenie! se disent les uns. Comment la justice a-t-elle pu se tromper à ce point! affirment les autres.

Le curé leur a suggéré la prière intense et régulière.

– Elle procure la lumière et guérit les âmes.

Docile, le monde s'est jeté à corps perdu dans cette suggestion. Un certain calme a pris racine. Depuis, ils vivent dans une sorte de cocon et attendent la guérison de leur profonde blessure. L'idée de voir leur sacristain prendre l'initiative de visiter leur vicaire, adoucit leurs souffrances morales. Ils le guettent au retour et se pressent autour de lui comme les abeilles aux abords de leur ruche, en quête de nouvelles fraîches.

– As-tu parlé de nous, Médor! De la maladie de Mé-mère Blanchon? Du pied écrasé de la fille à Nazaire? De la mort de ma belle-mère? De la maison neuve construite au bout du village? De la maladie du marchand-général? Des corps aux pieds de Mme Saint-Onge? Des hémorroïdes du forgeron? De l'extinction de voix de Pierre Marchessault: le chantre de l'église? De la mort d'Hilaire Lanteigne?

– J'ai parlé de tout le monde! D'Hilaire aussi!

Soulagé, le groupe s'éloigne satisfait; un de leurs ambassadeurs s'est fidèlement soucié de leurs préoccupations. Ils repartent porter la bonne nouvelle à leur tour, à cent milles à la ronde! Une chaîne, sans fin, se reconstitue à chaque visite de Médor ou du cordonnier. Le pauvre homme tombe sur sa chaise exténué.

– Je ne leur ai pas tout dit!

– Non! Que se passe-t-il?

– Il est très amaigri. Je pense qu'il est gravement malade. Il a deux cicatrices: une sur la joue gauche et l'autre dans le cou. La peau fraîchement recouverte sur la plaie est encore rosée.

Antoinette tombe assise sur sa chaise.

– Es-tu sérieux?

– Très!

– Il passe une mauvaise période. On dit que la vie en prison est insupportable! Médor, il s'ennuie... ou il a été attaqué!

– Si le curé Breton était allé le voir de temps en temps...

Le couple décortique cette réalité gênante jamais avouée entre eux.

– Vrai! Heureusement que tu es là! Sans toi que deviendrait-il? As-tu songé une minute si le monde savait comment son curé s'est comporté avec lui!

– Il aurait perdu ses fausses dents, et tout le reste!

– Je pense que du monde lui aurait déchiré sa soutane!

– Je n'ai pas de misère à te croire, Médor.

– Lui as-tu parlé de notre nouveau curé?

– Il ne le connaît pas mais il est content pour nous. La mort d'Hilaire Lanteigne l'a beaucoup surpris. Il a tenu à me faire raconter sa disparition, en détail. Il a posé plein de questions sur Laurier, son garçon, et me paraissait préoccupé. Je me demande ce que cela signifie. Pourquoi s'intéresse-t-il tant à cette famille, plus qu'à une autre? Il aurait aimé savoir comment Laurier Lanteigne gagnait sa vie. Une chose que j'ignore! Je lui ai raconté ce qu'on entend dire au sujet de son procès dans les journaux.

– Sur la possibilité d'un autre procès?

– Oui, Antoinette. Il s'est mis à réfléchir longuement, puis il a penché la tête, incertain.

– Il n'a plus le courage de se battre. Il est vraiment malade, Médor!

– Pourtant je croyais à la force de cette nouvelle.

– Tu as tout expliqué!

– J'ai dit qu'on commence à s'interroger sur le sérieux de son dernier procès. Qu'il aurait été puni trop sévèrement. Que le mobile du crime restait nébuleux, que les éléments de preuves si minimes et si douteux avaient été éclipsés au profit de la fureur du crime, et de l'opinion publique. Etc. etc.

– Notre vicaire a été jugé avant même d'être condamné.

– Ça c'est vrai! Antoinette.

– Il n'a eu aucune réaction?

– Il n'a pas dit un traître mot sur le sujet. Je crois qu'il s'en fiche! Il s'est adapté à son nouveau milieu et semble complètement détaché du nôtre.

– Tu crois?

– Rappelle-toi qu'il purge sa cinquième année en tôle!

– Quatrième, Médor. Quatrième! Tu trouves le temps si long que tu en rajoutes!

– Son habit de prisonnier lui colle à la peau comme un gant! Tellement! que j'ai du mal à l'imaginer à l'extérieur, au milieu de nous.

– J'espère que tu te trompes! Médor. Si c'est vrai, c'est très triste!

– En tout cas, Antoinette! Toi, tu n'as pas eu peur de dire la vérité en cour. S'il y en a une qui peut dormir sur ses deux oreilles, c'est toi!

– Il n'y a rien de plus simple et de plus fort que la vérité, Médor. J'y crois dur comme fer! Tu vas voir, un jour, elle va retontir dans la face de tout le monde. Tu sauras me le dire.

Le bedeau et sa femme terminent leur souper, sur le résumé du quotidien d'Antoinette, aux prises avec les aléas de la vie de curé quand on est simplement une femme. Le souvenir d'images réelles ou imaginaires les pourchassant, expliquant la déconfiture morale du seul prêtre qu'ils avaient vraiment aimé: Simon Labrosse, leur ancien vicaire, maintenant en prison fait son oeuvre.

* * * * *

Adéline revient d'un court séjour chez ses parents. Son père malade leur a donné la frousse! Par bonheur, il s'en est remis.

La route, maintenant ouverte depuis six mois par le gouvernement entre les deux belligérants, raccourcit le temps de moitié. Un progrès inimaginable, apprécié par tout le monde, s'est accompli.

– Pourquoi avons-nous tant tardé, disent les uns.

– C'est la faute à Hilaire Lanteigne, le têtu! affirment d'autres.

– Vous oubliez Berthold Montpellier! Un autre borné, s'il en est un! conclut un troisième.

Le palmarès des coupables énumérés, les raisons éclaircies, le malentendu élucidé, voilà que tout le monde se met de la partie pour amadouer ce nouveau lien les unissant davantage. Une page est tournée, l'avenir s'annonce meilleur.

La découverte des ossements humains par le chien, puis par Harold dans la clairière les séparant des Lanteigne, avait jeté la consternation au village et chez tous les intéressés. Il était question de vengeance, de mesquineries, de mystères, et d'inquiétudes. Chacun pensait que le projet de route serait relégué aux oubliettes. Cet épisode sombre pour plusieurs avait mis ces travaux en péril.

On découvrit en effet, les ossements d'un être humain, enterrés au mitan de la clôture, de sorte que l'on ne savait pas lesquels des Lanteigne ou des Montpellier étaient en cause. Devait-on accuser les Montpellier? Pourtant ils étaient ceux qui avaient découvert les restes humains. On parlait de scandale, de haine. Tout était sujet à réflexion. Les Montpellier pouvaient avoir monté cette histoire, de toutes pièces, pour embêter les Lanteigne. Les Lanteigne pouvaient avoir eu la même idée. De sorte que cet écheveau de suspicions s'avérait des plus difficiles à clarifier. Certains laissaient planer l'idée de parfaits inconnus venus enterrer leur crime à cet endroit, sans connaître les Lanteigne. Des voix affirmaient que d'autres pouvaient avoir profité de l'animosité de ces deux belligérants pour s'infiltrer dans leur querelle et couvrir leur propre meurtre. Certains, plus rusés, avançaient que le gouvernement était à l'origine de cette affaire, pour faire fléchir les irréductibles. Toute théorie farfelue trouvait preneur.

Le centre médico-légal certifia que c'était bel et bien un humain. C'était un départ. Mince, mais réel.

La mort d'Hilaire Lanteigne compliquait les choses. La thèse d'une conspiration s'amenuisait. Du côté des Montpellier, la raison de leur rancune étant disparue, il s'avérait étrange qu'ils aient accompli un tel geste, sans motif valable.

La difficulté se situait dans l'absence de disparition de personnes. Aucun ne comprenait cette histoire abracadabrante. Chacun avait tous les membres de leur famille bien en chair, aucune mort suspecte n'avait été signalée à quiconque; le mystère restait entier, à mesure que le temps passait.

De son coté, le gouvernement pressait la justice de faire diligence, le projet de route serait mis en branle la saison suivante.

Pendant qu'on cherchait toujours à clarifier la provenance de ce corps humain, un bon jour, Adéline entendit vrombir au loin dans la forêt et devina que le progrès était enfin arrivé à leur porte.

– Ça y est! Ils ont réussi! avait déclaré Adéline sur un élan de joie, oubliant le mutisme bourru de son mari.

Le canton accueillit le changement, des éclats de joie bruyante plein les environs.

Les ossements gardèrent leur secret et furent classés au rayon des causes inconnues classifiées mais non-élucidées. Le dossier porta la mention: *ouvert* et la vie reprit son cours.

* * * * *

Adéline est maintenant mariée depuis trois ans. Le bonheur coule fade sur sa vie. Harold imprévisible la tient sur la corde raide. Tantôt, il fait preuve d'une agressivité inexpliquée envers elle que seule sa mère arrive à mater; tantôt, il démontre une joie débordante; tantôt, il tombe dans une profonde mélancolie qui dure des jours et parfois des semaines. Il reste là, immobile au retour du travail et boude dans son coin, sans que l'on sache pourquoi. Adéline s'inquiète. Lorsqu'il plonge dans cette léthargie insensée, Adéline se rabat sur Firmin à l'humeur toujours stable.

Un fou constant, en tout, se dit-elle amusée.

Alors l'étrange duo ramasse des fruits ensemble, corde le bois, lave les vitres, visite les moutons, – ils en ont racheté – leur parle, chante, rigole; tout, pour remplir le vide d'une vie ennuyeuse à souhait.

Ursule Montpellier ne marche plus ou à peine, elle s'aide à l'aide d'une canne. Un jour de printemps, elle s'est égrenée un genou sur un rond de glace noire sournoise et depuis, elle chiale après la vie.

– Adéline, vivre ce n'est pas drôle! Des fois on serait mieux, six pieds sous terre. En être arrivé à se faire servir quand on a du coeur au ventre, c'est pire que la mort!

– Ne parlez pas de même, Madame Montpellier! Vous prenez des forces. Votre santé est meilleure. Vos jambes se renforcent. Au printemps vous prendrez l'air comme autrefois. Vous êtes trop pressée!

(Trop orgueilleuse aussi!)

La ferveur d'Adéline à la remettre sur pied gruge ses énergies. Sa belle-mère se recroquevillait et se plaignait, sans cesse. L'immobilité et l'ennui grugeaient son coeur à petit feu. Adéline gardait l'espoir et retroussait les idées noires de la dame flétrie et les colorait de confiance.

– Il faut foncer dans la vie! Ne jamais se laisser abattre! C'est vous qui nous avez chanté ce refrain toute votre vie!

Ursule suit Adéline se promenant dans la cuisine et relève un coin de ses lèvres en guise d'acquiescement. C'est vrai. Sa bru lui renvoyait la monnaie de sa pièce. La vie a parfois de ces ironies!

Berthold, son mari retraité, pioche ici et là en attendant le soir, puis les semaines, les années et la mort. Il en a soupé d'entendre sa femme se lamenter à coeur de jour. On le voit sortir après le déjeuner et il rentre à la veillée. Quand les femmes le questionnent sur son emploi du temps, ses réponses sont d'une logique implacable. Derrière ses explications, il tue le temps pendant qu'il le peut encore. Plus tard, le temps aura le dernier mot... mais, allez donc savoir!

Le monde d'Adéline s'égrène, petit à petit, sur un quotidien minable à faire pleurer. Elle n'a plus de nouvelles de Simon Labrosse. On parle dans les journaux de reprendre le procès. Frôler cette éventualité du coin de ses méninges la fait frissonner. Elle ne se revoit pas au banc des témoins à raconter de nouveau son baratin. Quelle route prendra sa mémoire? Se rappellera-t-elle de tout? C'est toute la question.

Harold lui a donné un enfant l'an passé. Elle préfère oublier cet événement. Il est la copie conforme de Firmin; le pauvre enfant est idiot! Il ne prononce aucun son et ne se tient pas encore sur ses jambes. Ses yeux vides n'émettent aucun éclair d'intelligence. Son coeur est tari de larmes. Ses parents la réconfortent, sans succès. Dans leur for intérieur, ils savent bien que tout est foutu! Firmin et le bébé passent des heures ensemble. Il donne l'impression qu'il est le sien. À vrai dire, Harold le regarde et lui procure si peu d'affection que l'enfant ne manifeste aucune réaction quand il s'approche de lui. Les rôles sont inversés. En revanche, par une coïncidence mystérieuse, Firmin arrive à communiquer avec l'enfant et l'amuser un peu. Albertine Lussier, la mère d'Adéline, lui dit que l'évolution de son rejeton passe peut-être par ce canal!

– Les vues de Dieu sont insondables! ma fille. Le plus petit des hommes nous apprend des aspects insoupçonnés de la vie et des humains qui la cultivent, Adéline. N'oublie jamais ça!

La confiance aveugle de sa mère l'émeut et de faibles lueurs d'espoir percent son âme désoeuvrée un moment et retombent dans l'oubli. Tant de rêves anéantis, tant de désirs piétinés dorment en elle de leur belle mort, qu'elle se demande si elle pourra continuer la traversée de ce désert encore longtemps. En attendant, ceux qui l'aiment l'accrochent, malgré elle, et la retiennent au gouvernail de ce vaisseau maléfique quasi fantôme.

Adéline ramène solidement les guides ancrées à la bride de son cheval et la bête s'immobilise en face de sa cuisine. Berthold a pris soin de la famille pendant son absence. Elle a amené son enfant avec elle et sa mère a joui de ce plaisir fou d'être grand-mère: idiot ou pas! Elle descend de voiture et Berthold l'accueille content.

Ressourcée auprès des siens pendant quelques temps, Adéline rentre chez elle au *Plateau Doré* avec la sensation de découvrir les problèmes amoindris et d'autres diminués. Son séjour au village de son enfance avait été bénéfique. Outre la maladie de son père, une faible inquiétude avait terni ce voyage. Albertine Lussier ne marchait plus: elle courait. Partout et tout le temps; comme apeurée par un événement futur sournois, incompréhensible à Adéline. Sa mère lui cachait autre chose. Comment le savoir? Quand elle interrogeait Albertine, la pauvre femme esquivait la question et la bifurquait vers un sentier différent.

– Maman. Es-tu malade?

– Pas du tout! ma fille!

– Papa t'inquiète!

– Plus maintenant.

– Tu es si tendue, si nerveuse!

(Si tu savais...!) songe sa mère.

– Moi nerveuse! Tu te trompes Adéline! La nervosité est le moteur de la santé. Bouger ne fait de tort à personne!

– Si tu as des problèmes, dis-le-moi! Je ne sais pas; la maison, des paiements en souffrance...

– Tout le monde a des souffrances! Nous comme les autres! Le gouvernement nous avale tout rond avec ses impôts!

Adéline se tait, constatant le mutisme obscur de sa mère. Vigilante, elle s'arme de patience et souhaite tout savoir un jour.

Adéline partie, Albertine Lussier épuisée se laisse choir sur une chaise et respire profondément, elle l'a échappé belle! Par hasard elle a rencontré Laurier Lanteigne en ville, et depuis, tout est changé.

* * * * *

Un matin, les Lussier décident de se rendre en ville, leurs problèmes d'impôt sont devenus insolubles. Ils ont écrit à une maison de comptables dénichée dans le journal. Ils ont choisi cette avenue, afin d'éviter les placottages du village.

– Faire affaire avec des inconnus est plus fiable, Albertine! explique Alfred Lussier à sa femme.

Ils avaient hérité d'un commerce à la mort d'un frère d'Albertine et espéraient éviter d'ébruiter la chose.

– Les mauvaises langues, Albertine. Tu les oublies! On ne sait jamais!

Le jour convenu, sur place, ils avaient identifié l'édifice et étaient entrés dans un restaurant attenant au bureau commercial pour dîner. L'endroit fourmillait de gens en cravate et de dames élégamment vêtues.

– Les comptables mangent ici chaque jour, Albertine.

– Chaque jour! affirme-t-elle surprise, incapable de s'imaginer se nourrir en dehors de chez soi.

Amusés, ils mangeaient en silence, la tête en girouette aux quatre vents des bribes de conversations entendues ou murmurées, occupés à tout emmagasiner en vue de meubler leurs conversations futures.

Soudain, un homme en complet brun, plateau en mains se plante au milieu de l'allée, les examine un moment à leur insu et sourit. Il s'approche.

– Monsieur Lussier?

Alfred se retourne brusquement, nerveux. Qui pouvait le reconnaître dans un tel endroit? Albertine aphone la bouche ouverte répond au sourire, incapable de dire un mot.

– Madame Lussier? Bonjour!

– Ah! Ah! Si ce n'est pas Laurier Lanteigne en personne! s'exclame-t-elle enfin.

Alfred pousse une chaise.

– Reste pas là, debout, planté comme une dinde à la pluie! Prends la chaise et viens manger!

L'homme vêtu à quatre épingles jette un oeil vers le fond de la pièce, hésite.

– Si vous permettez, je dépose mon plateau et je reviens.

– C'est Laurier! chuchote Albertine au faîte de l'étonnement. Qu'il est beau!

Alfred se brasse le fessier.

– Voyons, Albertine! Prends sur toi!

– Je suis très heureux de vous rencontrer, insiste l'homme prenant et dépliant sa serviette pour la mettre sur ses genoux.

Honteux, les Lussier regardent la leur, encore pliée près de l'assiette à pain et n'ose la toucher.

– Parlez-moi de vous!

– Il n'y a pas grand-chose à dire de notre côté, tu sais. Et toi! Que deviens-tu?

– Je suis revenu au pays, j'ai enterré mon père il y a six mois et je travaille.

– Ton père est mort?

– Papa est décédé subitement. Je venais d'arriver.

– On n'a pas su cela. On trouvait curieux qu'il ne vienne plus à la maison mais on se disait qu'il aurait un jour ou l'autre un trou à faire boucher.

– On dit que les nouvelles font du chemin! reprend Albertine. Celle-là nous a passé sous le nez!

Laurier Lanteigne savoure un moment cette voix féminine. Même ton, même intonation, même sourire que la belle Adéline, celle qu'il a aimée plus que tout au monde et qu'il n'a jamais pu remplacer malgré ses essais. Son coeur fait un soubresaut. Il aimerait pouvoir faire parler cette femme et entendre cette douce mélodie repliée en lui mais jamais oubliée.

Le vieux couple ne mange plus, atterré par la révélation.

– Comment c'est arrivé?

Laurier raconte, sous tous les angles, le décès de son père et le vide créé par son départ. Une question gênante lui brûle les lèvres. Il n'ose pas.

– Qu'est-ce que tu deviens?

– J'occupe ce bureau de comptables, tout près.

Les Lussier se regardent et s'interrogent du regard. Albertine Lussier hoche la tête. Lui ou un autre... Alfred reprend.

– Justement nous avons affaire dans ce bureau.

Laurier immobile se ressaisit.

– Nous avons pris un rendez-vous au hasard et nous sommes tombés sur cet endroit. C'est curieux, hein!

– Nous devions nous rencontrer Monsieur Lussier. Connaissez-vous celui qui vous accueillera?

– Nous avons seulement parlé à la réceptionniste. Nous avons besoin de conseils.

– Je vous laisse tout à fait libre mais si vous changez d'idée, je vous attends. C'est au premier plancher. Bon je dois vous quitter, j'ai rendez-vous avec un client qui arrive. Voici mon numéro de téléphone personnel en cas de besoin.

– Merci mon garçon. On va y penser.

Laurier parti, Albertine monte le ton d'un cran. Comme il était très bas, il devient parfait.

– Tu l'as appelé mon garçon! C'est incroyable! Tu as du toupet! Qu'est-ce qui t'a pris?

– J'ai oublié qu'il a vieilli, c'est tout! Il a gardé ses airs de jeunesse.

– Jeunesse ou pas, Alfred! Mieux vaut tenir nos distances. Pense à Adéline qui est mariée maintenant!

– J'y pense Albertine! C'est tout ce que je fais!

– Bon, c'est l'heure de notre rendez-vous.

Le vieux couple règle l'addition et sort lentement, aux prises avec leur surprenante rencontre.

– Penses-tu que l'on devrait aller cogner à sa porte?

– J'aime mieux pas! Albertine.

On invite les Lussier à prendre un fauteuil de cuir très confortable en attendant l'arrivée du comptable disponible. L'heure passe et le conseiller se fait attendre.

Trois heures.

Les Lussier n'en peuvent plus. Ils aperçoivent Laurier qui se presse dans le corridor.

— Nous n'avons vu aucun comptable, Laurier! Quel sorte de bureau c'est ici! De la broche à foin!

— Le comptable en question est fort occupé. J'ai une demi-heure si vous le désirez.

Les Lussier exténués suivent, sans hésiter, Laurier Lanteigne dans son vaste bureau donnant sur une vue superbe de la ville. Après s'être exclamés sur le site, Laurier les invite à expliquer leurs difficultés. En confiance, ils déballent leur baluchon et laisse se répandre l'inquiétude dans toute la pièce. Laurier évacue les craintes exagérées du couple et les apaise.

— Je prends ce dossier. Vous me laissez vos papiers et j'irai vous voir bientôt. Je vous donnerai rendez-vous par lettre.

— Ah que je me sens mieux! s'écrie Albertine délestée d'un poids imaginaire, très lourd sur ses épaules rétrécies.

Disparus dans le couloir emportant leurs misères quotidiennes, la visite de ce couple reste gravée dans le mental de Laurier, il s'y attarde longuement.

Dois-je en rire ou en pleurer? Dois-je récidiver ou laisser tomber? Qu'est devenue Adéline? Lui a-t-elle pardonné son départ et surtout son silence inexplicable? Un silence qu'il oserait enfin lui donner un sens!

Une fuite insensée qui le suit et l'empoisonne. Elle devra savoir qu'il n'est pas ce fainéant, ce bon à rien, ce tricheur! Depuis qu'il a pris la décision de revenir et de faire face au drame envers et contre tous, sa vie a changé. La mort de son père a atténué une partie de la difficulté: le vieil homme a emporté son secret dans sa tombe. Sa droiture doit briller de pleins feux. Elle est inconcevable autrement.

Dans leur couche, le soir de leur retour, une litanie de murmures anodins et heureux recouvrent le sommeil du couple Lussier. Ils ont découvert l'espoir inespéré.

– Va-t-on en parler à Adéline, Alfred?

– Je pense que non.

– Je suis de ton avis. À quoi bon ressasser le passé. Elle est mariée et (malheureuse) on n'y peut rien.

– Si elle vient à le savoir, on devra tout avouer.

– Ne t'inquiète pas, Alfred on ne mentira jamais à notre Adéline!

La visite de leur fille la semaine après ces retrouvailles leur avait donné des ailes et des sueurs froides mais ils avaient tenu le coup. Leur fille ne s'était douté de rien.

Adéline retourne chez elle ce jour-là, au grand soulagement de ses parents. L'inquiétude et la nervosité maternelles avaient une saveur et les couleurs d'un homme prénommé Laurier Lanteigne. Chaque jour, Albertine guettait le postillon afin de s'assurer que sa fille ne découvrirait pas une lettre de Laurier.

– S'il fallait qu'il vienne sans avertissement, Alfred! Ce serait catastrophique! répétait chaque soir la mère d'Adéline avant de s'endormir.

– Attendons que cela arrive avant de nous énerver.

Albertine reprenait une autre dizaine de chapelet, dans l'espoir d'être exaucée.

Adéline passa deux semaines à la maison paternelle, sans anicroches et sans bavures. Elle reprit le chemin du retour comme si de rien n'était.

Le secret parental était épargné.

Chapitre 23

Un automne, Adéline décide de nettoyer le grenier. Elle en parle à Ursule qui lui donne le feu vert, l'été des Indiens se montre particulièrement propice à ce chambardement. Puis, elle a envie depuis longtemps d'aller fouiner dans les immenses coffres, témoins du passé, qui dorment, leurs secrets embusqués dans leurs entrailles. Ursule lui racontera leur histoire et leur provenance. Elle lui apprendra leurs légendes et leurs réalités. Elle transmettra l'histoire des Montpellier aux générations futures comme le firent, pour elle, ses grand-mères et sa mère.

Les deux femmes montent donc ensemble – les genoux d'Ursule étant guéris – au troisième étage de la demeure jaune aux volets bleus et aux six lucarnes veillant en sentinelles de chaque côté du toit. Épuisée, la vieille grand-mère se repose un moment, assise sur le dos d'un coffre en bois. Puis elle raconte chaque aventure de ces coffres en les pointant, chacun leur tour, et les faisant ouvrir par Adéline qui s'assied par terre sur le plancher de bois pour boire goulûment les paroles intarissables. Adéline a vu juste. Ursule est ivre de ravissement. À travers le chenal de confidences, la jeune mère espère trouver la maille conductrice la menant aux sources de la folie logée dans deux corps de la famille Montpellier.

Certains coffres ont voyagé à travers les États-Unis, d'autres ont à peine traversé la plaine, un revient du village voisin, un autre a atterri en Abitibi puis est revenu en Beauce et s'est installé définitivement chez les Montpellier suite à la mort de son propriétaire. L'un d'eux en retrait, attire l'attention d'Adéline. Il est fermé à clé. Devant son insistance à l'ouvrir, la vieille Ursule devient inconfortable.

– Pourquoi est-il barré?

Ursule se lève, sans répondre. Elle avance une explication, le visage ennuyé.

– Celui-là?... Ah! J'ai oublié la clé. Je le tiens fermé parce qu'il y a des boules à mites à l'intérieur.

Pourtant Adéline a remarqué plusieurs de ces boules à mites au fond de certains coffres non-verrouillés. Ursule se dirige vers un nouveau coffre évitant la curiosité de sa bru.

Que renferme ce coffre? se demande Adéline intriguée. Je saurai Ursule! Je saurai avant que vous mourriez! C'est certain!

Adéline sait que sa belle-mère détient le bouquet de clés de certaines portes dont elle se garde la dépositaire.

Un fait à dénouer, mon Adéline! songe-t-elle. Tu devras te faire marcher les méninges, ma fille! si tu veux mettre la main sur ces clés!

Elles poursuivent leurs découvertes. La passionnante histoire de ces trésors ravit Adéline au point d'oublier son fils endormi au deuxième. Son appel mouillé de larmes interrompt ce voyage dans le passé. Désolée, elle se rend auprès de son petit qui s'époumone, perdu dans ses limbes cérébrales.

Leur visite au grenier couvre les repas pendant plusieurs jours. Chacun pose une brique au château historique du clan. Pendant cette période Firmin semble particulièrement agité, sans raison apparente.

Que cherche-t-il à me dire, se demande Adéline à l'affût des comportements de chacun.

Le jeune idiot balaie son regard sur le visage d'Adéline, sur celui d'Harold, dont les rondeurs de la gourmandise s'accentuent au point de déborder par-dessus sa ceinture, et celui de sa mère, sans arrêt. La froidure du regard d'Harold à son égard le rend parfois hystérique.

Oh! Oh! Il n'y a pas de fumée sans feu! se dit Adéline observatrice.

Firmin se met à pelotonner de la laine invisible, sans interruption et d'une telle ardeur pendant quinze minutes que la jeune femme lui fait remarquer.

– Firmin! Tu nages!

– Firmin, boule!

– Je sais! Pourquoi tu fais cela?

Ursule, agacée par cet interrogatoire, intervient.

– Firmin a si hâte de faire des balles de laine qu'il se pratique maintenant!

L'idiot, à bout de souffle, se jette par terre près de l'enfant d'Harold, loin du monde sensé des vivants.

– Mon Firmin, tu vas te faire mourir à rouler de la laine de même!

Le maigrelet jeune homme perdu dans son univers, n'entend plus Adéline.

Le jour se meurt sur un monde remplit de mystères.

La diversité des hommes est à l'image des flocons de neige, songe Adéline en réflexion. Uniques et fragiles, ils ont l'immensité du sol pour se perdre dans l'homogénéité du regard et se souder pour se transformer en un tapis solide, un ensemble harmonieux comme l'humanité.

434

– Où vas-tu Harold? demande sa femme devant son mari qui se lève. Il fait encore nuit?

– Je vais à la cuisine, je n'ai pas sommeil. Tu as du jambon?

– Le docteur t'a dit que tu dois faire des efforts pour maigrir. Tu ne t'en souviens plus?

Harold a disparu. Elle entend la porte du réfrigérateur s'ouvrir. Adéline ferme le rideau de ses pensées, se retourne sur sa couche et se rendort.

* * * * *

– Firmin, bois, soumet l'idiot à Adéline en se frottant les bras.

– Tu as cordé le bois à l'école? La maîtresse doit être contente.

L'idiot montre un objet à Adéline.

– Qu'est-ce que c'est?

Adéline examine attentivement ce que tient l'idiot du bout des doigts.

– Tu as trouvé un gant?

Le jeune homme regarde Adéline du haut de ses six pieds et se dandine. Il se tourne les mains l'une dans l'autre, incapable de parler. Il amène Adéline près de la fenêtre.

– Tu as trouvé ce gant à l'école!

L'idiot sourit en guise d'affirmation.

– Firmin, bois.

Adéline en bute au mystère, cherche à comprendre et suppose plein de données en examinant le gant en cuir poussiéreux servant au travail robuste, dont le poignet jaune est évasé. Elle le secoue et constate qu'il est presque neuf.

– Tu as trouvé ce gant dans le bois.

Nouveau sourire, Firmin reste près d'elle et regarde toujours l'école.

– Tu veux me dire quelque chose, insiste Adéline, ses bras tenant ceux de Firmin, son regard se perdant dans la sottise apparente de son jeune beau-frère pendu à son rire ridicule, en l'interrogeant sans arrêt.

– Tu as trouvé ce gant en cordant du bois!

Firmin se tape dans les mains. Adéline en pleure de joie. Elle peut enfin communiquer avec ce magnifique adolescent. Le jeune homme l'amène près de l'escalier. Adéline le suit, intriguée. Il regarde vers le haut et insiste. Il piétine du pied. Adéline se demande quoi faire? Elle est seule, mais elle a peur. Une peur insensée, inexpliquée. Elle se dirige vers la fenêtre puis vers la porte et ne voit personne venir. Elle surveille Ursule Montpellier au jardin qui arrache ses carottes. Adéline revient près de Firmin. Il monte l'escalier en deux temps trois mouvements et l'invite du regard à le suivre. Elle l'imite. Arrivés près de sa porte de chambre, le jeune homme se dirige vers un coffre au pied de son lit et veut l'ouvrir. Il implore du regard la jeune femme mais Adéline n'a jamais franchi le seuil de cette chambre masculine, Ursule lui a défendu.

– Adéline, Firmin a appris à faire sa chambre tout seul. Il fait le ménage et range ses choses. S'il ne le fait pas, il sait à quoi s'attendre, avait insisté la mère.

Adéline avait ouvert les écluses de sa surprise devant cette affirmation. Elle s'était longtemps penchée sur cette réponse et avait découvert que sa mère disait la vérité, puisqu'il était capable d'exécuter des travaux faciles à l'école.

D'ailleurs, elle n'aurait jamais osé outrepasser l'univers intime de ce jeune homme! Sa chambre de jeune fille au premier étage s'étant transformée en lit nuptial depuis leur mariage.

Firmin surexcité saute sur le coffre et sur le lit, Adéline panique. Elle redescend à la cuisine. Le fou continue un moment son manège et s'apaise. Soulagée, elle reprend le cours de son quotidien. Dans les boulevards de sa pensée virevoltent une avalanche de questions sur cet événement peu banal et lourd de mystères.

Ai-je réagi trop vite? Va-t-il répéter cet éclair de lucidité? Que voulait-il me montrer dans son coffre? Ce gant avait un lien. Lequel? J'ai été bête d'avoir eu peur! Ma crainte a supprimé une découverte et... qui sait? aurait pu être intéressante et pourquoi pas folichonne!

Adéline distraite laisse tomber le gant sur une chaise de cuisine et l'oublie. Au passage, la grand-mère Ursule le ramasse et le jette au travers des autres dans le tiroir de la garde-robe.

* * * * *

La nouvelle de la reprise du procès de Simon Labrosse accusé d'agression sexuelle et de viol dans la première page des journaux assaisonne tous les repas du pays. On l'avait oublié celui-là!

Cinq ans se sont écoulés depuis la mésaventure du *Plateau Doré*.

Le prêtre a perdu de sa curiosité et de son attrait. L'effervescence de l'événement s'est transformée en une attitude intéressée et courtoise, sans ferveur.

– Tant mieux! expliquent les journaux.

– Tant pis! prédisent les avocats confiants du résultat de cette démarche inutile. Justice a été rendue, justice doit suivre son cours!

L'annonce de ce nouveau procès perturbe Simon Labrosse. Il a appris à vivre dans le *silence* d'une prison. Il a découvert une multitude de vrais amis. Ceux qui écrasent la main qui se donne, ceux qui enfoncent leur souffrance dans les prunelles qui leur procurent du réconfort, ceux qui sont authentiques dans leur vécu mal foutu. Se retrouver à l'avant-scène de la vie extérieure lui plaît moins. Pourquoi dépenser d'autres millions pour arriver à la même conclusion? L'erreur judiciaire existe; il en est la preuve tangible, puis après. Ici ou ailleurs, qu'est-ce que ça change? Son rôle sacerdotal est le même.

On lui apprend que demain un nouvel avocat lui est assigné et qu'il le recevra dans son bureau à la prison. Il accepte, sans ardeur. Malgré tout, cette idée sème un doute bienfaisant en lui. Cette situation nouvelle le prend à espérer respirer l'air pur du dehors. Longtemps, dans le silence de sa cellule, il médite sur le sujet. Si la vie lui impose ce nouveau supplice, il l'accepte. L'image d'Adéline refait surface dans son esprit. Qu'est-elle devenue aux commandes d'un mariage étrange. A-t-elle des enfants? Quel genre d'homme est son mari? Une brave fille éclopée par la vie. Un événement non mérité de sa part. Avoir à revivre cet épisode de sa vie doit lui être pénible.

Je devrais lui écrire.

Leurs communes pensées se sont croisées en un chapelet de missives puisque Simon reçoit d'abord une première lettre d'Adéline. Chacun répond ainsi à l'autre. L'un parle de fatalité, l'autre d'espoir.

– On t'a annoncé la bonne nouvelle! Es-tu content?

– Non. Dieu est partout, ici comme ailleurs!

– Ta sentence a été trop sévère, répond Adéline.

– Quel poids a une sentence quand elle est fausse?

– Espère! Ton calvaire se termine, j'en ai la ferme conviction.

– Il faudrait de nouvelles preuves. En ont-ils? Le coupable court toujours, émet Simon réaliste.

– J'avais oublié cette réalité. Elle me terrifie et me fera claquer des dents jusqu'à la fin de ma vie.

– S'il avouait.

– Tu en parles comme si tu savais qui a commis ce crime. Le connais-tu?

– Oui.

Adéline estomaquée, lit et relit la lettre, la bouche ouverte, les méninges à cent lieux de la réalité. Simon connaît ce criminel!

– Tu le connais et tu ne le dénonces pas! Je ne comprends pas. Tu te laisses accuser, sans rouspéter! Je suis déçue. Je ne te connais pas sous cet angle; celle d'un faible, d'un mouton! Vraiment, je me demande comment tu fais et pourquoi je continue à croire en toi! Tu me déçois!

– Je n'ai pas de preuves, seulement son aveu au confessionnal.

La jeune femme au comble de l'étonnement apprécie la confiance de son ami qu'une telle confidence a suscité.

– Simon, excuse-moi! J'ai oublié un moment que tu étais prêtre.

Incapable de dénoncer ce secret, Adéline, troublée par sa correspondance, brode autour de la table sur le sujet et accumule les opinions des Montpellier.

– Qu'en pense tes beaux-parents? demande Simon dans une autre lettre.

Adéline réfléchit. Harold excédé n'émet aucune opinion sur ce sujet, il détourne la conversation et parle de son travail. Ursule et Berthold verbalisent à souhait pendant des heures sans vraiment avoir une idée arrêtée, ils s'interrogent.

Adéline reprend sa plume.

– Les Montpellier sont trop occupés à leur train-train quotidien pour émettre une quelconque opinion, Simon. Je continue à chercher un moyen de t'aider, sans t'impliquer. Je t'avoue que la tâche est ardue! Si j'en parlais à l'évêque?

– L'évêque respectera ce sacrement. Tu fais fausse route. Cherche dans tes souvenirs. Là, se trouve la réponse.

– Simon, je flotte dans un trou noir. Si je pouvais me rappeler d'un indice. Je prie Dieu de me redonner la mémoire.

Pendant qu'elle termine sa lettre, Harold entre et cherche ses mitaines dans le tiroir.

– Qu'est-ce que c'est? insiste Harold en tenant le gant solitaire de cuir brossé au poignet jaune, du bout de ses doigts.

– Firmin a trouvé ce gant à l'école.

– À l'école! s'exclame Firmin intrigué.

– Derrière une corde de bois.

– Dans la chiotte, tu veux dire!

Adéline intriguée examine son mari. Firmin ne lui avait pas donné ce détail.

– Tu l'as gardé! Pourquoi?

– ...

– Tu cherches la chicane!

– Mais non! J'ignore pourquoi!

Harold rouge comme un coq vocifère des jurons à faire trembler les cheveux des chauves, il fait virevolter le gant dans l'espace au bout de son doigt.

– Tu me prends pour un fou!

– Pas du tout! Je ne comprends pas.

– Moi, je comprends! Je comprends que tu nous caches des choses et que tu as peut-être un lien avec ce gant.

– Tu dérapes, Harold! À quoi veux-tu en venir?

Harold, au faîte de sa rage, écume de la bouche, le visage à deux doigts de celui de sa femme qui tremble.

– Le gant d'un de tes chum peut-être! Regarde ce que je fais de tes hypocrisies! lance son mari le souffle court.

Adéline voit son mari haleter et chercher son souffle. Elle frémit. Une étrange sensation de déjà ressenti se passe en elle, ses poils se dressent sur ses bras. Le frisson parcourt son échine, s'infiltre sur son cuir chevelu et rampe partout. Elle cherche à refermer un chandail imaginaire sans succès. Le mystère ténébreux sème ses atomes... et sa lucidité.

Le jeune marié en gesticulant et vomissant des injures injustifiées contre Firmin, contre l'humanité, ouvre un rond du poêle, le jette dans le feu en remettant le rond avec fracas et le casse en deux.

Dans un élan de nervosité, il ramasse une partie de sa bévue, met sa main dans le feu pour reprendre l'autre et se brûle.

– Oh mon Dieu! dit Ursule apparue dans la cuisine, qui se tient debout les bras chargés de linge propre. Viens Harold, je vais te soigner!

Adéline sort la pièce de fonte cassée, la dépose sur le poêle dans le trou d'un rond éloigné du feu, ramène l'autre pièce intacte, la place à côté pour refermer le trou et remet le nouveau rond sur le feu. Secouée, elle regarde le rond cassé; une ligne brisée s'est tracée en elle dans son coeur comme celle de ce rond de poêle. Qu'arrive-t-il à son mari? Lasse et désemparée, elle se laisse choir sur une chaise pour reprendre ses esprits. Firmin entre à pas feutrés, insensible à l'atmosphère survoltée qui se dissipe.

– Adéline, pleuré. Harold pas fin!

La jeune femme stupéfaite cherche où trouver le sens de cette réplique. Aurait-il compris? Serait-il capable de ressentir des ondes négatives autour de lui? Aurait-il des pouvoirs? Tant de questions tourbillonnent dans sa boîte à penser.

– Firmin, manger.

Adéline reprend son aplomb et prépare le souper. Berthold surgit de nulle part, heureux de sa journée, pendant qu'Harold et sa mère apparaissent par une autre porte de la cuisine comme si l'orage ne s'était jamais abattu sur eux.

Au passage, le père interroge.

– Un rond du poêle est cassé?

– Ce n'est...

– Harold pas fin! dit haut et fort l'idiot pour enterrer la réponse d'Adéline prête à camoufler l'incident.

Le grand-père et la bru se regardent héberlués. Que leur réserve l'avenir de ce jeune homme?

Chapitre 24

Le procès de Simon Labrosse reprend ses assises sur une note sceptique. Son avocat porte l'espoir sur ses épaules, absent sur celles du vicaire du *Plateau Doré*.

Ses amis prisonniers lui ont formulé des souhaits aux couleurs diverses, oscillant entre la témérité, l'incrédulité, la morosité, la froide perplexité, le doute, le refus de le voir partir et le voeu sincère. Songeurs, ils le regardent disparaître dans le fourgon cellulaire, mains en poches et tête en attente. L'influence opérée sur eux par ce prêtre, hors du commun, est palpable. La prison à sécurité maximum s'est transformée au long de ces années. Le coeur de plusieurs endurcis s'est mis à fonctionner à l'endroit, malgré ses débuts balbutiants. Un vent de fraternité a soufflé sur eux et a libéré certains détenus de leurs entraves imaginaires ou réelles, grâce à lui.

– Et à Dieu! opine Simon réaliste. J'ai été l'instrument mis sur leur route, pas plus!

– Beaucoup plus! affirme le choeur enthousiaste.

Simon les remercie ému. Il se sent si bien, si près de ces misérables mutilés de la vie. L'idée de reprendre son procès ne lui plaît guère. Le monde lui semble si loin des misères carcérales qu'il n'ose y remettre les pieds. De multiples visages au profil divers: des délinquants dangereux, des invétérés du crime, de «pathes» irrécupérables, des jeunes endurcis par l'école du crime, essaiment sous son toupet garni. Jamais il ne les oubliera!

Une foule de badauds accueille Simon Labrosse en silence, à la sortie du camion blindé. Il observe le changement d'attitude à son égard et se réjouit. Peut-être, lui accordera-t-on le bénéfice du doute, cette fois, au lieu de le condamner, de le crucifier gratuitement sur la place publique.

Le vent lui giflant le visage porte sa caresse oubliée. Des odeurs issues du passé lui chatouillent les narines au passage. Des couleurs multicolores se tiennent en gendarme le long de plusieurs demeures, il les trouve d'une beauté inouïe. La forme des maisons le surprend, elles semblent avoir de nouvelles dimensions; elles ont rapetissé. Il s'interroge un moment. Les rues se sont espacées comme par magie. Il s'inquiète. Est-il sur le point de chavirer?

Les rues de ta prison sont plus rapprochées, soutient une cellule de sa pensée, en guise d'explication.

Le bruit l'étourdit et le grise, à la fois. Les éclats de voix, l'accueil des oiseaux ensemencent sa sortie et jettent des notes de bonheur dans son cerveau atrophié de musicalité. Des relents à saveur de liberté refont surface et l'interpellent. S'il retrouvait ce désir de liberté. En serait-il heureux?

Je songerai à cette éventualité, se promet-il, sincère.

L'aspect de la nouvelle salle d'audience se donne des airs connus. Spacieuse, elle offre des odeurs coutumières dont il en a la recette. En entrant, braqué de deux policiers, il fait un bref tour d'horizon de la salle où le nombre d'auditeurs a diminué.

Tant mieux! se dit-il soulagé. Ce sera plus vrai et plus sensé. Seigneur que votre volonté soit faite et non la mienne! Si ma démarche éclaire, alors que la justice poursuive son cours!

On lui affirme que son nouvel avocat au faciès imposant, un râteau foncé sous le nez, aux sourcils sombres et garnis où se terrent d'immenses yeux noirs perçants, grand et grassouillet est un plaideur redoutable. L'homme confiant l'accueille d'un sourire évasé et lui chuchote à l'oreille des paroles de réconfort.

Simon Labrosse, l'innocent trouvé coupable, sent renaître en lui des brindilles d'espérance. Troublé, il songe à Adéline obligée de revivre ce cauchemar jamais résolu.

Comment est-elle? A-t-elle changé? Respire-t-elle le bonheur avec ce... ce...?

Une nervosité évidente l'envahit quand il la voit entrer dans le *box* des témoins. Le teint pâle, les épaules courbées, l'oeil terne contraste radicalement avec son souvenir. La tristesse de son visage tranche avec la flamme de ses lettres. Laquelle est la véritable Adéline? Cette interrogation lui perce le coeur, il se ressaisit et change le disque de sa boîte crânienne. Il sent derrière son dos des dizaines de pupilles lui brûler la chemise. Il devine celles d'Harold sarcastiques et moqueuses lui crier sa réussite éclatante. S'il pouvait s'infiltrer dans ce regard. Que de choses il lui dirait!

* * * * *

Adéline ne dort plus depuis la violente sortie de son mari au sujet du gant que Firmin a trouvé à l'école. D'horribles cauchemars s'ensemencent dans ses nuits parsemées de grands cris et de peurs.

– Voyons! Vas-tu te taire à la fin! Je veux dormir, moi!

– Harold penses-tu que je le fais exprès?

– Tu deviens toute trempée. Reste de ton côté. C'est dégueulasse!

Adéline triste se recroqueville et cherche le sommeil, à cent lieux de son toupet. Dans le noir, elle s'interroge. Le souffle de son mari, au moment de sa sortie virulente l'autre jour, l'assaille de toute part, il cherche à se frayer un chemin dans sa mémoire. Le vague sentiment que ce ressac mystérieux signifie quelque chose, la tourmente. Ce souffle marital a remué la poussière tombée sur son passé. Chaque nuit, les images se font plus claires et plus précises. Elle souhaite déterrer son secret. Depuis cette dispute, Adéline craint son mari. La puissance de sa colère l'a figée. Elle a transformée leur union, ils se font distants et réservés l'un l'autre. Adéline se dit que le temps réparera les choses et que tout rentrera dans l'ordre, une fois le procès terminé. Car Harold nourrit de l'aigreur pour cette obligation imposée à sa femme. Combien faudra-t-il encore de comparutions avant qu'on la laisse, enfin, en paix!

* * * * *

Adéline, à la barre des témoins, n'ose porter un regard à son ami, Simon Labrosse. Tant de monde espère et souhaite cet instant pour les inculper. À son arrivée dans la salle, émue, la gorge nouée, elle jette un oeil furtif sur lui et l'examine de côté. Longiligne, quasi squelettique, comme il a changé! Le coeur serré elle sent dans tout son être l'étrange force émanant de lui. Cette énergie soudaine alimente sa manière d'agir et l'a rassure. Adéline sait que tout ira bien.

Une atmosphère différente transpire de la salle d'audience. Le juge plus jeune lui inspire confiance et son nouvel avocat affiche une forte prestance. Adéline a prié pendant tant de nuits, qu'il lui est impossible de songer à un dénouement défavorable à Simon. Elle s'est tordue les méninges pour se souvenir, hélas! Le brouillard recouvrait toujours cette infâme nuit de terreur. Mais elle ne désespère pas. Sa rencontre avec le procureur prend des formes de grande civilité. Un profond respect émane des intervenants et la rend confiante.

Adéline, de sa voix suave, raconte son récit. Les justiciers cherchent à percer le mur de sa mémoire envolée et la relie, bout à bout, pour trouver la clé de l'énigme.

Simon n'ose observer le juré composé de neuf femmes et de trois hommes; l'inverse de son premier procès, mais son désir lui pique les jambes, il se gratte à l'aide d'un de ses souliers. Attentif à ses gestes, il récite son chapelet invisible, absent de ce murmure monocorde égrené dans la salle du Palais de justice et prie intensément pour la libération émotionnelle d'Adéline. Un tel supplice devait prendre fin un jour. Il regrette maintenant d'avoir accepté la révision de son procès; on ne l'y reprendra plus.

Un avocat exhibe son chandail vert irlandais, un vêtement oublié par son incarcération.

Un beau chandail, se dit-il, surpris de l'épaisseur et de sa couleur. Adéline avait du goût! En a-t-elle encore? se demande-t-il devant la simplicité de son habillement presque tissé de pauvreté. Un chandail si chaud! Je n'en ai jamais eu de si confortable!

La justice scrute le tricot vert dans l'espoir d'extirper, entre ses mailles, le secret qui s'y cache. On le tourne, le retourne, le plie, le déplie, le replie. Tiens, il manque un bouton... Simon Labrosse avait oublié ce détail. Un détail sans importance comme tant d'autres, se dit-il distrait.

La journée prend fin sur l'affolement désordonné de la mémoire d'Adéline. Simon retourne en cellule meurtri pour elle.

* * * * *

La nuit suivante, Adéline fait un autre cauchemar. Des monstres garnissent ses folles pensées. Une image surgit.

– Firmin! Firmin! crie-t-elle, en proie à une grande frayeur.

– Voyons, Réveille-toi! Adéline.

D'un bond, Harold est debout, furieux. Il gesticule des poings et vomit des insanités de la bouche, tire les couvertures hors du lit et dénude le corps recroquevillé de sa femme. Adéline s'assied dans son lit, se retrousse la chevelure, cherche à se cacher, subit, à demi réveillée, la colère de son homme.

– Voilà que tu rêves à mon frère maintenant!

Leur enfant se lève et crie au pied du lit de sa mère.

– Tu vois! Tu fais peur au petit.

Adéline ouvre les yeux. En effet, son bébé pleure debout au pied de leur lit. Elle se prend dans ses bras, le console et lui fait un nid au creux de son coeur.

Harold la quitte, ouvre le frigo et remplit le silence de bruit. La famille entière est debout.

– Harold. Qu'est-ce qui te prend de nous réveiller de la sorte en pleine nuit? insiste son père mécontent.

– Vas-tu nous le dire à la fin? continue sa mère. On a assez d'un bébé dans la maison.

– Elle m'empêche de dormir. Puis elle rêve à Firmin en plus! rétorque Harold bourru qui se prépare un lunch.

– Nous réveiller parce qu'Adéline rêve! On aura tout entendu! dit Berthold Montpellier ennuyé par de telles imbécilités.

– Tu ne vas pas l'empêcher de rêver, tout de même. Tu ne rêves pas, toi!

– Je n'empêche pas les autres de dormir, moi!

Une série de marmonnages enveloppe le départ des deux vieux retournés dans leur chambre. En haut de l'escalier, l'idiot assis sur la dernière marche retourne se coucher, un doigt dans sa bouche.

Harold revient à sa chambre, remoule son corps près de celui de sa femme comme si de rien n'était. Les bruits éteints, le monde se rendort, sauf Adéline. Les yeux grands ouverts, une profonde lassitude se tapit en elle, une angoisse grandissante lui tord les entrailles; elle analyse ce qui lui arrive.

Au petit matin, après le départ de son mari pour la voirie, Adéline courbaturée, les yeux renfoncés dans leur orbite, replace son corps en état de marche. En haut de l'escalier, Firmin se dandine en montrant un objet à Adéline et une balle de laine.

Les idées confuses, elle oublie cet idiot et passe outre. Le jeune garçon retourne dans sa chambre, dépose l'objet dans son coffre qu'il a réussi à ouvrir, remet sa balle de laine parmi les centaines d'autres par-dessus *l'objet*, referme le coffre et s'assied dessus, envolé dans son monde inconnu.

Un gant oublié par Harold sur le coin de la boîte à bois ravive ses souvenirs. Curieusement, le coffre du grenier hante son esprit. Attentive à son instinct, elle songe à cet élément. Ursule lui a donné son trousseau de clés hier matin, sans raison apparente. Elle se promet, au retour de son témoignage en cours, d'aller rendre visite aux fantômes endormis de leur grenier.

* * * * *

Dans la salle d'audience, le chandail vert reparaît dans toute sa splendeur. Sa vue fait naître un vif désir de l'endosser. Comme elle a soif de chaleur en ce moment, humaine ou animale, peu importe. Le procureur de la Couronne la passe à tabac.

– Vous reconnaissez cette pièce à conviction, Mademoiselle Lussier?

L'avocat lui présente, sans pouvoir lui toucher.

– C'est bien mon chandail.

– Celui que vous portiez le soir du 27 janvier, n'est-ce pas!

– Oui. C'est bien lui.

– Ce vêtement avait-il quelque chose de particulier?

– Non monsieur.

– Réfléchissez encore, mademoiselle. Cette question est très importante.

– C'est un chandail pure laine très chaud.

– Était-il brisé?

– Non monsieur, affirme catégorique la jeune femme calme.

– Vous le certifiez.

L'avocat de la défense se lève.

– Monsieur le Juge, acharnement inutile. Le témoin a répondu clairement à cette question.

– Objection retenue.

– Monsieur le Juge, j'insiste sur le fait que ce chandail est brisé. Voyez. Il montre le chandail au juge.

– Poursuivez.

– Mademoiselle Lussier, ce chandail possédait-il tous ses boutons?

Adéline cligne des yeux, réfléchit un instant.

– Je le crois, monsieur. Je me souviens de l'avoir bien boutonné en me berçant et de n'avoir décelé aucun bouton manquant.

L'avocat reprend le chandail et s'approche d'Adéline.

– Pourtant il manque un bouton ici. Voyez.

Adéline se penche sur le vêtement.

– Je vois.

– Comment expliquez-vous?

– Je l'ignore, monsieur.

– Portiez-vous ce vêtement pendant votre agression?

– Oui monsieur.

– À votre connaissance, aviez-vous boutonné ce vêtement?

– Oui. Je le boutonnais toujours près du cou car j'ai surtout froid à cet endroit.

– Dans votre fuite, le portiez-vous toujours?

– Oui monsieur. Je me souviens de l'avoir refermé plusieurs fois sur la poitrine.

– Donc il était ouvert?

– Oui monsieur.

– Donc déboutonné.

– Oui monsieur. J'essayais de le boutonner mais je n'y parvenais pas dans ma course folle car je tombais souvent.

– Avez-vous un autre souvenir prouvant votre chandail ouvert?

– Je sentais le froid sur la blouse ouverte et sur ma peau.

Un long murmure d'étonnement patine dans l'assistance silencieuse.

– Dans votre course, avez-vous constaté ce bouton manquant?

– Non monsieur.

– Vous êtes-vous accrochée à quelque chose dans votre course ou en sortant de l'école?

– Non monsieur.

– Vous répondez vite mademoiselle. Réfléchissez encore.

– Objection, votre Honneur.

– Objection maintenue.

– Parlez-moi de la visibilité.

– Il faisait très noir dans l'école.

– Donc il se peut que vous vous soyez accrochée à quelque chose, n'est-ce pas?

– Je me souviens d'avoir couru de toutes mes forces dans le noir, d'avoir, sans le toucher, longé de poêle à bois qui chauffait et qui donnait quelques rayons de lumière sur le plancher à certains endroits, en retenant mon chandail fermé sur ma poitrine, d'avoir ouvert la porte de l'école, d'avoir reçu une bourrasque de neige dans le visage, d'avoir entendu le vent hurler très fort, d'avoir foncé à toute allure dans la nuit vers la maison des Montpellier pour découvrir, en route, que je m'étais perdue.

– Bien. À vous, Maître Mélançon.

Le soir de ce quatrième jour d'audience se couche sur l'histoire de ce bouton. Adéline quitte le Palais de justice fourbue. Elle espère ne pas en rêver.

Les avocats ont passé en revue les constatations et les résultats des enquêteurs ayant participé à l'enquête et à l'analyse des lieux du crime. Aucun n'a trouvé dans l'école ou dans la chambre ce bouton manquant.

Une étrange histoire de bouton manquant, résume ce quatrième jour d'audience, tire à la une le quotidien de la ville.

* * * * *

De retour à la maison, Adéline monte au grenier. Le trousseau de clés ouvre le fameux coffre où est enterré une multitude de bric-à-brac inutile. Elle bouscule les objets superficiels et se demande pourquoi on avait tout mis ces babioles au secret. Elle examine certaines breloques sans valeur et démodées, surprise. Puis, elle plonge dans les trésors de Firmin, croit-elle. Des clous, des petits drapeaux, des images pieuses, des épinglettes à chapeaux, des pelotes de laine, des livres brisées, d'autres piquant sa curiosité; elle s'y attarde un moment, puis s'apprête à refermer le tout quand soudain elle aperçoit bien camouflé au fond, un gant. Pareil à celui que Firmin a trouvé dans le hangar de l'école derrière la

454

corde de bois, et qu'Harold a jeté au feu dans une grosse colère.

Consciente de l'ampleur de sa découverte, son cerveau chauffe à blanc. Les mots se bousculent entre eux pour se libérer.

Que signifie cette cachotterie? Qu'est-ce que la grand-mère Ursule Montpellier cache à travers ce gant? Pourquoi n'a-t-elle jamais voulu lui montrer le contenu de ce coffre? Elle veut protéger quelqu'un. Qui? Ses deux fils. Lequel? Celui qui le trouve ou celui qui le détruit?

Les tempes en orbite autour de ses suspicions et de ses interrogations, elle s'aperçoit soudain que l'heure du souper approche. Elle referme le tout pressée, garde le gant, le cache dans un tiroir de son bureau et se promet de réfléchir sur le sujet, assurée d'une chose; elle ne fera pas de cauchemar cette nuit.

Arrivée dans la cuisine, la grand-mère s'agite à mettre les couverts.

– Tenez, Madame Montpellier. Votre trousseau de clés.

La veille femme regarde Adéline surprise, plisse les yeux, examine le trousseau.

– Bon, tu l'as trouvé! Je me demandais où je l'avais mis, celui-là!

– Vous me l'aviez prêté l'autre jour. Vous ne vous souvenez pas?

– Il y a des choses qu'on oublie ma fille. C'est comme l'amour. Elles s'effacent, petit à petit, sans faire de bruit, sans crier gare et on découvre qu'on ne se souvient plus comment c'était.

Adéline surprise par cette réponse et cette réflexion sur un sentiment jamais effleuré dans la famille, se dit que la grand-mère sentait peut-être la fin de son périple sur terre. Songeuse, elle réalise que le motif de ce coffre secret était tombé dans les replis de l'oubli de la chevelure blanchie par l'usure. Elle eut pitié de sa belle-mère acariâtre devenue une vieille femme assagie. Un vif élan d'affection se porte alors sur son beau-père maintenant aveugle qui l'avait endurée pendant toutes ces années.

Harold nerveux entre du travail, renfrogné. Un bref coup d'oeil à sa femme lui donne des frissons dans le dos. Avoir pu assister au procès le rassurerait.

Que se passe-t-il dans cette baraque? Jusqu'où pénétrera-t-on dans sa vie privée? Comment les retenir? Que faire de cet animal de prêtre tout le temps dans son chemin? Le plus simple: poser des questions.

– Puis. Ta journée. Comment c'était?

Adéline sourit. Un autre interrogatoire commençait.

– Il a été question d'un bouton.

– Une journée entière pour un bouton! Tu veux rire de moi!

– Pas du tout! On a questionné une quantité de monde sur ce bouton.

– Quel bouton?

– Le bouton manquant du chandail vert.

– Ah! Ça! fait son mari soulagé. Ils ont du temps à perdre. Vous voyez, m'man! C'est de cette manière qu'on dépense nos taxes; en écoutant des avocats se chicaner pour un bouton qui manque à un chandail. C'est pas croyable! Hein p'pa!

Berthold se tait. Depuis qu'il voit avec les yeux de son coeur, il est souvent en désaccord avec son fils.

– Comment ça se fait que ce bouton a tant d'importance, Adéline. Peux-tu nous le dire?

– Je l'ignore Madame Montpellier. Selon moi, c'est la clé de l'énigme.

– Je la trouve bien drôle leur énigme.

– Harold, dans un procès, tout est important. Un cheveu, un bout d'ongle, un gant, dit Adéline en retrait de son mari pour bien scruter sa réaction.

– Tu inventes des bonnes affaires, Adéline. Tu ferais un bon avocat.

– Je ne suis pas intéressée. Je veux seulement en finir avec cette histoire.

– Et nous, maintenant! Si on pouvait mettre la main au collet du coupable, Adéline, le monde serait très content!

– P'pa, le coupable est en prison! Vous le savez!

– Harold, des choses ne tournent pas rond dans cette histoire. Depuis le temps que je mijote, mon idée a changé. Ce prêtre a été accusé, sans preuves, et condamné trop sévèrement.

Harold se redresse sur sa chaise et regarde son père. Déboussolé, il se tait.

– Si tu pouvais te souvenir d'un détail, Adéline. Si tu pouvais!

– Je ne peux pas il faisait noir, Monsieur Montpellier.

– Prions le bon Dieu. Il est le seul à connaître la vérité.

– Mais elle est connue la vérité! Qu'est-ce que tout le monde a subitement à vouloir changer d'idée? crie Harold impatient en poussant sa chaise. En tout cas, la mienne est faite et ce n'est pas un bouton qui fera la différence!

Le mari d'Adéline prend son manteau et sort précipitamment, laissant la famille noyée dans son sillon de colère incandescente.

Le père Montpellier secoué, se retire dans son vivoir, il essuie une larme devant la méchanceté gratuite de ce fils outrageant.

Le lendemain, Adéline se lève exténuée. Elle n'a pas fermé l'oeil. Elle a songé à ce gant toute la nuit en se demandant quoi faire? Arrivée au tribunal, elle insiste pour parler à l'avocat de Simon.

En conciliabule, il est décidé de produire ce vêtement en preuve circonstancielle. On s'interroge sur l'idée de faire témoigner Firmin, l'idiot.

– C'est une possibilité.

– Mais nous devons le faire examiner par un spécialiste.

– Qui le déclarera fou!

– Nous n'avons aucune chance.

– Je crois le contraire, affirme Adéline accrochée à ce mince filet d'espoir.

– Réalisez-vous ce que vous êtes en train de faire?

– Essayer de découvrir la vérité, Monsieur l'Avocat. Rien de moins, rien de plus.

– Vous soupçonnez votre beau-frère ou votre mari, madame.

– Je veux connaître la vérité, c'est tout! Maintenant que je suis consciente de cette éventualité, je suis prête à n'importe quoi pour savoir. Pouvez-vous imaginer ma vie autrement?

– Vos choix sont minces.

– Je le conçois.

Ce qui fut décidé fut fait. Le spécialiste indécis, laisse la décision au juge. Le flair et la pression morale d'Adéline sur le médecin ont porté fruits.

Une stratégie est mise en place pour provoquer un effet de surprise. Adéline prépare Firmin du mieux qu'elle peut. Son succès est pénible et peu probant. Elle ignore que Firmin lui prépare un vrai coup de théâtre.

Les vieux Montpellier sont présents en ce septième jour d'audience. Le coeur ulcéré d'avoir à étaler à la face du monde les limites de leur fils, ils entrent, sans bruit, et se placent dans un coin obscur de la salle d'audience. Le départ de la maison fut pénible. Ils pensaient ne jamais s'en sortir.

– Firmin. Tu n'es pas encore habillé! Dépêche-toi! crie sa mère.

– Firmin, ville.

– Oui mon garçon. Tu viens en ville avec nous.

– Tu vas répondre aux messieurs?

– Oui. Firmin, parler monsieur.

Adéline pousse un soupir de soulagement. Pour combien de temps va-t-il tenir son cerveau à l'endroit?

– Tu vas parler du gant. Du gant! Tu as bien compris?

– Firmin, gant à l'école.

Adéline lui sourit. Il devient surexcité et se dandine sur un pied et sur l'autre. Puis, il court à sa chambre où il fait grand bruit.

– Qu'est-ce qu'il manigance encore? demande son père nerveux.

– Viens-t'en! On est en retard.

– Harold?

– Non, Firmin. Harold ne vient pas avec nous.

– Où est-il?

– Il est parti travailler, Monsieur Montpellier.

Le corps effilé du jeune homme se détend. Il semble avoir compris.

Firmin aurait-il peur de son frère, songe Adéline pensive?

La famille Montpellier entreprend son voyage autour de sa vie intime.

– Pourvu que tout réussisse Seigneur! implore Ursule menant le bras de son mari aveugle.

– Oui Seigneur! Embarque dans la voiture et conduis!

– Merci mon Dieu! proclame Adéline les poches bourrées de confiance.

* * * * *

La salle du Palais de justice se donne des airs de réussite en ce matin ensoleillé. Les avocats aiguisent leurs outils, le babillage juridique se poursuit un moment. Puis l'avocat de la défense s'empare du défilé verbal.

– Monsieur le Juge, je demande à entendre un témoin de dernière instance.

– Je m'objecte, Monsieur le Juge.

– Monsieur le Juge, l'audition des témoins est terminée mais un témoin de dernière minute se présente et désire nous apprendre des choses. Le procureur aura tout le loisir de le contre-interroger s'il le désire. Nous sommes ici pour faire la lumière sur cette agression et nous n'avons, jusqu'ici, obtenu un jugement que sur des preuves circonstancielles. Nous ne pouvons ignorer des faits nouveaux qui viendront nous éclairer davantage et mieux servir la justice.

Que se trame-t-il dans mon dos? se demande Simon Labrosse aux confins du mystère.

– Bien. Procédez Maître Mélançon.

– Monsieur le Juge, le témoin que nous souhaitons entendre est dépourvu mentalement. Je voudrais d'abord interroger un expert qui l'a examiné et qui nous dira, d'abord, s'il est apte à témoigner.

Un médecin s'assied à la barre des témoins.

– Docteur Gladu, croyez-vous le futur témoin, en mesure de témoigner et de dire la vérité, toute la vérité.

– Monsieur le Juge, ce cas est le plus énigmatique qu'il m'ait été donné d'évaluer.

– Expliquez-vous.

– Ce jeune homme présente des intervalles de lucidité surprenante et des moments d'aliénation évidente.

– Est-il apte à donner un témoignage cohérent?

– Il est très limité dans son langage. Mais il possède une capacité de sentir l'atmosphère et certains événements plus facilement que d'autres. Comment fait-il le trie entre ces événements qu'il codifie? Cela demanderait une longue investigation.

– Si je comprends bien, il est digne de confiance dans ses moments de lucidité.

– Exactement. Je suis assuré qu'il dit seulement la vérité. Très dépourvu d'imagination, il est incapable d'inventer n'importe quoi.

– Avez-vous des preuves de ce que vous avancez?

– C'est lui qui a sauvé Mlle Adéline Lussier de la mort. Après l'avoir trouvée dans la nuit, il l'a amenée dans la bergerie et l'a encerclée de moutons qui l'ont réchauffée.

– Donc, il peut relier certains faits et en découvrir le sens ou la signification.

– Je le crois. Sans le jurer.

– Expliquez-vous?

– Le mystère de l'être humain est si complexe qu'il dépasse parfois tout entendement. Je m'en remets à vous Monsieur le Juge.

Le magistrat, surpris par une telle demande, lève la séance et la reprend l'après-midi.

– Bien. Faites entrer ce témoin.

Le coeur des Montpellier se noue dans leur poitrine. Comment se sortira leur ignorant de fils?

Simon Labrosse nie de la tête. L'inconcevable machination de son avocat dépassait les bornes de la plus élémentaire condescendance.

Firmin intimidé mais encouragé par le sourire d'Adéline avance d'un pas incertain et s'accroche à toutes les chaises de l'allée centrale, une main sur sa poche gauche.

– Dites votre nom jeune homme?

– Firmin.

– Jurez de dire la vérité, toute la vérité, dites je le jure.

Firmin lève le bras en signe de compréhension et se tait.

– Bon. Considérons ce geste comme un serment.

L'avocat de la défense s'approche lentement de lui et le rassure.

– Firmin, tu es ici pour nous dire la vérité. Tu vas nous raconter ce que tu sais et ce que tu as trouvé.

Le jeune homme, tenant toujours la poche du veston d'Harold aux manches trop courtes, débite des phrases en des mots décousus qu'Adéline rectifie, suite à une autorisation de la Cour et raconte l'histoire du gant trouvé à l'école. Tout est si cohérent qu'Adéline intervient seulement deux fois. L'avocat présente le gant jaune en cuir robuste comme élément de preuve supplémentaire. Il le montre à Firmin.

– Tu parles de ce gant?

– Non.

– Lequel?

Firmin pointe Adéline.

– Adéline, trouvé gant.

– C'est vrai Monsieur le Juge. J'ai trouvé ce gant dans un coffre scellé du grenier, il y a deux semaines

– C'est celui que tu as trouvé dans l'école!

– Non.

– Où est l'autre gant?

– Feu. Harold, feu.

– Mon mari l'a brûlé, un jour qu'il l'a trouvé dans le tiroir à mitaines de la cuisine.

– Harold, méchant. Adéline, pleuré.

Un grand silence alourdit la salle devant cet aveu humiliant pour les Montpellier. Des visages chuchotent, d'autres examinent les parents de ce jeune homme exceptionnel, un mélange de fierté ou de pitié remplit leurs pensées.

Adéline baisse la tête, gênée. Firmin raconte au-delà de toutes ses espérances. Il en dit presque trop.

Visiblement fatigué Firmin donne des signes de limites, le juge le regarde et se prépare à clore l'audience pour la journée. Soudain, Firmin se lève et montre un bouton.

– Bouton, Adéline! dit-il à mi-voix.

Des clameurs incroyables remplissent la salle. Le juge ordonne le silence. Le monde se rassied. Simon Labrosse aux bord des larmes n'en croit pas ses yeux. Adéline tremble de tous ses membres et pleure. L'avocat de la défense poursuit.

– Tu as trouvé ce bouton, Firmin?

– Oui. École.

– Où dans l'école?

– Lit, explique-t-il de sa main montrant le dessous.

– Sous le lit?

– Oui.

– Quand as-tu trouvé ce bouton?

– Harold, Firmin, l'école.

– Harold et toi êtes retournés à l'école.

– Oui. Firmin, caché bouton.

– Où?

– Poche. Boîte.

Adéline cherche le sens de cette dernière phrase. Puis, tout s'éclaire. Elle revoit Firmin danser sur le coffre au pied de son lit qui veut lui montrer son secret. Mais elle ne comprend pas. Elle se souvient le matin même qu'il est monté à la hâte dans sa chambre et qu'il a fait du bruit avant de partir. Il était allé chercher son bouton. Elle demande à prendre la parole et raconte ce qu'elle vient de découvrir. Puis, soudain, elle blêmit. Tout s'illumine dans son esprit. Des images se superposent comme la copie d'une image dans un miroir. Le souffle haletant de son mari devient le même que son agresseur. Elle a froid dans le dos et partout. Blême, elle s'assied et grelotte. Elle pense à son chandail vert. Si on lui apportait.

Pendant ce temps, tout se bouscule. Firmin retourne auprès de sa mère aux prises entre le désarroi et la fierté. Son père pleure à chaudes larmes. Il a déjà songé à ce qui s'en vient.

– Je sais! crie Adéline debout se tenant les joues, son visage décrivant les images de son cerveau. Je me souviens!

– Monsieur le juge, je demande la permission de réentendre ce témoin, insiste l'avocat de Simon Labrosse.

– Accordé.

Adéline s'installe à la barre des témoins tremblant de tous ses membres, le mouchoir en mains et bouleversée par sa découverte.

– Qu'avez-vous découvert Mademoiselle Lussier? interroge l'avocat de Simon?

– Ce souffle!...

– Quel souffle?

– Celui de mon mari. C'est le même!

Adéline effondrée verse des larmes de nervosité.

– Expliquez-nous Mademoiselle Lussier.

– Je me souviens de tout maintenant. J'ai cherché longtemps pourquoi mon mari me faisait si peur lorsqu'il se mettait en colère contre moi. Quand il a brûlé le gant trouvé par Firmin à l'école, son souffle m'étouffait. J'avais beau scruter ma mémoire, rien ne sortait. Puis, tout à l'heure en écoutant le récit de Firmin, le souvenir de ce souffle entendu le soir de l'agression m'est revenu clair comme le jour. Ce souffle se superposa sur celui de mon mari, devant moi très fâché; il est le même.

– Monsieur le juge, la preuve est faite. J'ai terminé.

– La justice fera la lumière à ce sujet. C'est tout Mademoiselle Lussier.

Le juge ordonne aux policiers d'accomplir leur travail. Au souper Harold ne sera pas à la table familiale.

– Monsieur Simon Labrosse, vous êtes libre! la cour est ajournée.

Simon se sent comme dans un rêve. Tout ce temps, il a vibré aux incurables événements qui se déroulaient sous ses yeux, communiant aux angoisses, aux peines, aux sourires, aux succès des témoins échelonnés à la barre des témoins. Pas un instant il n'a pensé à lui. Voilà que le juge lui parle de liberté et le ramène à la réalité. Il grimace de joie et enlace son avocat. Puis il court vers Adéline et la serre, la serre si fortement qu'il sent son coeur affolé perdre le nord.

– Adéline! Chère Adéline!

– Simon Labrosse, tu es libre! Moi, j'entre en enfer.

Simon lui caresse la chevelure et l'embrasse. Il sait qu'elle souffrira. Il sait que tout n'est pas fini.

– Si tu as besoin, je suis là.

– J'ai déjà besoin de toi. Imagine ce que sera notre retour à la maison. J'ai envoyé le fils sensé derrière les barreaux et j'ai fait renaître l'idiot. J'ai tant de peine pour ces deux vieux.

– L'amour du prochain n'implique pas de leur enlever leurs responsabilités. Chacun est responsable du panier qu'il remplit le long de sa vie.

– Le philosophe qui reprend son moule! Où iras-tu coucher ce soir? Pas à la prison!

– À la prison!

– Je suis leur aumônier jusqu'à dernier ordre.

– Tu es incorrigible!

– Pas incorrigible. Fou de Dieu!

Dans une rangée de la salle d'audience, une femme et son mari se serrent noyés d'émotion. Le bedeau tapote l'épaule de sa femme en pleurs, qui renifle.

– T'endends, Médor Philippon! Le vicaire est libre.

– J'ai bien entendu, Antoinette.

– Ils ont enfin compris que je disais la vérité. Le vicaire aussi!

– Mais oui, Antoinette. Mais oui!

– Me prendre pour une menteuse! Je te l'ai pas dit mais j'ai eu assez honte à l'autre procès quand personne ne m'a cru.

Le bedeau regarde sa femme les yeux ronds sortis de leur orbite. La malice reprenait sa place en même temps que le coeur de Antoinette revenait sur le sens et que le ton montait. Il soupire soulagé. L'heure de retourner chez lui sonne; la cloche du soir l'attend au clocher de l'église.

Antoinette se lève, et droite comme la statue de Saint-Louis de Gonzague de son église, elle se rend à la rencontre du vicaire qui la remercie ému.

Un jour chargé de souvenirs inoubliables se termine sur une page à insérer dans leur mémoire pour l'éternité.

Un grand panier de joies remplit la couche des vieux Lussier en ce soir de murmures intimes. Leur fille a recouvré la mémoire et lavé la réputation de ce pauvre Simon. Derrière les nuages étalés sur leur chapeau, le soleil couve une multitude de jours heureux.

La vie ne sera jamais plus la même.

* * * * *

Harold revient de son travail et trouve la maison vide.

Étrange que personne ne soit à la maison. Leur est-il arrivé quelque chose? Firmin doit être à la bergerie. Mes parents n'ont pas l'habitude de partir tous les deux. À moins que papa soit tombé malade... Ou maman...

Il analyse des suppositions, tout en regardant par la fenêtre et en réfléchissant. Il songe à son fils. Le lit est vide.

Curieux... Très, très curieux.

Il surveille la porte de la bergerie pour apercevoir Firmin mais personne ne bouge. Il décide d'enfiler de nouveau son coupe-vent et se dirige vers les bêtes à laine qui bêlent. Elles ont faim. Donc Firmin ne s'y trouve pas. Il donne de l'eau, de la moulée, du foin aux animaux et retourne à la maison, moins rassuré. Soudain, on frappe à la porte, deux hommes lui font face.

– Monsieur Harold Montpellier?

– C'est moi.

L'un d'eux lui montre un mandat d'arrêt.

– Qu'est-ce que c'est?

– Nous venons te chercher, jeune homme.

– Me chercher! crâne Harold, les lèvres de travers et le coeur au boulot. Pourquoi?

– Nous avons l'ordre de te ramener avec nous.

– Avec vous! Il y a une erreur quelque part! Je n'ai rien fait!

– Alors tu t'expliqueras et tout ira plus vite.

– Entrez, assoyez-vous un moment j'attends ma femme.

– Tu n'attends personne et tu viens avec nous.

– Tout de suite!

– Tu comprends vite. C'est préférable pour toi.

– Me direz-vous ce que vous me reprochez!

– Tu le sauras à ton arrivée au poste.

– Je veux voir un avocat. Vous ne pouvez m'arrêter ainsi.

– Tu verras tous les avocats que tu veux. Maintenant, habille-toi et suis-nous.

– Je vais prendre un objet dans ma chambre.

– Nous te suivons.

L'un des deux policiers laisse un papier en évidence sur la table de cuisine.

En lui, Harold sait qu'il est perdu. S'il avait pu parler à sa femme et savoir ce qui s'était vraiment passé au Palais de justice. Il enfile de nouveau son veston, fait un tour d'horizon dans la cuisine, sent les menottes lui retenir les poignets et des larmes humidifient son regard. Il ne reverra jamais plus ce lieu, il en a la certitude. Déjà, il gribouille des cellules d'une prison dans sa cervelle et un goût de fiel lui monte à la gorge. Il est fichu! Cette fois, le crime ne paie plus.

* * * * *

Adéline le dos recourbé gravit lentement les marches de sa demeure, fourbue, suivie par deux vieillards au coeur noyé de chagrin. D'étranges sentiments de joie, de colère mêlés d'inquiétudes nourrissent son coeur.

Quand viendra-t-on arrêter son mari? Comment fera-t-elle pour le rencontrer?

Sa colère la tuera, c'est sûr, si elle n'y prend gare!

Où couchera-t-elle ce soir?

Son enfant, qu'ils ont repris chez une voisine, pleure, il a faim.

Si ce n'était pas de lui, je courrais vers mes parents. Puis il y a eux, ces deux pénibles victimes. Et Firmin qui se laisse choir sur une chaise, complètement vidé.

Elle descend à la cave puis monte au second étage et redescend au premier en cherchant son mari puisque ses outils sont là dans un coin de la cuisine. Au passage, elle avance dans la chambre de Firmin et découvre son coffre resté ouvert, rempli de balles de laine de toutes couleurs. Elle se penche et examine l'intérieur.

– Adéline, bouton ici.

La jeune femme sursaute, elle n'a pas entendu monter le jeune homme. Firmin montre l'endroit où il avait caché ce fameux bouton et Adéline recolle les bouts manquants du puzzle. Elle tapote l'épaule de Firmin.

– Je sais. Tu es brave Firmin. Brave et pas idiot. Un autre l'est davantage. Où est Harold?

Firmin ne répond pas et se laisse choir sur son lit. Adéline retourne à la cuisine et voit une femme en larmes lire un papier. Elle le présente à Adéline.

– Tu es une salope! Tu as apporté la malédiction sur notre famille! Tu es le diable incarné! Tu as accusé ton propre mari d'un crime qu'il n'a pas commis. Jamais je n'aurais cru voir une chose pareille dans ma sainte vie! Je ne veux plus de revoir, jamais! Quand Harold sortira de cette merde! Je ne paie pas cher de ta peau! Emmène ton crétin d'enfant avec toi. Il n'est pas de notre monde! Ne pose plus les pieds ici de ta vie! Entends-tu? Jamais!

Adéline estomaquée se retire dans sa chambre mais au passage de la jeune femme devant le père, qui n'avait pas encore prononcé une parole, il élève la voix.

– Tu vas t'asseoir à la table avec nous et manger. Ce que ma femme t'a dit est faux. Ce soir, tu dormiras dans ton lit et demain tu décideras ce que tu veux, pas avant. Notre garçon t'a mis à la porte d'une école une nuit et tu as failli en mourir, tu ne répéteras pas ce geste deux fois. Harold est de la mauvaise graine. Le gant que tu as trouvé dans le grenier a bel et bien été caché un jour par Harold et la connivence de sa mère. Ils se croyaient seuls au grenier et je m'y trouvais par hasard. J'ai tout entendu. Tu es aussi coupable ma femme que lui! et j'ai aussi les pattes sales.

L'aveu de Berthold Montpellier fait trembler les murs sous leurs socles. Le silence compressé fait fondre les visages. La voix du vieil aveugle poursuit sa montée.

– Toute ta vie tu as semé de la haine tu as récolté ce que tu mérites. Sans yeux, je vois plus qu'avant. Rien ne m'échappe.

– Tu es un sans coeur, Berthold! Je te croyais un homme d'honneur. Tu as été un mou toute ta vie. Un mou et un sans génie! Les fous de notre famille ne sont pas de moi mais de toi! Je ne veux plus en entendre davantage.

Ursule Montpellier se retire à sa chambre. Le vinaigre de son estomac en furie distille le peu de raisonnement qui lui reste. Berthold, son mari, intervient.

– Reste ici! ordonne Berthold Montpellier d'un ton et d'un voix inconnue jusqu'alors. Tu n'iras nulle part! Maintenant qu'Harold est en sécurité nous n'aurons plus peur. Tu prépares le souper et nous mangeons tous ensemble!

Adéline, les larmes aux yeux, de ses bras, entoure le cou de ce vieil homme sage et lui murmure des mots de douceur et de remerciements.

– Monsieur Montpellier, merci! Merci d'avoir compris. Oui j'avais peur d'Harold. Mais j'ignorais que vous éprouviez les mêmes sentiments à son égard.

– Ma fille c'est fini. Tout est fini!

– Va me chercher des patates à la cave, Adéline.

– Tout de suite, Madame Montpellier.

La nuit tombée, Adéline enfile son corps entre les couvertures et regarde la lumière dans le reflet de son miroir de sa commode. Une chose la surprend. La carte offerte par un inconnu, lors de son séjour à l'hôpital, qu'elle avait piqué dans un coin du miroir a disparu.

Chapitre 25

La nouvelle de l'arrestation d'Harold a fait sensation au pays. Le fait qu'Adéline ait marié son agresseur, sans le savoir, a frappé l'imaginaire des gens.

La réalité dépasse la fiction, affirme les éditorialistes, **nous en avons la preuve chaque jour.**

Harold en prison depuis bientôt un an, Adéline est sans le sou. Elle rêve tout haut.

– Si je pouvais retourner faire l'école, grand-père.

– Tu veux vraiment reprendre ton travail?

– Certainement. Je me meurs d'ennui à la maison. Je me sentirais utile au milieu de ces petits.

– En as-tu parlé à quelqu'un?

– Pas encore.

– Je connais un commissaire d'école. Je vais lui en glisser un mot.

– Vous feriez cela pour moi?

Bien sûr Adéline. Pour toi, je ferais n'importe quoi!

Adéline rit de bon cœur.

– Vous êtes toujours aussi charmeur, Monsieur Montpellier. Cela vous jouera de vilains tours!

– Pas des vilains mais de bons tours, j'espère.

Le père et sa bru partagent leur gaieté comme des larrons en foire, ils sont enfin heureux.

Un arrêté en conseil lui permet de reprendre le chemin de l'école la saison suivante. Elle déborde de joie et la vie reprend son cours normal.

Berthold Montpellier est malade. Cette nouvelle crise existentielle dans leur vie l'a miné. Malgré le plaisir qu'il éprouve à entendre fredonner «sa» fille Adéline, le fil le retenant à la vie s'amincit. Le bon vieux attrape une vilaine grippe qui se transforme en pneumonie, il meurt au printemps. L'été précédent, ils avaient enterré la fameuse, l'unique Ursule. Berthold Montpellier avait trouvé ardu ce bout de vie. Il aimait, malgré tout, sa femme aux contours imprévisibles mais jamais monotones.

Par une étrange ironie du sort, Adéline se retrouve l'héritière du domaine Montpellier. Elle entreprend des démarches en vue de faire évaluer son fils retardé. Peine perdue, aliéné il est, aliéné le restera. Elle apprend que son fils, très limité, peut être placé chez les religieuses qui s'occuperaient de lui et la soulageraient d'un poids lourd à porter. Elle réfléchit longtemps avant de prendre une telle décision.

– Tu n'as pas le choix, Adéline, lui affirment ses parents. Ton travail est ta soupe et ton lit. Tu ne peux t'en occuper. Et tu ne trouves personne qui veut le faire à ta place.

Adéline réalise que leurs propos sont sensés. Un bon jour elle frappe à la porte d'un couvent. Le coeur en charpie, elle se résigne à leur mettre entre les mains l'oeuvre de ses entrailles. Elle le visite souvent mais il ne semble plus la connaître. Elle en est navrée.

– Mon garçon ne me reconnaît plus Simon, lui affirme une mère éplorée quand l'ancien prisonnier immatriculé: 20045 visite Adéline.

Le bon vicaire a eu une cure dans un village des environs, il se remet de son cauchemar injuste, grâce à Dieu! dit-il à tout le monde.

– C'est un enfant limité qui répond à des stimuli rudimentaires. C'est un bon signe.

– Je ne comprends pas.

– Cela signifie qu'il est heureux à cet endroit.

Adéline pousse un soupir de soulagement.

– Tu me rassures. Je me sens mieux maintenant.

– J'ai eu des nouvelles de Firmin, Adéline.

Adéline triste penche la tête. Elle s'ennuie de ce grand garçon qui lui a sauvé la vie. Après la mort de Berthold Montpellier, ils ont décidé Simon et elle, de placer également le jeune beau-frère. Rester ensemble dans cette grande maison devenait inconvenant. Alors Simon déniche un foyer dans son village où il sera bien accueilli, il veillera sur sa protection et l'employera à l'occasion au presbytère. Simon Labrosse continue sa lancée.

– Je lui dois ma liberté et ma dignité de prêtre. Je ne l'oublierai jamais!

– C'est vrai. Il nous est précieux.

Le départ de Firmin se déroule dans les larmes. Il cherchait à savoir pourquoi il devait partir.

– Firmin, aider Adéline.

– Je sais Firmin. Je connais ton grand coeur.

– Firmin, entrer bois, ôter neige, lettres.

La nervosité du jeune homme crève le coeur d'Adéline.

Comment expliquer les cancans, la sauvegarde de la réputation, tout, tout.

– Je suis capable de tout faire ce que tu énumères, Firmin. Puis c'est une maison trop grande pour toi et moi. Les moutons sont vendus. Tu es tout seul, des journées entières; je suis inquiète. Je suis responsable de toi et je me refuse qu'il t'arrive quoi que ce soit.

Adéline parle tant que le pauvre garçon tombe assis sur sa chaise incapable d'en entendre davantage. Simon arrive. Il t'expliquera mieux que moi.

– Nous irons ensemble, toi et moi, voir ces gens qui veulent s'occuper de toi.

– Firmin, peur.

Adéline pleure et caresse la joue de ce coeur d'or, s'abreuve à cette pureté d'intention et cette si grande droiture d'esprit écrite dans les prunelles de ce jeune homme magnifique. Elle le prend dans ses bras pour la première fois et le serre sur son coeur. Le jeune homme en est tout renversé. Il pleure avec elle, incapable de se retenir. Il n'a jamais pleuré. Autrefois, il exprimait ses émotions par des gestes ridicules et des grimaces horribles à regarder. Simon regarde ce tableau et leur tourne le dos, à son tour, pour éviter de faire comme eux.

– Tu vois, Simon! Il progresse même dans son système émotionnel. Je t'aime mon grand galet!

– Voilà Adéline où conduit le pouvoir de l'amour. Il accomplit des miracles.

Adéline pensive se tait, le regard perdu dans le lointain.

– Si j'avais pu en faire autant pour mon enfant.

– Dieu est maître de ton souhait. Ne l'oublie jamais!

Il fut décidé du moment approprié pour tout le monde. Un matin, Adéline et Firmin enfilèrent ensemble, une dernière fois, la route les menant chacun à leur destin. Firmin trouva un vrai foyer chez les Sauvageau et il continua sa longue, lente, mais véritable ascension vers le monde des futés.

* * * * *

Dans sa cellule, Harold augmente les pulsations de haine entretenues pour sa femme et les nourrit de vengeance. Il passe son temps à compter les jours, les années à passer avant de sortir lui faire la job! Elle ne perd rien pour attendre. Il mijote des plans, décortique des idées, invente des stratèges. Il a amplement de temps. Vingt-cinq ans de prison sans rémission. Il songe à l'âge qu'il aura quand viendra l'heure de sa libération. Cinquante-cinq ans! Cette réalité lui donne froid dans le dos. Il étudie le monde interlope et ses comportements. Il analyse les moyens que certains prennent pour commuer leur peine ou les réduire. Il prend une ligne de vie et la tiendra, il s'en fait le serment sur la tête de sa mère. Pauvre mère! Ses os ne lui font plus mal et il n'a pas eu la chance de lui faire ses adieux. Un cousin vient deux fois par année lui donner les dernières nouvelles. Son père est mort, son fils est placé dans un hospice et son frère vit dans une autre famille.

— La vache! crie-t-il de dépit, une fois revenu à sa cellule. Elle a fait maison nette et fait la belle vie! Elle me le paiera, je n'ai pas dit mon dernier mot! proclame-t-il à son cousin venu le visiter.

— Jude voudrais-tu me rendre un service?

– Si je le peux Harold.

– Je ne connais rien des arrangements de p'pa après sa mort. Pourrais-tu te renseigner et savoir à qui appartient le bien paternel?

J'espère qu'il a pensé à moi le vieux tarla!

– Je veux bien essayer mais je ne te promets rien. Tu comprends, je suis seulement ton cousin.

– Parles-en à mon oncle Odule, ton père. Il a plus d'un tour dans son sac celui-là.

– Bonne idée.

Le cousin le quitte un lourd engagement en poches. Il n'est pas prêt à se frotter à cette famille pestiférée. Mais il a promis de faire son possible. Alors...

Quelques mois plus tard, Harold apprend de la bouche de son cousin que l'héritière de la terre des Montpellier est nulle autre qu'Adéline Lussier, sa femme. Il tombe des nues.

Qu'est-ce que p'pa a pensé! Est-il tombé sur le crâne, celui-la? J'existe moi!

Tu existes mais tu ne vaux pas cher!

Harold grince des dents. Il s'est fait flouer par tout le monde. Sa hargne engraisse à vue d'oeil. Son oeil s'obscurcit chaque jour. Bientôt il ne verra plus la lumière de la vie. En attendant il fait du temps et se parle!

Que j'ai été bête! Elle n'en valait pas la peine.

* * * * *

L'année entière s'est déroulée sous le signe du bonheur. Adéline comblée roucoule. Sa bouche chantonne des airs légers et des balades romantiques. Ses marmots graduent tous en fin d'année scolaire et déjà elle fait des projets pour l'an prochain.

Un matin, le postillon lui apporte une lettre curieuse. Adéline reconnaît l'estampille de la prison où séjourne son mari qu'elle n'a jamais revu et ne désire plus jamais revoir. Elle ouvre la lettre et relit la missive. Son visage se transforme, c'est sérieux. Son «défunt» mari lui réclame sa part de l'héritage. Elle tombe en bas de sa chaise. Sans perdre de temps, elle rend visite à ses parents et les informe de ce nouvel épisode.

– Maman lisez cette lettre!

Sa mère aux cheveux enneigés prend ses lunettes, les ajuste et parcourt les lignes.

– Ouais. Il a du front tout le tour du chapeau cette crapule! Si on pouvait en parler à ton père mais il est si sourd qu'il déforme tout ce que l'on dit.

– Il peut lire, maman.

– Pourtant vrai!

Les deux femmes s'approchent du bon vieillard, Adéline lui place ses verres en plein milieu du visage et lui présente sa lettre. Alfred Lussier lit le papier, regarde Adéline et réplique:

– Il ne peut rien contre toi, c'est Berthold Montpellier qui le voulait ainsi.

– Ce n'est pas ce qu'il avance.

– Je vais lui écrire une lettre et lui dire d'aller paître dans les limbes.

– Essaie ce stratège et tu verras.

– Pauvre toi! Tu n'auras donc jamais fini avec ce renégat!

– Je n'ai plus peur de lui, maman. Voilà toute la différence. De plus, j'ai la loi en ma faveur.

– Puisses-tu dire vrai, Adéline, réplique sa mère comme une prière.

Adéline reprend le chemin du retour, rassurée. À sa première réplique, il répond. Elle tremble un peu et revient chez sa mère avec l'intention de consulter un avocat. Elle aperçoit une voiture près de la demeure de ses parents.

Tiens... Ils ont de la visite.

Elle descend de voiture, attache son cheval et se précipite dans la maison, toujours heureuse de retrouver les auteurs de sa vie. En ouvrant la porte, elle fige sur place. L'homme assis au bout de la table, qui explique des papiers à sa mère, s'appelle Laurier Lanteigne.

Albertine Lussier surprise, se lève, s'avance vers sa fille ne sachant quoi faire.

– Maman! tu ne m'avais pas dit...!

– Je croyais préférable Adéline, bafouille Albertine en s'effaçant dans la pièce à côté.

Un monsieur magnifique, élégamment vêtu, s'approche d'Adéline subjuguée par cette soudaine apparition.

– Adéline!

La voix de l'homme la fait tressaillir. Elle a un peu changée, elle résonne l'homme mûr.

– Laurier! Qu'est-ce que tu fais ici?

– Tes parents ont eu besoin de moi et je suis accouru.

Je suis accouru. Adéline silencieusement répète cette phrase, maintes fois, pour son plaisir.

– Et tu ne sais rien de moi.

– Je sais tout de toi, au contraire.

– Tu es toujours dans les chiffres?

– Comme tu vois!

– Et toi dans les livres d'enfants?

– Comme tu dis!

Adéline ne sait comment être devant cette subite apparition. Elle implore le ciel de lui venir en aide.

– Tiens, assieds-toi! Fais comme chez vous! offre Laurier à la jeune femme aux joues empourprées jusqu'au cou.

Adéline sourit. Spirituel et coquin le monsieur... comme autrefois.

Sa mère revient et transforme l'atmosphère en explications complexes. Adéline, noyée dans sa surprenante et délicieuse rencontre, n'écoute pas. Albertine Lussier apaise le brasier qu'elle lit dans les yeux de sa fille. Heureuse et peinée, à la fois, de constater que ce qu'ils ont tenté de garder secret si durement, vient d'être découvert.

– Maman, papa est dans sa chambre?

– Oui. Il t'attend.

Adéline se précipite dans le corridor la menant à son père. En chemin, elle respire profondément pour se ressaisir. Son père l'accueille content. Elle écrit sur son ardoise.

– Papa! Comment ça va?

– Bien Prunelle! Et toi!

– Qu'est-ce que Laurier Lanteigne vient faire ici!

L'homme saisit l'interrogation et se tait. Pourtant vrai, elle ignorait tout de leurs affaires avec cet homme.

– Nous l'avons rencontré un jour par hasard au moment où nous avions besoin de quelqu'un pour nous aider à compléter nos impôts. Le décès de ton oncle Isidore nous a occasionné un tas de problèmes. Autant le frère de ta mère m'a été précieux de son vivant, autant il nous cause du trouble maintenant. Les gouvernements ont l'oeil alerte sur la mort des célibataires, tu sais.

– Depuis quand est-il de retour?

– Je l'ignore. Puis. Qu'est-ce qui se passe de beau dans ta vie, Adéline? rétorque son père, l'intention déterminée de changer de sujet.

Adéline lui répond poliment mais sa tête est absente. Dans le but d'étirer le temps, elle fertilise l'atmosphère de légers babillages avalés par son paternel, de connivence avec elle. Adéline entend frapper une porte. Enfin! Il est parti.

Dans la cuisine, Laurier a étiré le cou pour voir couler la démarche d'Adéline lors de sa fuite vers son père. Distrait par ce moment privilégié, il fait répéter Albertine.

La pauvre mère, inquiète de voir se dérouler sous ses yeux ce qu'elle espérait taire depuis toujours, époussette de sa main le dessus de table de la poussière imaginaire et agite le bruit en reformant la pile de ses papiers. L'homme remet le nez sur une feuille et explique. Mais son regard est absent. Nerveux, il conclut sommairement et fourre le tout dans son porte-documents.

– Nous avons terminé Madame Lussier. Ce fut plus facile que vous ne le croyiez, n'est-ce pas! Si j'ai d'autres interrogations, je vous mettrai au courant.

– Parfait! Avec toi, tout est simple et précis.

– Comme les chiffres, madame. Comme les chiffres! Saluez votre mari et Adéline de ma part.

– Je n'y manquerai pas.

Laurier Lanteigne referme la porte sur une ouverture du coeur jamais refermée. Il nage dans un mélange de délices et de craintes. Que faire? Comme elle a changé! La peine incrustée dans son regard lui a percé une artère. Incapable de se détacher de ce regard et de cette démarche uniques il va en automate, le coeur triste et l'âme en peine. Que faire? Pourquoi être parti de la sorte, autrefois?

Tu en connais la raison, assure son cerveau.

Oui. Mais ce fut une erreur.

Elle est mariée, maintenant. Ne l'oublie pas!

Pouvoir l'oublier, Voilà le défi!

* * * * *

– Maman! Vous m'avez caché des choses! C'est la seconde fois! Ne dites pas que j'étais malade encore cette fois-ci!

– Tu es mariée Adéline! C'était suffisant. On ne tente pas le diable inutilement. Tu as assez souffert dans ta vie. Nul besoin d'en ajouter d'autres.

– Comment l'avez-vous retrouvé?

– Rencontré, Adéline. C'est différent!

Sa mère, assise en retrait de sa fille et sur ses réserves, ferme la radio devenue criarde. Albertine Lussier raconte leur retrouvailles fortuites et ce qui s'ensuivit.

– Et vous m'avez tout caché!

– C'était pour ton bien, Adéline.

– Pour mon bien! Je suis assez vieille pour décider en toute liberté, non!

– Ne te fâche pas! Nous avons fait pour bien faire!

Adéline, sensible à la sincérité maternelle, baisse pavillon. Après tout, que lui servira maintenant cette rencontre? Des nuits blanches illusoires, tout au plus! Troublée par cette rencontre, elle oublie de parler du sujet qui l'amenait en visite chez ses parents.

— Je songe à rendre visite à Ulric de retour à Toronto. Vous ne venez pas avec moi?

Sa mère agrandit les yeux. Cette idée lui mijote dans le coco depuis si longtemps, sans jamais en avoir souffler un mot à personne. Une triste pensée lui traverse l'esprit.

— C'est une excellente idée! Depuis le temps qu'Ulric nous invite. En serons-nous capables, Adéline? C'est la question! S'il s'était avisé de faire comme les autres et rester parmi nous, ce garçon.

— Maman! Une journée en train n'est pas la mer à boire?

— Tu le crois?

— Oui, sans hésiter!

Ses craintes anéanties, un immense sourire illumine son visage. Adéline émue sent monter sa joie. Pauvres parents à l'oubli de soi immense comme le ciel! Ils pullulent dans notre société.

En ce soir encore chaud de tendresse et de confidences affectueuses, la famille Lussier ferme les yeux, toutes fenêtres ouvertes en quête de fraîcheur d'été, sur une journée fertile en rebondissements inattendus.

Le couple Lussier dépose leur corps repu de fatigue nerveuse et réfléchit.

— Nous avons fait notre possible, Dieu fera le reste, se disent-ils.

Albertine pèse sur le bouton de la radio et la musique cesse. Seule, celle de leur mémoire sème quelques notes sur leur sommeil en veilleuse avant de baisser pavillon.

Adéline sur une berceuse de la galerie, laisse monter le soir irisé de couleurs, écoute les criquets triturer le silence de ses pensées en écoutant de la musique. Un homme vient de réapparaître dans sa vie. Que fera-t-elle?

* * * * *

— Ce cas s'avère un échec, conclut le chef de police devant le peu de renseignements obtenus sur cette enquête.

— Que faisons-nous de ces os, chef?

— Ils seront enterrés dans la fausse commune au cimetière de la paroisse où ils ont été trouvés. Nous conservons le dossier en filière et nous verrons plus tard.

— Une étrange histoire que ces ossements, hein patron!

— En effet! Aucune disparition n'a été signalée depuis. J'avoue que c'est la plus étrange que j'ai vécue.

— Des os en trop, on n'a pas vu ça souvent.

— À moins qu'on les a empruntés d'un cimetière.

— T'es pas drôle, Lucien!

— La vérité finit toujours par se savoir.

— Un jour le chat sortira du sac!

— Il s'agit de trouver la combinaison.

— Où? C'est toute la question.

— Un jour, les moyens à notre disposition seront améliorés. Il paraît que bientôt on sera en mesure de donner l'âge des squelettes, les plus anciens de la terre.

— Hein!

– J'espère être en devoir à ce moment-là!

– La police résoudra tous les crimes, alors!

– Tous! Ou presque. Il se trouvera toujours des petits malins capables de brouiller les pistes.

Les ossements trouvés entre les terres à bois des deux belligérants Montpellier et Lanteigne entrèrent dans le monde de l'oubli, Adéline et Harold n'en entendirent plus jamais parler. La mort d'Hilaire Lanteigne le rentier-fossoyeur scella son secret dans son cercueil.

Personne ne connaissait l'existence de *la chambre*: sa petite fille débile, muette, à l'aspect monstrueux, à la tête démesurée, à l'oeil droit planté au milieu de la joue, sauf ses trois enfants. Lors du feu de la maison paternelle, quelque temps après le départ de Laurier pour l'Amérique du Sud, les jeunes Lanteigne crurent que *la chambre* avait brûlé en même temps que leur mère. Ils sentirent un grand soulagement devant cette solution providentielle. Sans jamais discuter entre eux et leurs parents de ce lourd héritage dans leur vie, ils remerciaient le ciel de les avoir exaucés.

Monique, leur fille unique, psychiatre à Vancouver, était partie depuis longtemps quand le drame arriva. Paul, lui, mis un terme à ses interrogations sur le sujet et tourna la page. Pour Laurier, plus sensible, c'était une autre histoire. Paul pensait que son père était devenu fossoyeur en songeant au futur. Il avait cessé de se questionner sur le fait que ses parents avaient caché cette malédiction envers et contre tous. Ce fut un duel constant avec la vie pour réussir ce tour de force. Seule sa mère prenait soin de *la chambre*. Paul, lui, l'avait entrevue un jour en suivant sa mère à la dérobée. Ce fut un tel choc, qu'il fit d'horribles cauchemars pendant de longs mois. Elle lui fit promettre de ne jamais en parler, sinon elle en avertirait son père qui serait intraitable envers lui. Il tint parole. Quand il réalisa la triste fin de sa mère, il pleura amèrement. La pauvre femme avait été une martyre d'une idée chimérique. Il avait beaucoup lu sur le sujet et savait que des gens prenaient soin de ces personnes. Hélas, le couvercle de ce secret si fortement verrouillé par leur père ne trouvait aucune issue pour l'ouvrir. La vie se chargea de résoudre le problème.

La vérité était tout autre. *La chambre* était morte seule, sans aide, avant le feu. Le père Hilaire était allé enterré sa fille dans la clairière de la forêt, à la frontière entre sa terre et celle les Montpellier, en attendant que le temps arrange les choses au cimetière. Il projetait, au moment propice, de la placer sous un cercueil avant de remplir la fausse. Il n'eut jamais l'opportunité d'accomplir son funeste projet.

Aujourd'hui, sans le savoir, *la chambre* est enterrée dans la fausse commune au pied de sa mère, Eugénie Lanteigne. Des policiers se signent de la croix sous l'eau bénite du pasteur venu arroser la fausse, tirent leur révérence, ce dossier est *clos*.

* * * * *

Laurier Lanteigne retourne chez lui ce jour-là, les idées en broussailles. Sa rencontre avec Adéline a ravivé un sentiment jamais éteint. Les regrets lui montent à la gorge. S'il avait su. S'il avait pu imaginer le sort réservé à Adéline, il ne serait jamais parti. Comment résoudre ces obstacles quasi insurmontables? Elle est mariée! Mariée et malheureuse. La raison de son départ lui semble si futile maintenant, qu'il se demande comment elle la recevra. Car il décide de la revoir et de tout lui dire.

Un jour d'août, on frappe à la porte d'Adéline. Ce qu'elle pressentait se précise. À travers le tulle de la fenêtre, elle reconnaît Laurier Lanteigne, un bouquet de fleurs à la main. Elle tressaille. Quoi faire?

Ouvrir, lui indique un tiroir de sa pensée.

Longtemps elle avait songé à cette éventualité, sans pouvoir prendre une décision. Chaque jour sa confusion s'épaississait davantage. Elle se dit que toute cette histoire pouvait être créée par son imagination et qu'il avait tourné la page à son sujet, qu'il était marié et avait probablement des enfants. Apercevoir le bouquet de fleurs flagella ses tempes. Son imaginaire sonnait drôlement la réalité. Devant elle, un homme très séduisant lui sourit. Dans leur orbite, les prunelles tendres de Laurier d'une clarté fascinante scintillent de mille feux, attise le désir, enflamme son âme et lui brûle le coeur. Comment tenir les ficelles d'un tel moment? Elle se retient de lui ouvrir les bras et lutte contre les forces de l'amour, les deux mains accrochées à la table de cuisine.

– Bonjour.

Le son de cette voix unique résonne en lui et le fait frémir en plein été. Il goûte la splendeur de celle qu'il a toujours aimé et quitté bêtement.

– Adéline. (Tu es encore aussi belle!)

– Entre. Les mouches ont soif.

Le duo rit à gorge déployée pour évacuer l'inconfort de la situation.

– Les mouches! J'ignorais. Tiens. C'est pour toi, avance Laurier les oreilles et les joues rougies comme un jeune premier.

– Pour moi! C'est gentil. Merci!

Adéline lui tourne le dos, prend un vase à fleurs, verse de l'eau et plonge les roses rouges magnifiques dans le liquide. Les minutes apaisent leur gêne, le calme reprend ses esprits.

L'homme profite de ce répit pour reprendre en main ses hésitations de jeune tourtereau, la regarde attentivement et fait le tour de la pièce propre et spacieuse. Un flot de parfums entre déjà par la fenêtre ouverte au vent du large où flotte un bateau blanc sur le bleu de l'onde et caresse son odorat.

– Elles sont superbes! Vraiment superbes! ne cesse-t-elle de répéter, au grand bonheur de Laurier ému.

– Assieds-toi.

– Tu es toujours belle, tu sais.

Troublée, elle baisse les yeux pour échapper à cet élan irrésistible qui semble l'entraîner malgré elle. Sa soif de tendresse palpable lui tord les boyaux. Mais elle est une femme mariée, cela ne doit jamais sortir de sa matière grise.

– Laurier, tu ne changes pas. Toujours aussi avenant.

– Et content de te revoir. Comment vas-tu?

– Tu vois, à merveille!

– Adéline, tu ne sais pas mentir.

– Disons que le ciel s'est éclairci depuis un an.

– Mais il reste encore des nuages.

– Un gros, entre autres.

Ils sont maintenant dans la salle à manger. Au centre trône la photo d'un bébé.

– C'est ton fils.

Adéline baisse le regard.

– ...

– Je sais tout, Adéline. Voir cette photo d'enfant me bouleverse.

– Je ne comprends pas. Cet enfant est un débile profond. Rien de tel pour pavoiser.

– C'est cette fierté que tu entretiens qui me déconcerte. Je connais du monde qui ont fait des horreurs pour cacher de pareils accidents de la nature.

– Ces accidents font partie de la vie, Laurier. Nous n'y pouvons rien.

Laurier découvre une femme mûrie et sage. Autour d'elle des éléments de sa délicatesse sont piqués ici et là dans les pièces. Il aperçoit un nid d'oiseaux, un bois de grève sculpté, des arrangements de coquillages harmonieux, des visages d'élèves souriants, le fameux diplôme d'Harold resté accroché sur un mur du salon, un caillou attaché à de merveilleux souvenirs d'un enfant malade à son école. Des peintures de la mer aux teintes douces ou impétueuses, Laurier la découvre, enfin. Séparés de la table, ils se regardent et se taisent, attirés comme des aimants.

– Si nous prenions une marche sur la grève?

Elle l'invite à l'extérieur afin d'aérer l'atmosphère lourde de désirs. Il lui met la main sur une épaule à la sortie, elle en tressaille de plaisir. Dehors, elle marche dans le sentier menant au fleuve et se calme. Maître de la situation, elle prend le contrôle de la rencontre.

– Pourquoi es-tu venu, Laurier?

– Pour savoir.

– Savoir que je ne veux plus souffrir à cause d'un homme.

La cinglante réponse d'Adéline ébranle Laurier.

– Je te comprends. Je suis un peu coupable.

– Un peu! Je t'ai attendu si longtemps, sans comprendre.

– Je suis parti parce que j'étais incapable de soutenir la limpidité de ton regard et la droiture de tes pensées. Au lieu de te mentir, j'ai préféré partir, sans raison, afin de t'aider à m'oublier.

Adéline plisse les yeux, hoche la tête.

– Je ne te suis pas, Laurier.

– Tu avais une raison de me haïr si je te quittais ainsi.

– Pourquoi devais-je te haïr?

– Parce que j'étais incapable de te dire la vérité.

– La vérité? Tu aimais une autre femme!

– Pas du tout! D'ailleurs je n'ai jamais pu aimer une femme autre que toi.

Adéline évite de plonger dans ses yeux clairs, elle flancherait.

– C'est flatteur, mais il est trop tard, je suis mariée. Mariée à la vie, à la mort!

– À un fainéant de la pire espèce! C'est injuste.

– Injuste pour toi, mais c'est ma réalité et nous n'y pouvons rien!

Laurier apprivoise la femme de sa vie à petits pas. Ses navrantes souffrances lui brisent le coeur. Une sorte de résignation à la fatalité qui l'habite le rend triste, elle contraste avec la jeune fille enthousiaste et pleine de vie qu'il a connue.

Comment lui venir en aide? Comment me racheter?

Ils sont maintenant devant la maison. Adéline, piquée au milieu de l'allée centrale, attend qu'il quitte les lieux. Le postillon dévie leur conversation et présente une autre lettre à la jeune femme dont le front se rembrunit. Sans prétention, elle ouvre la missive.

– Il est tenace! dit-elle furieuse en remettant le contenu dans son enveloppe.

– Des ennuis? Si je peux t'aider...

– C'est mon mari. J'ai besoin d'un bon avocat. En connais-tu un?

Heureux de saisir cette marque de confiance, il précipite les mots. Du geste, elle l'invite à prendre une chaise sur la galerie. Harold vient de sceller, malgré lui, une longue série de rencontres entre ces deux êtres au regard enflammé d'une source d'énergie exaltante.

* * * * *

Après le départ de Laurier, Adéline se laisse choir sur un fauteuil et médite. Sa lutte incessante contre l'attrait irrésistible de cet homme l'a vidée. Complètement déboussolée et heureuse en même temps, elle ne sait plus quoi penser. Pendant qu'elle songe, sa main droite tourne indéfiniment son anneau marital dans son auriculaire gauche. Si elle pouvait l'enlever. Mais il est coincé, elle en a fait l'expérience maintes fois.

Où me diriger? À qui me confier? Quel chemin prendre? Une image surgit dans son esprit. J'ai trouvé! Soulagée, elle reprend la route d'un autre village et frappe à une porte.

– J'aimerais voir M. le Curé. Monsieur le Curé Simon Labrosse, s'il vous plaît.

Son ami est tout fier de la revoir. Elle s'informe de Firmin, les nouvelles sont bonnes.

– Il a un emploi, Adéline.

– Il travaille! Waoooo!

– Son père adoptif lui a trouvé un emploi dans un moulin à farine. Il transporte des sacs dans un hangar adjacent.

– C'est merveilleux!

– Il a une petite amie.

– Hein! C'est vrai! Je suis estomaquée... et fière de lui.

– Tu as fait tout ce parcours pour me parler de Firmin? Ton fils, comment va-t-il?

– Je suis allée le voir la semaine dernière. Dans son cas, c'est une cause perdue d'avance.

– Il y a encore autre chose, n'est-ce pas!

– Tu me connais bien, allez! Eh bien! Oui. J'ai revu quelqu'un.

Simon devine le sujet. Il s'enfonce dans son fauteuil.

– Je connais ce quelqu'un?

– Tu en as souvent entendu parler.

– Tu l'aimes encore...!

– Je suis confuse, je ne sais plus où j'en suis.

– Tu crois?

– Je pense.

– Tu es certaine de tes sentiments, mais tu as un grave problème.

Adéline acquiesce, surprise de constater le flair de son ami.

– Oui. C'est bien le cas. Pour le moment, il m'aide dans une cause légale mais après...

– Après tu sauras davantage en le côtoyant ainsi.

– Tout va si bien entre nous. Hélas je...

– ...suis mariée.

Simon se lève et se rapproche de sa grande amie et la prend sur son coeur.

– Chère Adéline qui a toujours eu des amours difficiles ou insensées.

Adéline ferme les yeux et se laisse bercer par cette tendresse inattendue si salutaire.

– Laissons passer quelques mois et nous verrons. J'ai une idée.

Adéline, soudainement stimulée par cette supposition, insiste.

– Qu'est-ce qui te trotte dans le ciboulot, Simon Labrosse?

– Ne nous faisons pas d'illusions mais il se peut qu'une solution existe.

– Peux-tu me le dire?

– Pas maintenant. Laisse-moi travailler, nous verrons ensuite. Ne te fais pas d'idées. Tu pourrais être déçue.

– Tu me donnes de l'espoir. Je vais en parler à mes parents.

– Crois-tu nécessaire de les inquiéter? Attends ma réponse. En attendant, tu sais à quoi tu t'exposes si tu t'engages dans cette relation amoureuse.

– À pleurer, je le sais. Je serai sage.

Adéline rentre chez elle, le coeur en fête. Depuis longtemps le ciel n'avait pas été aussi bleu!

La fin de la saison chaude tirait à sa fin. L'école recommençait sous peu. L'automne s'annonçait des plus cléments. Le ciel pavoisait et à l'intérieur de son cerveau, des idées pleines de couleurs et de musique trottaient partout en se cherchant une place pour se faire un nid. Adéline savourait à grandes coudées la joie de vivre.

Laurier lui avait trouvé un excellent avocat.

Chapitre 26

Adéline flotte sur un nuage. Elle se permet de rêver de longs moments seule sur le rivage du fleuve aux soirs argentés et se laisse nourrir par la caresse des vagues minuscules qui meurent sur ses pieds. Adéline ne s'est jamais permis de se laisser vivre. Apprivoiser cette sensation nouvelle lui donne d'étranges idées de bonheur.

Le retour de Laurier a fait naître en elle une multitude d'interrogations qu'elle se promet de résoudre. Leur première rencontre au *Plateau Doré* l'autre jour remonte souvent en surface et mijote. L'étrange réponse pour expliquer sa fuite a des odeurs étranges et un goût aigre.

Au lieu de te mentir, j'ai préféré partir sans raison, afin de t'aider à m'oublier.

– Je ne te suis pas, Laurier.

– Tu avais une raison de me haïr si je te quittais ainsi.

– Pourquoi devais-je te haïr?

– Parce que j'étais incapable de te dire la vérité.

– La vérité? Tu aimais une autre femme!

– Pas du tout! D'ailleurs je n'ai jamais pu aimer une femme autre que toi.

Adéline ressasse cette conversation énigmatique et se demande pourquoi elle n'est pas allée plus à fond. Pendant qu'elle songe, des pas la suivent dans le sentier menant au large. Elle se retourne brusquement et aperçoit Laurier légèrement vêtu d'un pantalon court et de sandales ajourées à souhait, en grande forme qui lui envoie la main.

La belle jeune femme le rejoint. Laurier s'arrête pour mieux savourer le paysage. Le vent chaud et folichon joue dans la longue chevelure brune d'Adéline aux reflets de soleil et lui crée des mèches ocres. Ses bras basanés contrastent avec la robe de mousseline blanche plissée, incrustée de minuscules fleurs multicolores qui gondole au vent et la taille fine modelant une poitrine généreuse. Il la regarde s'enfoncer les orteils dans le sable fin, faire virevolter ses souliers de toile rouge entre ses doigts et lui sourit, content.

– Tiens, le beau Laurier qui s'amène!

– Eh! Oui. Je passais dans le coin, aussi bien saluer la plus belle créature des environs.

– Flatteur! Va.

– Réaliste. C'est différent.

– Bon. Assieds-toi.

Le fauteuil de toile l'invite.

– Ah! Que c'est beau ici!

– Beau et paisible.

– La sainte paix, en effet! Je t'envie.

L'allusion prend des airs d'invitation. Adéline en hume les odeurs puériles.

– Tu travailles sur le *Plateau*?

– Oui, tout près. Puis. Toi. Comment vas-tu?

– À merveille!

– Rien ne manque à ton bonheur?

– Le bonheur est relatif, tu sais.

– Je pense le contraire.

– Explique-toi.

– Il est un état d'esprit, une manière de vivre.

– Monsieur philosophe.

– Depuis que je t'ai retrouvée.

– Tu m'as perdue?

– Par ma faute.

– Tu te culpabilises à outrance.

– Je le mérite. Il y a des erreurs qui nous collent à la peau et nous suivent toute notre vie. Te quitter en fut une.

– Vas-tu m'expliquer à la fin!

– C'est une longue histoire que je t'expliquerai un jour.

– Maintenant! Je me meurs d'en connaître la raison.

Laurier boit la limonade que lui offre Adéline, la regarde et se demande si le moment est propice. Avec elle, tout doit être limpide comme de l'eau de source. Il s'installe dans un fauteuil de plage vide. La jeune femme se laisse choir en face de lui, sur la première marche de l'escalier comme une petite fille et s'appuie le dos au poteau de la véranda. La chaleur caressante des rayons du soleil à son zénith, l'invite à la confidence, il réfléchit. Elle veut savoir, elle saura.

– Te souviens-tu de maman?

– Mais oui. Pourquoi?

– C'est une sainte mère. Mon départ lui a fait une grande peine. Je ne l'ai jamais revue.

– Oh! Pourtant vrai.

– Tu sais qu'elle est morte brûlée.

– Je le sais. Cette histoire a parcouru la planète, je pense.

– Le village, c'est certain!

– Maman n'était pas seule dans la maison.

500

– Il y avait ton père, je le sais.

– Mon père et quelqu'un d'autre...

Adéline écoute ses souvenirs monter du passé et relie le mystère d'un bruit insolite dans cette maison raconté par les Montpellier. La tête suspendue à son visiteur, elle se tait et boit les confidences étourdissantes.

– Quelqu'un d'autre?

– Oui. Une petite soeur.

Adéline s'est approché de lui et boit ses paroles.

– Oooooooh!

– Une petite soeur que personne n'a jamais vue. Nous étions quatre enfants au lieu de trois. Paul, Monique, elle ... et moi.

– Comment s'appelait-elle?

Laurier hésite. Il sent qu'il est allé trop loin et ne peut plus reculer. Ce secret si longtemps macéré en lui a des odeurs purulentes. L'envie de vomir monte en lui certains jours. Il prend son courage à deux mains et crache le morceau.

– La chambre.

– La chambre? Ce n'est pas un prénom.

– C'était pourtant le sien.

– Explique.

– Tu te souviens de ma réaction devant la photo de ton enfant malade. Eh! bien, mes parents ont mis au monde une enfant similaire et cent fois plus mal en point que le tien.

– Puis. Je ne vois pas le rapport.

– Ils ont eu honte de ma petite soeur et l'ont cachée toute sa vie dans une chambre loin des bruits du rez-de-chaussée.

Laurier, prisonnier de son tourment, le visage livide défile sa révélation, le corps tendu, le coeur troublé et aux bords des larmes. Le cristal humide de son regard les rend superbes. Son aveu dévoilé, il reprend son souffle et laisse tomber les épaules tendues à la moelle. Sa voix chevrotante fait couler un mince filet de confidences amères et douloureuses.

– Après la mort de papa, j'ai trouvé un papier dans ses choses m'apprenant que son nom véritable était Julienne. Aucun d'entre nous n'a jamais su son nom. On disait également qu'elle n'avait pas été baptisée à l'église mais par ma mère. J'ai détesté cet homme pendant des années. La haine me dévorait et remplaçait tout sentiment. Je m'en voulais pour n'avoir pas su lui tenir tête davantage. Lui et moi étions constamment en conflits. Partir fut pour moi la solution et une délivrance, malgré la hantise de laisser ma soeur internée dans ma propre lâcheté.

Adéline estomaquée se prend les joues.

– C'est horrible! Pourquoi?

La jeune femme s'approche et appuie ses coudes sur les genoux de Laurier, lui tient les mains et les serre, à son insu.

– Ils avaient peur des qu'en-dira-t-on.

– Cette histoire est invraisemblable. Je n'ose y croire! Elle était si moche!

– Un monstre. Personne d'entre nous n'avait le droit d'aller la voir, sauf papa et maman. C'était surtout maman qui s'en est occupée. Pauvre maman!

– Était-elle idiote comme mon Patrice?

– Non. Maman dit qu'elle était capable de beaucoup de choses. Son visage était si monstrueux, que nous en avions peur. Une peur entretenue par mon père qui avait la trouille.

– La trouille?

– Que l'un de ses enfants dévoile la vérité.

Adéline lui caresse le bras, complètement renversée.

– Pauvre petite!

– Je sais. Le vrai monstre était mon père. Il a enfermé son enfant dans un monde de préjugés inconcevables et inadmissibles. Souvent je songe à cette petite retenue dans sa prison hermétique, retirée de la vie et des humains, privée de toute manifestation affective, sans pouvoir se libérer ni s'épanouir.

– Ni se développer.

– Quel âge avait-elle?

– C'était l'aînée de la famille. Elle était dans la trentaine à sa mort.

– On a planifié son imbécillité. Comprends-tu?

– Je vois.

– Monique, ma soeur est partie loin, très loin, incapable d'en supporter davantage.

– Et Paul?

– Il a subi le calvaire de mes parents. Il gardera le secret jusqu'à la mort, j'en suis certain.

– Et toi?

– Je ne pouvais plus te cacher cette histoire. J'en étais moi-même dépassé. Certains jours, je ne savais plus quoi faire ni comment penser. Ma petite soeur m'obsédait. Un jour, peu de temps après t'avoir connue, nous avons eu une violente prise de bec mon père et moi. Je lui ai manifesté mon désir de te raconter ce mélodrame. Il m'a ordonné de quitter le foyer paternel sur-le-champ.

– Alors tu es parti.

– Je n'ai pas eu le choix.

– Et ta mère dans toute cette histoire.

– Elle subissait les foudres de mon père, de plus en plus fréquentes. Je crois qu'elle pensait qu'il finirait dans un asile d'aliénés.

– Sa vie se termina autrement.

– Lorsque j'ai su qu'elle était décédée, j'ai poussé un grand soupir de soulagement. Comme mon père était fossoyeur, il a dû enterrer les restes de ma petite soeur dans la fosse de ma mère. Il lui était facile de jeter les ossements sous la tombe de maman.

– Tais-toi, tu me fais frissonner.

Adéline réfléchit un moment, les ossements trouvés à la frontière des terres des Lanteigne et des Montpellier refont surface. Elle repousse cette association hurluberlu. Il y avait méprise sous son cuir chevelu.

D'ailleurs, cette histoire trouverait bien un jour son dénouement, se dit-elle confiante.

Le regard implorant de Laurier attend le sien. Adéline émue et bouleversée serrent les mains qui s'offrent à sa tendresse. Elle caresse la joue de cet homme magnifique dans sa vérité crue et voit s'humidifier ses grands yeux clairs. Ils osent affronter les siens. Leur communion de pensées se creuse un chemin jusqu'à leurs entrailles. Laurier emprisonne le visage de la jeune femme entre ses mains. Une immense inquiétude transperce son regard.

– Que penses-tu de moi, Adéline.

Adéline, noyée d'émotions et de tendresse offerte par ces mains, ferme les yeux un moment. Laurier se penche doucement et pose ses lèvres sur les siennes. Adéline réagit.

– Laurier tu es...

Impossible de continuer, la fureur de leur amour les prend tout entier. Le monde n'existe plus autour d'eux. Ils se laissent examiner par un homme arrivé à l'improviste qui leur sourit intimidé, s'avance lentement vers eux, chavire l'atmosphère intime et malsaine, à ses yeux. Une voix de baryton les surprend.

> *– Il y a une étoile*
> *Dans les yeux de chaque homme*
> *Dieu a vu cette étoile*
> *Et Jésus s'est fait homme.*
>
> *Il y a une pierre*
> *Dans le coeur de chaque homme*
> *Dieu a vu cette pierre*
> *Mais Jésus nous pardonne*
>
> *Il y a une source*
> *Dans les mains de chaque homme*
> *Dieu fait naître la source*
> *Et Jésus nous la donne*
>
> *Il y a une graine*
> *Dans la terre des hommes*
> *Dieu a mis cette graine*
> *Et Jésus la moissonne.*

Il y une route
Au pays de chaque homme
Dieu a pris cette route
Où s'avancent les hommes.

Le couple ravi accueille le visiteur.

– Simon! Quel bon vent t'amène.

– Bonjour Monsieur l'Abbé.

– Tu es ce jeune homme dont Adéline m'a parlé, n'est-ce-pas?

– En chair et en os! Nous ne pouvons rien te cacher, Simon.

Embarrassé par la camaraderie d'Adéline envers ce prêtre, Laurier se retire. Mais Adéline lui prend la main et le rapproche d'eux.

– Monsieur le Curé! Mon petit doigt et votre gros nez qui bouge me dit que vous êtes porteur de bonnes nouvelles.

– On ne peut rien te cacher Adéline. En effet, j'ai de bonnes nouvelles pour toi.

Adéline dépassée par tant de bousculades affectives, sent battre son coeur et rougir ses joues comme une adolescente à son premier amour; tout allait si vite! Elle scrute le regard de Laurier, tout sourire. Elle sent monter la peur en elle. S'il fallait encore souffrir. Ils ont si peu touché le sujet de leur avenir, que la missive de Simon l'effraie.

– Une bonne nouvelle! De quelle couleur?

– Un arc-en-ciel, comme tu les aimes.

Le temps s'étire et le prêtre se tait. Laurier devine que le curé désire parler seul à seul avec la jeune femme et croit le moment venu de se retirer. Il leur fausse compagnie contre le désir d'Adéline. Seuls, les deux amis inséparables se retirent à l'abri des regards indiscrets et entrent dans la demeure.

— Je suis impatiente, Simon. L'attente a assez duré. Ouvre ta boîte à surprises.

— Adéline je suis allé à l'évêché et j'ai plaidé ta cause auprès de l'Évêque.

— De l'Évêque! Que vient-il faire dans ma vie, celui-là?

— Ton cas a été étudié et ton annulation de mariage a été proclamée.

— Simon! Mon... quoi?

— Annulation de mariage.

Adéline bouche bée, figée de surprise, se tait, incapable de prononcer un son.

— Harold a manqué de franchise et d'honnêteté envers toi. Il a usé de stratèges et de subterfuges pour t'amener au pied de l'autel. Le mariage, Adéline se contracte en toute connaissance de cause et en toute liberté. Ce n'est pas un piège dans lequel on doit tomber. Chacun assume les gestes qu'il pose et les paroles qu'il prononce en se mariant.

— Simon! Je n'en crois pas mes oreilles! Je suis libre!

— Entièrement libre. Voici le papier.

— Simon je me sens toute drôle en dedans. Comment peut-on avoir vécu des années avec un homme, être mère et ne pas avoir été mariée.

— Je te comprends, Adéline. Cette situation te semble farfelue. Songe que tu as vécu avec un homme étrange. L'Église se montre compréhensive et juste quand il s'agit de situations exceptionnelles telle que la tienne. La véritable religion se situe dans un contexte de complète liberté, tu le sais.

– Je le sais. Mais on pense toujours que ces choses ne peuvent nous arriver. Comment acceptera-t-on mon histoire? Que dira maman?

– Je lui ai rendu visite hier et lui ai annoncé.

Adéline étonnée secoue la tête.

– Tu as fais cela, Simon Labrosse! De quel droit?

– À quoi servent les amis? À se montrer utile à l'occasion, n'est-ce-pas! Maintenant, elle sait et en est très heureuse.

Adéline sautille de joie comme une petite fille. Elle fredonne et danse sous le regard de son ami amusé.

– Je suis libre. Je peux...

Elle s'arrête brusquement, inquiète. Simon devine.

– Tu ignores les sentiments de cet étourdi venu te rendre visite, en début d'après-midi!

Adéline opine du bonnet, silencieuse un moment.

– Hélas. Nous en sommes aux balbutiements. J'étais une femme mariée, au cas où tu l'ignorerais, Simon Labrosse!

– Une femme mariée qui a tenu sa place comme la lumière d'un phare. Je t'admire. Ces balbutiements sont une idée splendide, Adéline. Tu as le champ libre et tu es une femme avertie. Alors tu feras un bon choix.

– Le choix est fait, Simon. S'il le veut...

– Laisse retomber la poussière et prend ton temps. Maintenant je te laisse, j'ai des malades à visiter.

Adéline l'embrasse sur les deux joues, le salue et s'empresse de découvrir le papier porteur de la clé de son bonheur.

* * * * *

Adéline cherche le sommeil. Des montagnes d'idées s'échafaudent dans son esprit empêtré dans une nuit sans étoiles. Tant de nouvelles venues s'échoir en même temps sur son perron. Une conversation se déroule à l'infini au toit de sa réflexion. Un jeune visage humain lui sourit.

– Firmin est en amour, a affirmé Simon Labrosse.

La jeune femme fait des esquisses sur son sauveur et l'imagine les bras au cou d'une jeune fille.

– Tu devrais le voir, Adéline. Tu en serais stupéfaite.

– Je l'imagine difficilement. Est-il apte à vivre une telle aventure, Simon?

– Donnons-lui le temps et la liberté, Adéline.

– Il se brisera les ailes.

– Nous lui recollerons. Ce n'est plus le même homme. Depuis qu'il a un emploi stable et un salaire convenable, il s'est transformé. L'homme trouve dans le travail un moyen de s'épanouir, tu le sais.

– Firmin est plus démuni. Son milieu lui était néfaste.

– Ses nouveaux parents ont accompli une oeuvre remarquable par leur patience et leur détermination. Le miracle se trouve au coin de notre route parfois et nous le cherchons loin dans le vaste monde.

– Ursule Montpellier doit se retrousser dans sa tombe.

– En être fière, Adéline. Très fière.

– J'en doute Simon. Et sa petite amie.

– C'est une jeune fille plus âgée que lui, pas très jolie mais sérieuse, la tête bien ancrée sur les deux épaules et possédant un coeur d'or.

– Elle a su découvrir le sien. Il est scintillant comme le soleil. Une telle pureté de sentiments! Il ne m'est jamais arrivé de la rencontrer nulle part chez aucun être humain.

– Est-il en mesure d'avoir des enfants?

– S'ils continuent dans cette voie, je le crois.

– Au fond, Firmin n'est pas un idiot mais un homme qui accuse un retard mental. Dans ce monde tout est souvent qu'incertitude, Simon.

– Sauf avec Dieu. Il sait où il va et où il nous amène.

Adéline se change de position. L'espérance de son ami-prêtre avait des élans de contagion. Puis ce papier, là, sur sa table de chevet qu'elle a lu et relu pour éteindre tout doute inscrit en elle, trame des espoirs, sème des rêves inaccessibles, nourrit ses ambitions tenues secrètes. Elle est libre comme l'air, si légère et si heureuse. L'image de Laurier s'agglutine à son toupet. L'homme magnifique se tient droit devant elle et lui sourit. Ses bras robustes et chaleureux sèment des bouquets de joie dans son coeur. Soudain, une pensée farfelue se faufile.

S'il fallait qu'il ait changé d'opinion. Je ne sais rien de ses sentiments envers moi. Ce fin causeur, cet irrésistible charmeur se pare-t-il de vains espoirs?

Leur rencontre de l'après-midi ne lui permet plus d'en douter.

Un instant, elle sent monter les regrets envers Simon venu briser un grand moment de leur vie. L'ampleur de ses confidences, la sincérité écrite dans son regard ne lui permet plus d'en douter.

Quand vais-je le revoir?

Tout de suite! Maintenant!

Tu cours trop vite Adéline. Prends ton temps, a suggéré ton ami Simon.

Demain matin. Dès l'aube, j'irai à la ville le rencontrer. Le temps presse, au contraire. Simon ignore ce que c'est que d'aimer.

En femme réfléchie, elle se revoit qui analyse, qui scrute, qui soupèse ses sentiments, heureuse. Pas un instant elle n'a douté de son coeur. Adéline se recroqueville dans son lit, arrosée par la brise nocturne entrant par sa fenêtre, striée par la musique d'un criquet et s'endort comme un bébé à poings fermés.

* * * * *

Laurier tressaille. Une superbe jeune femme l'attend dans son bureau. Sa robe jaune en coton fin remplit de chaleur la pièce entière.

– Adéline! De si bonne heure!

– Je suis venue te faire part d'une nouvelle nous concernant.

Laurier irradie de bonheur. Il replace sa cravate et s'approche d'elle.

– Parle, tu m'intrigues.

– Je préférerais dans un autre endroit.

Laurier Lanteigne disparaît, donne des ordres à la secrétaire et revient son léger veston blanc sous le bras.

– Sur quelle île accosterons-nous?

– Enchanteresse, si tu le désires.

– Enchanteresse ou inconnue, peu m'importe, pourvu que ce soit avec toi.

Un endroit superbe en retrait de la ville les accueille. À gauche, une marina se réveille. Au quai, un bateau multicolore sommeille solidement amarré. Ses immenses voiles blanches battent au vent en signe d'amitié. Un parc garni de tables au parasol coloré replié sur lui les attend. Adéline s'y installe, tandis que Laurier apporte un breuvage foncé. Comme un papillon, Laurier tourne autour et ne parvient pas à se poser.

– Tu vas m'apprendre cette fichue nouvelle, à la fin!

– Assieds-toi d'abord.

– Ah! Adéline. Commencer la journée en ta compagnie me comble au plus haut point.

– Suite à notre conversation d'hier, j'ai beaucoup réfléchi.

Laurier s'immobilise sur sa chaise. Toute joie a disparu sur son visage buriné. L'inquiétude naissante lui monte au coeur.

– Adéline. Que signifie ce visage sérieux? Tu m'intrigues. Mes pénibles confidences venaient du fond du coeur, Adéline.

Il plonge dans le regard de la jeune femme et lui prend les mains.

– Je me sens léger comme une abeille, Adéline. Je te regarde et je m'aime. Pour la première fois de ma vie j'ose affronter mon visage dans le miroir, sans honte. Je m'aime. Quoi qu'il arrive entre nous, jamais je ne regretterai ces aveux. À toi de décider maintenant. Adéline je t'aime et n'ai aimé que toi dans ma vie.

– J'étais une femme mariée, tu le sais.

Laurier intensifie ses pensées muettes visibles dans ses grandes prunelles claires. Une gamme de sentiments divers traversent son cerveau et glissent sur son visage.

– Tu as dit j'étais?

– Ah ah ah! ricane à pleine voix le belle Adéline. Oui. Tu as bien compris.

– Tu ne l'es plus?

Adéline sort un papier de son sac à main et lui présente.

– Voilà. Je suis libre. Entièrement libre! Laurier.

Le comptable ébloui perd l'usage de la parole. Il parcourt les lignes et tousse. Adéline rit à gorge déployée.

– Adéline! ADÉLINE! Tu es libre!

Il la lève et l'enlace tendrement.

– Ma chère, ma tendre Adéline. Je t'aime comme un fou!

Adéline émue, se sent transformée par l'amour.

– Je t'aime Laurier. Je t'aime à n'en plus finir.

Ils figent ce sentiment pour l'éternité dans un long et ardent baiser.

– Veux-tu être ma femme?

– Je le veux. Je n'ai jamais cessé de t'aimer. Peu importe que tu aies *une chambre* comme soeur ou non.

* * * * *

Dans sa prison Harold réalise qu'il n'a plus d'ongles, il les a rongés aux racines. Il se passe la main sur le crâne clairsemé et refuse de songer au jour où il se regardera dans le miroir, sans cligner des yeux. Son cerveau dégarni rempli de crasse imaginaire a perdu tout attrait. L'odeur du désir défendu a perdu de son acuité. Son corps rondelet s'est aminci sous la rudesse de sa vie de condamné à perpétuité détruite par un

désir morbide de domination insensée.

Étendu sur sa couche, il examine la carte piquée au mur de sa cellule qu'il a prise au coin du miroir de sa femme lors de son arrestation. Une magnifique rose rouge remplit l'espace et fait une tache sur la nudité et le néant de sa vie.

Une rose pour Adéline.

Il examine la signature en se demandant pourquoi sa femme a gardé cette carte, et se plaît à songer qu'elle a toujours su qu'il était l'auteur de ce cadeau; l'unique fleur qu'il n'ait jamais offerte à une personne dans sa vie. Il sourit. Sous sa coquille mal fichue, ce geste gratuit lui prouvait qu'il avait aimé, à sa façon, Adéline Lussier.

Un gardien se présente à sa grille.

– Montpellier! Tu es demandé au parloir.

Harold fonce les sourcils.

Qui cela peut-il être? Je n'attends personne.

Au parloir, Harold fige sur place. L'homme, qui se tient devant lui, le momifie et sa voix perd ses sons.

Simon Labrosse le salue. Le vicaire devenu curé entame son long couloir du pardon.

Dans la vie d'Adéline, justice a été rendue.

Épilogue

Sur une mer de volupté enchanteresse et d'un bonheur enivrant, Laurier et Adéline s'avancent vers l'autel. Simon Labrosse, le célébrant, implore ardemment le ciel de faire jaillir d'innombrables bénédictions sur celle qui unit sa vie à cet homme noble et bon. Ému, il écoute leur serment et leur engagement mutuel puis bénit leur union. Tout est scellé pour l'éternité, il en a la ferme conviction.

Quelque part sur un île du Pacifique le soir flamboie. Il fête la conquête de deux coeurs fait pour s'aimer.

Deux êtres enlacés écoutent la marée les bercer. Derrière, une grande montagne leur sert de paravent. Noyés de bonheur et de beauté environnante, ils écrivent en des mots indélébiles des froments de leur passion amoureuse et les portent à la brise légère où le vol d'un oiseau les taquine au passage comme la main sur un éphéméride.

– Je t'ai toujours aimé, ma chérie.

– Et je t'aimerai toujours, Laurier Lanteigne. Ne l'oublie jamais!

À leur retour, un petit être, beau, intelligent au physique bien conçu les accompagnera dans le sein d'Adéline.

Hâtez-vous de laisser courir la bonne nouvelle au *Plateau Doré*, chante autour d'eux le petit oiseau au pelage exotique qui danse en farandole dans l'azur bleuté de leur bonheur.

SOURCES DE RENSEIGNEMENTS

P. 50 à 59, Informations: Service canadien de la faune, Ministère des Approvisionnements et Services, Ottawa, 1997.

P. 170 à 173, p. 190, Engelure: Cold Injuries Nols Wilderness First Aid. - Rick Curtis, Outdoor Action Program Princeton University, 1995.

P. 479-480, Chanson: Jo Akepsimas.

IMPRIMÉ AU CANADA